우루과이라운드

협상 동향 및
무역협상위원회
회의 1

우루과이라운드

협상 동향 및 무역협상위원회 회의 1

한국학술정보

| 머리말

    우루과이라운드는 국제적 교역 질서를 수립하려는 다각적 무역 교섭으로서, 각국의 보호무역 추세를 보다 완화하고 다자무역체제를 강화하기 위해 출범되었다. 1986년 9월 개시가 선언되었으며, 15개 분야의 교섭을 1990년 말까지 진행하기로 했다. 그러나 각 분야의 중간 교섭이 이루어진 1989년 이후에도 농산물, 지적소유권, 서비스무역, 섬유, 긴급수입제한 등 많은 분야에서 대립하며 1992년이 돼서야 타결에 이를 수 있었다. 한국은 특히 농산물 분야에서 기존 수입 제한 품목 대부분을 개방해야 했기에 큰 경쟁력 하락을 겪었고, 관세와 기술 장벽 완화, 보조금 및 수입 규제 정책의 변화로 제조업 수출입에도 많은 변화가 있었다.

    본 총서는 우루과이라운드 협상이 막바지에 다다랐던 1991~1992년 사이 외교부에서 작성한 관련 자료를 담고 있다. 관련 협상의 치열했던 후반기 동향과 관계부처회의, 무역협상위원회 회의, 실무대책회의, 규범 및 제도, 투자회의, 특히나 가장 많은 논란이 있었던 농산물과 서비스 분야 협상 등의 자료를 포함해 총 28권으로 구성되었다. 전체 분량은 약 1만 3천여 쪽에 이른다.

2024년 3월
한국학술정보(주)

| 일러두기

· 본 총서에 실린 자료는 2022년 4월과 2023년 4월에 각각 공개한 외교문서 4,827권, 76만여 쪽 가운데 일부를 발췌한 것이다.

· 각 권의 제목과 순서는 공개된 원본을 최대한 반영하였으나, 주제에 따라 일부는 적절히 변경하였다.

· 원본 자료는 A4 판형에 맞게 축소하거나 원본 비율을 유지한 채 A4 페이지 안에 삽입하였다. 또한 현재 시점에선 공개되지 않아 '공란'이란 표기만 있는 페이지 역시 그대로 실었다.

· 외교부가 공개한 문서 각 권의 첫 페이지에는 '정리 보존 문서 목록'이란 이름으로 기록물 종류, 일자, 명칭, 간단한 내용 등의 정보가 수록되어 있으며, 이를 기준으로 0001번부터 번호가 매겨져 있다. 이는 삭제하지 않고 총서에 그대로 수록하였다.

· 보고서 내용에 관한 더 자세한 정보가 필요하다면, 외교부가 온라인상에 제공하는 『대한민국 외교사료요약집』 1991년과 1992년 자료를 참조할 수 있다.

| 차례

머리말 4

일러두기 5

UR(우루과이라운드) 협상 동향 및 TNC(무역협상위원회) 회의, 1991. 전4권(V.1 1월) 7

UR(우루과이라운드) 협상 동향 및 TNC(무역협상위원회) 회의, 1991. 전4권(V.2 2-8월) 249

정 리 보 존 문 서 목 록

기록물종류	일반공문서철	등록번호	2019080091	등록일자	2019-08-13
분류번호	764.51	국가코드		보존기간	영구
명 칭	UR(우루과이라운드) 협상 동향 및 TNC(무역협상위원회) 회의, 1991. 전4권				
생 산 과	통상기구과	생산년도	1991~1991	담당그룹	
권 차 명	V.1 1월				

내용목차	* 1.15. TNC 수석대표급 비공식 회의
	    - 수석대표(선준영 주체코대사) 연설을 통해 농산물 협상 입장 전향적 재검토 용의 표명
	2.26. TNC 실무급 공식 회의
	    - Dunkel 의장, UR 협상 재개 및 시한 연장 제의 성명 발표
	4.25. TNC 수석대표급 회의
	    - 협상구조 재조정(7개그룹) 및 각 협상그룹 의장 선임
	9.20. 그린룸 회의
	    - Dunkel 총장, 10월 말~11월 초 마지막 Consensus paper 작성 일정 제시
	11.7. TNC 회의
	    - 11.11.부터 미결쟁점에 대한 합의 도출을 위해 집중 협상 추진 계획 발표
	12.20. Dunkel 총장 UR 최종 협정 초안 TNC에 제시				

0001

UR(우루과이라운드) 협상 동향 및 TNC(무역협상위원회) 회의, 1991. 전4권(V.1 1월)   7

	분류번호	보존기간

발 신 전 보

번 호 : WUS-0013 910103 1834 FK종별 :

수 신 : 주 _____ 대사·총영사
수신처 참조

                                          WEC -0003 WJA -0013
                                          WCN -0005 WAU -0003

발 신 : 장 관 (통 기)

제 목 : UR 협상 전망

91.6.30.(일반)로 재분류

    실무급 TNC 회의 아국 수석대표(주제네바대사)가 현재 공석중인 상황
아래 1.15. 재개 예정인 UR 협상 참가대책 수립에 참고코자 하니, 1.15. TNC대사급
회의와 관련 아래 사항에 관한 주재국 정부의 평가·전망등을 계속 파악보고하되,
1차 보고는 가능한한 서울시간 1.4(금) 오후까지 접수될 수 있도록 조치 바람.

1. "페"만 사태가 동 회의에 미치는 영향

    가. 1.15. 예정대로 회의가 개최될 것인지 여부와 예상되는 회의 개최 기간, *최대한*

    나. 실질 협상으로 이어질 가능성

                    동의

2. 주재국의 대표단 구성 및 수준(농산물, 써비스등 핵심분야 대표)

3. 농산물 분야에 관한 미. EC간 의견 절충 가능성 및 가능시기등. 끝.

수신처 : 주미, EC, 일본, 카나다, 호주대사

                                                (통상국장 김삼훈)

앙고재	91년 월 3일 통기과	기안자 김녹주	과장	심의관	국장 전열	차관 장관	보안통제	외신과통제

0002

분류번호	보존기간

발 신 전 보

번 호 : WGV-0003   910103 1835   FK 종별

수 신 : 주   제네바대사대리   대사 · 총영사

발 신 : 장 관 (통 기)

제 목 : UR 협상 전망

'91. 6. 30 (맡번 1로 재분류

실무급 TNC 회의 (아국 수석대표(주제네바대사)가 현재 공석중인 상황

아래 1.15. 재개 예정인 UR 협상 참가대책 수립에 참고코자 하니, 1.15. TNC대사급

회의와 관련 아래 사항을 포함한 관련 동향, 전망등을 계속 파악 보고하되 1차

보고는 가능한한 서울시간 1.4(금) 오후까지 접수될 수 있도록 조치 바람.

1.   "게"만 사태 시한과 관련, 1.15. 예정대로 회의가 개최될 것인지 여부와

    예상되는 회의 개최 기간, 회의의 성격.

2.   실질 협상으로 이어질 가능성

3.   주요국의 대표단 구성 및 수준 (특히 농산물, 써비스등 핵심분야 대표)

4.   농산물 분야에 관한 미. EC간 의견 절충 가능성 및 예상되는 절충 가능시기등.

끝.

(통상국장 김삼훈)

앙 고 재	91 년 월 3 일	통 기 과	기안자		과장	신기관	국장		차 관	장 관		보안통제	외신과통제
			김병우			전결							

0003

외 무 부

관리
번호 91-5

종 별 :

번 호 : CNW-0004   일 시 : 91 0103 1600

수 신 : 장 관(통기, 상공부)

발 신 : 주 카 나 다 대사

제 목 : UR 협상 전망

대 : WCN-0005

하명근 상무관이 주재국 외무무역부 MTN BRANCH MR. MIKE GIFFORD(SENIOR COORDINATOR, AGRICULTURE)등 관계관과 대호건 관련 협의한바 있어 동인의 발언 요지를 아래 보고함.

1. "페" 만 사태가 동 회의에 미치는 영향

0 "페" 만 사태 여하에 따라 1.15. TNC 회의가 영향을 받을 것이라는 정보는 현재로서는 접한바 없음.

0 동 회의는 농산물 문제가 촛점이 될것으로 보이는바, 약 4 - 5 일간에 걸쳐 GATT 의 DUNKEL 사무총장에 의한 농산물 협상 중재안의 제시와 이에 근거한 본격 협상이 있을 것임.

0 동 회의시 농산물 협상에 진전이 있을 경우 타 분야 협상으로 연결될수 있을 것이나 그렇치 않을 경우 UR 협상은 또다시 교착 상태에 빠질 것으로 예상됨.

2. 주재국의 대표단 구성

0 주요 대표는 아래와 같이 구성될 것으로 예상

- GERALD SHANNON 제네바 수석 MTN 대사(수석대표)

- GERMAIN DENIS 외무무역부 MTN 담당차관보

- MIKE GIFFORD 외무무역부 MTN BRANCH 농업담당 SENIOR COORDINATOR

- DAVID LEE 외무무역부 MTN BRANCH 서비스 담당 SENIOR COORDINATIR 등

3. 농산물 분야에 관한 미.EC 간 의견 절충 가능성 및 가능시기등

0 양측이 농산물 협상 타결을 위한 정치적 의사가 있음을 표명하고 있으므로 DUNKEL 사무총장이 1.15. 제시할 중재안이 양측에 의해 협상의 기초로 받아들여질수 있다면 미.EC 간 의견 절충 가능성은 REASONABLY OPTIMISTIC 한것으로 전망됨.

통상국   차관   2차보   상공부

PAGE 1   91.01.04   08:29

외신 2과 통제관 BT

0004

O DUNKEL 사무총장은 1.11. 경 MACSHARRY EC 농업 위원장과 접촉할 예정으로 있음. 끝

(대사 -국장)

예고문 : 91.6.30. 까지

관리
번호 90-6

외 무 부

종 별 :

번 호 : GVW-0011   일 시 : 91 0103 1910

수 신 : 장관(통거)경기원, 재무부, 농림수산부, 상공부)

발 신 : 주 제네바대사 대리

제 목 : UR 협상(전망)

연: GVW-2818
대: WGV-0003

1. 대호 관련, 금 1.3 현재 갓트 사무처는 금주말까지 사실상 휴무상태에 있고, 기타 공관들도 담당 직원들이 휴가에서 귀임치 않은 실정이며, UR 전망과 관련한 당지에서의 특기할 동향은 보이지 않고 있음.

2. 브랏셀 회의 이후 DUNKEL 갓트 사무총장은 UR 협상의 교착 상태 타개를 위해 지난 12.19 워싱턴을 방문, CARLA HILLS 대표, YEUTER 장관등 미고위 관리들과 접촉하였으며(동 미국 방문결과에 대하여는 상세내용이 보도된바 없음. 다만 CARLA HILLS 대표는 12.30 TV 인터뷰를 통해 이씨측이 3 가지 분야에서 공동 농업 정책을 개혁한다면 미국 입장에 융봉성을 보이겠다고 밝힌바 있음), 1.7 주간에는 브랏셀을 방문 예정인바, 이는 금년도 첫 EC 집행위 회의가 1.4 개최되며, 동 회의에서 MCSHARRY 농업 담당 집행위원이 EC 공동 농업 정책의 개혁에 대한 동인의 구상을 밝힐 예정으로 있어 동회의 이후 EC 측과 UR 타개책 협의를 위한 것으로 관측되고 있음.

3. DUNKEL 총장은 90.12.18 자 전문 회람(GVW-2818 참조)을 통해 시장접근 분야의 양자 협상을 강화하여 1.15 회의에서 협상 현황 평가가 의미있는 것이 되도록 해달라고 언급한바 있음에 비추어 1.15 개최되는 비공식 TNC 수석대표 회의는 UR 협상의 재개라기 보다 상기 주요국과의 접촉 결과를 토대로 한 협상 현황 평가(STOCK-TAKING)의 성격을 띄게 될것으로 보임.

4. 1.15 개최될 TNC 회의와 관련 당지에서 접촉이 가능한 핀랜드 및 미국 대표부 관계관의 전망은 아래와 같음.

- 핀랜드 대표부 HUHTANIEMI 공사: EC 의 공동 농업 정책의 개혁 방향과 신속처리 절차(FAST-TRACK APPROACH)에 대한 미의회의 반응이 확실히 나타나야 DUNKEL

통상국   장관   차관   2차보   경기원   재무부   농수부   상공부

91.01.04   05:23
외신 2과 통제관 CE
0006

사무총장이 1.15 TNC 회의에서 실질협상 재개에 대한 구체적 방향 제시가 가능할 것임.

    - 미국대표부 STOLER 공사: DUNKEL 사무총장으로서는 워싱턴 방문 및 브랏셀 방문결과를 토대로 협상 재개가 가능하다는 판단이 있어야만 1.15 회의에서 협상재개 복안을 밝힐것으로 보며, 협상 재개에 들어가게 될 경우 2 월 첫째주 동안 협상을 끝내야 신속처리 절차 시한을 맞출수 있을 것인바, 폐만사태 시한이 1.15 로 되어있으나 당지에서의 TNC 대표급 비공식 회의는 예정대로 개최될것으로 봄.

    5. 당관의 견해로는 1.15 TNC 수석 대표급 회의가 곧 실질 협상으로 연결될것인지 여부는 DUNKEL 총장의 브랏셀 방문 이후에 전망이 가능할 것으로 보여지며, 따라서 실질 협상 대표단 구성 문제도 아직은 시기적으로 판단이 어려운 상황임.

    6. 갓트 사무처 및 당지 각국 공관이 내주부터 본격 업무를 개시할 것으로 보이므로 동건 추후 계속 파악 결과 추보 하겠음. 끝

    (대사대리 박영우-국장)

    예고 91. 6.30. 까지

관리
번호 90-7

외 무 부

종 별 :

번 호 : ECW-0005   일 시 : 91 0103 1700

수 신 : 장관(통기)

발 신 : 주 EC 대사

제 목 : UR 협상 전망

대: WEC-0003

1. 당지 언론보도 등에 의하면 1.15. 개최 예정인 UR/TNC 회의는 예정대로 개최될 것으로 전망하고 있음. 또한 브랏셀 TNC 회의 이후 미.EC 간에 타협점 모색을위한 노력이 이루어지고 있는것으로 보도되고 있으나 상금 EC 의 구체적인 입장변화 여부및 내용은 알려지지 않고있음

2. 현재 EC 집행위는 금주말까지 년말년시 휴무인 관계로 대호 관련사항에 대하여 내주초 EC 관계관과 접촉, 파악되는대로 보고하겠음. 끝

(대사 권동만-국장)

예고: 91.12.31. 까지

검 토 필 (198 /   .   .   .)

검 토 필 (199 / . 6 . 30 .)

일반문서로 재분류 (198 | . 12 . 31 .)

통상국   차관   2차보

경 제 기 획 원

봉조삼 10502-ﾆ　　　　　　　503-9149　　　　　　　1991. 1. 3.

수신　수신처참조

제목　UR관련 면담결과 송부

　　　당원은 '90.12.28 주한 미국대사관 UR담당자와의 면담에서 우루과이
라운드에서의 양국 협력방안에 대해 논의하였기 동 내용을 요약송부하니
귀부 업무추진에 참조하시기 바랍니다.

　　　첨부: UR관련 면담결과 1부.　끝.

경 제 기 획 원 장

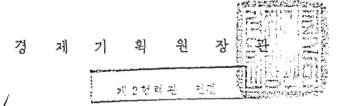

수신처 : 외무부장관(통상국장), 재무부장관(관세국장, 경제협력국장),
　　　　　농림수산부장관(농업협력통상관), 상공부장관(국제협력관).

0009

우루과이 라운드 關聯 面談結果

1990. 12

經 濟 企 劃 院

駐韓 미대사관 參事官 UR관련 面談結果

1. 面談槪要

가. 面談人士

- 我側:　對外經濟調整室長

　　　　　　　　┌ 통상조정1과장
　　배석　　│ 통상조정3과장
　　　　　　　　└ 주순식 사무관

- 美側:　Richard Morford

나. 面談日時:　'90.12.28,　14:20-15:20

다. 面談場所:　대외경제조정실장실

2. 面談內容

〈美 側〉

- 브랏셀 閣僚會議는 成果가 없었음. 農産物協商에 대한 헬스
  트롬案에 대해 EC, 日本, 韓國이 반대하여 農産物協商이 실패
  하였으며 이제 農産物協商은 틀이 없는 상태임.

- 美國은 UR協商에 대한 韓國의 소극적인 태도를 불만스럽게
  생각하고 있음.

0011

〈我 側〉

- 韓國은 UR協商에 적극적으로 그리고 伸縮的인 協商態度로 임하고 있음.

- 關税協商에 있어 관세율 33%이상 인하라는 協商目標를 달성하였고 讓許率도 대폭 높였음.

- 브랏셀 閣僚會議에서는 美國이 주장하는 無税化協商을 긍정적으로 검토키로 立場을 변경하였고 首席代表 基調演說에서 同意志를 表明하였음.

  O 이는 美國을 도와 UR協商을 成功的으로 妥結하기 위함임.

- 非關税등 市場接近分野, TRIMs, TRIPs, 서비스등 新分野에서도 韓國은 伸縮的인 姿勢로 협상에 임하고 있음.

- 韓國은 農産物協商에서 다소 보수적이라 할수 있음. 그러나 브랏셀 閣僚會議 農産物協商의 決裂이 韓國責任이라는 인식은 正確하지 못함.

  O 헬스트롬案은 누구책임하에 어떤背景, 어떤節次로 작성되었는지 충분한 설명도 없이 會議終了 전날에야 배포되었음. 韓國은 農産物協商에서도 신축적으로 대처하려하나, 한국의 旣存立場과 내용이 현격히 다른 헬스트롬案을 受容하기로 그 같이 짧은 時間에 決定할수는 없는 노릇임.

  O 헬스트롬案에 대한 EC, 日本의 受容意思 表明이 없는 상황에서 世界 어느나라보다도 農産物市場 開放이 어려운 韓國이 同 案에 대해 먼저 支持表明을 할수는 없음.

0012

o 農産物協商이 결렬된 것은 韓國등의 反對때문이 아니라 美國과 EC間에 기본적 合意가 이루어지지 않았기 때문 이라는 것은 상식에 속함.

- 韓國은 農業構造 調整을 위한 시간적 여유가 필요함.

    o 우리는 農産物交易 自由化에 기본적으로 찬성하나 構造 調整을 위한 유예기간, 특별고려가 없이 급속한 輸入開放 이 이루어질 경우 韓國의 農業基盤이 붕괴될 것임.

    o 우리의 最終目標는 GATT規律에 따라 외국에 대해 市場接近 을 보장하되 우리의 農業生産 基盤이 유지되는 것임.

    o 우리는 農産物分野에서도 美國을 포함한 주요국과 좀더 신축적이고 實質的인 協商을 할 의향이 있음.

- 韓國은 서비스협상도 伸縮的인 姿勢로 임하고 있음.

    o 韓國은 1월중 Initial Offer List를 提出할 計劃으로 있음.

    o 韓國은 서비스協商에 있어 美國의 立場에 몇가지 問題가 있음을 지적하지 아니할 수 없음.
    . 美國은 航空, 海運, 基本通信分野는 MFN原則 適用例外를 주장하는데 MFN原則은 GATT의 가장 基本原則임. 美國이 GATT基本原則 일탈을 주장하며 EC등 다른나라를 說得할 수는 없을 것임.
    . 美國은 金融産業에 대해서는 他分野에 비해 조속한 市場 開放을 주장하는데 他分野 主張과의 관계에서 일관성을 결여하고 있음.

0013

- 반덤핑, 緊急輸入制限은 한국이 실질적인 이익을 기대하는 분야로서 美國의 協調를 기대함.

- 其他分野에 있어서의 韓.美間 立場差異는 비교적 미미한 것으로 妥協이 可能하다고 봄.

- 美國이 農産物協商에서 協商目標를 다소낮추고, 서비스협상 에서 일관성을 지킬경우 UR協商의 妥結이 가능할 것으로 보며, 韓國은 UR協商妥結이 조속히 이루어질 것을 가장 바라고 있는 나라임.

- 이상과 같이 韓國이 UR協商에 비협조적이며 韓國이 반대함 으로써 農産物協商이 결렬되었다는 美國의 認識은 事實과 다르다는 것과 UR妥結에 대한 韓國의 意志를 반드시 本國 政府에 전달하여 주기바람.

〈美 側〉

- 現在로서는 EC가 立場을 변경할 전망이 보이지 않으며, EC가 움직이게 하기위해 무언가 이루어져야 함. 美國은 이런 관점에서 韓國의 도움이 必要함.

- '91年 1月 15日 열리는 TNC協商 일정에 대해서는 아직 아무 것도 決定된게 없음.

0014

UR 協商 對策

1. 1.15. TNC 會議 및 UR 協商 再開 展望

o 1.15. TNC 會議는 "페"만 事態 時限에 關係없이 豫定대로 開催될 展望.

　　- 특히 美國, 카나다는 "페"만 事態가 UR 協商과는 關係없다는 立場

o 同 TNC 會議의 性格, 開催期間 및 UR 協商 再開 與否등은 農産物에 관한 美. EC間 折衝 成功 與否에 左右

　　- 折衝 失敗時, 1.15會議는 協商 現況 評價(stock-taking)의 性格을 띄게됨으로써 意義 別無

　　- 折衝 成功時, Dunkel 事務總長의 協商腹案 發表 및 UR 協商 再開로 이어지고 특히 美國은 Fast-Track Mandate 時限을 염두에 두어 2월초 까지 協商을 終結짓고자 할 것임.

o 農産物 分野 美. EC間 折衝 可能性은 아직 未知數

　　- 12.19. Dunkel 事務總長의 워싱턴 訪問 協議에도 不拘, 아직 展望 不透明

　　- 12.30. Hills 代表는 TV 인터뷰를 통해 EC 側이 輸出補助, 國內補助, 市場接近등 세가지 分野에서 共同 農業政策을 改革한다면 美國도 融通性 을 보이겠다고 闡明

　　- 1.4. EC 집행위에서 Mcsharry 委員에 의한 EC 共同 農業政策 改革 構想 發表 및 Dunkel 事務總長의 브랏셀 訪問協議(1.7 주간) 結果가 나와야 展望 可能視

0015

o TNC 會議 代表團 派遣 問題

 - TNC 會議 性格 및 UR 協商 再開 與否가 不透明한 現在, 대부분 協商
  參加國은 具體的 計劃 미수립 상태

  . 美國은 駐제네바 代表部 中心으로 1.15. TNC 會議에 임하되, 同會議
   전후하여 具體的 妥協案이 나올 경우 추가 代表團 派遣등 伸縮的으로
   對應할 것으로 展望

  . 카나다는 本部代表團 派遣 豫定

2. 推進 基本 方向

 o UR 協商이 91.2月까지 妥結되어야 한다는 것이 我國의 基本立場

  - 決裂時 我國의 對外貿易에 심대한 打擊豫想
  - 地域主義 擴散등 國際貿易環境의 全般的 惡化, 兩者的 開放壓力 加重

 o 브랏셀會議 決裂責任을 我國에 轉嫁시키고 있는 美國等 農産物 輸出國의
  態度等을 勘案, 積極的·前向的 方向으로 我國立場을 再調整

  - 특히 美國은 農産物 Offer 改善이 없는한 我國과는 協議自體도 불필요
   하다는 立場

 o 12.28 關係部處 對策會議를 통해 1) 農産物 立場 再調整, 2) 서비스協商
  Offer List 提出, 3) 分野別 無稅化 提議 受容 檢討等 3個 分野를 重點的
  으로 改善하기로 對策方向 일차 合意

  - 當部 立場 相當部分 反映

0016

3. 分野別 再調整 方向

가. 農産物 分野

改善 必要性

○ 美.EC間 妥協成敗 與否에 關係 없이 我國 Offer 改善 必要

  - 美.EC間 妥協成功時 : 我國의 意思와 關係없이 妥協結果 受容 不可避
  - 美.EC間 妥協失敗時 : 我國이 EC와 同一線上에서 非難의 對象이 되는
                          일이 없도록 성의있는 노력 필요

○ 美側, 我國이 早速한 時日內 initiative를 취하는 것이 매우 重要하다는
  立場 傳達

  - 趙淳 特使訪美(12.11-23) 및 韓.美 貿易實務委(12.17-18)時

改善 方向

○ 農産物 協商의 全般的 Framework (Hellstrom 仲裁案)안에서 我國의
  核心的 實益을 最大限 反映하는 方向으로 再調整

  - 쌀에 대한 例外 確保
  - 開途國 優待에 의한 長期 履行期間 確保

0017

市場 接近

① NTC 例外 品目의 最少化

- 例外品目으로 쌀하나만을 하자는 主張과 쌀等 基礎食糧으로 하자는
  主張이 있으나 例外品目 大幅 縮小調整 原則에는 合意
- NTC 라는 用語 使用않고, 食糧安保等 論理로 對應

② BOP 合意事項 遵守

- 既存 Offer 上의 年次的 (97년까지) 關稅化 主張 撤回키로 合意
- UR 協商結果 履行 초년도 일괄 關稅化 推進 또는 BOP 合意에 따라
  97년까지 段階的 自由化 推進의 2개 代案中 選擇問題는 繼續 檢討

③ 最少市場接近 保障

- 輸入하고 있는 品目은 既存輸入 水準 保障과 아울러 向後 增量도 考慮
- 輸入이 없거나 미미한 品目의 경우 1% 이상의 최소 市場接近을 保障하는
  方案을 檢討

國內 補助

① 補助金 減縮의 猶豫期間 主張 撤回

- 6年 猶豫期間 主張은 撤回키로 原則的 合意
- 開途國 優待에 의한 許容補助範圍 擴大

※ 添附 資料

- 再調整 方向에 관한 當部意見 : 別添 1 參照
- 我國 既存 Offer 要旨 : 別添 2 參照
- 15개 NTC 品目의 TE, 生産額등 主要統計 : 別添 3 參照

0018

推進 日程

o 1.10까지 政府 方針 確定

   - 청와대 報告 包含

   - 이를 위해 年初 關係部處間 協議 繼續

o 1.15 TNC 會議 以前 外交經路를 통해 主要國에 事前 通報

o 修正 Offer 提出 推進 檢討

   - 何時라도 提出可能토록 準備完了

國內 弘報

o 追後 檢討 推進 豫定이나, 農産物 協商 與件에 대한 國內的 認識의 改善
으로 큰 어려움은 없을 것으로 豫想되나 國民 설득을 위해서는 市場開放
및 補助減縮에 따른 國內 補完對策 提示 바람직

   - 단, 美國의 壓力에 屈伏한다는 그릇된 印象을 주지않도록 注意 必要

國會議員團 主要國 訪問問題

o 農林水産委員會 所屬 2개 視察班이 我國의 農業現實 說明 및 協調 要請을
目的으로 제네바, 알젠틴, 카나다 訪問 豫定

   - 제1반 : 제네바 (91.1.8-10)

   - 제2반 : 알젠틴 (91.1.11-14), 카나다 (91.1.17-19)

0019

o 上記 議員視察團이 我國의 既存立場을 되풀이 할 경우, 政府의 協商推進 戰略에 重大 차질 초래 憂慮, 訪問計劃을 再調整토록 誘導하고, 再調整 不可時 均衡된 立場이 傳達될 수 있도록 유도 豫定

나. 써비스 協商 Offer List 提出

| 必 要 性 |

o 美國의 對我國 否定的 視角 교정 및 協商 雰圍氣 改善에 대한 我國의 積極的 寄與 姿勢 可視化

| 推進 日程等 |

o 1.15 TNC 이전까지 提出, 가능한한 多數分野를 包含

- 韓. 美 貿易實務委 (12.17-18)時 美側이 積極的 關心을 表明해온 通信, 流通分野 包含

o 단, UR 協商 決裂의 경우에도 對備, Offer 內容은 신중히 決定

다. 分野別 無稅化 提案 受容 檢討

o 對我國 參與 要請 6개 分野別로 受容 可能性 積極 檢討

- 建設裝備, 電子製品, 水産物, 종이류, 鐵鋼, 木材

* 我國은 브랏셀 會議時 檢討 立場 表明.   끝.

0020

첨부1 : 농산물 협상 아국 입장 재조정 방향에 관한 당부 의견

1. 개선 방향

기본 방향

○ 예외를 가급적 최소화하고 합의 예상되는 Framework안에서 아국의 핵심 입장 반영

국내보조

○ 합의될 Framework 내 허용보조 범위 확대 및 동조건의 완화 교섭
  - 허용 보조 범위 확대
  - 선진국에 적용되는 허용보조 범위보다 개도국에는 동 범위가 융통성 있도록 적용
  - AMS base가 아닌 실질 정부 지출 예산기준(예 : 선진국 5%, 개도국10%) 허용 보조 확대등
    ※ 상기 기술적 문제는 연구, 보강

○ 합의된 Framework내에서 감축폭, 감축기간에서의 특별우대 확보 교섭
  - 예 : 선진국 5년, 30%
        개도국 5년, 15%

0021

시장접근

o 예외 품목 최소화

　- 완전 예외 품목은 쌀 1개 품목으로 축소 (MTR에서 인정된 NTC에
　　대한 특별 고려 근거 활용)

　- BOP 품목 9개는 이행초년도에 모두 관세화

　- 콩, 옥수수는 관세화 하되 현 생산 수준 확보등 여타 국내적
　　대응 방안 강구

　- 보리, 감자, 고구마는 국내소비의 1% 이상을 최소시장
　　접근으로 보장

　- 국내 생산 및 판매물량 감축 조치를 시행할 경우, 해당 품목에
　　대해서는 갓트 11조 2항(C)(i)에 근거한 수입제한 검토
　　(단, 동 수입제한 요건이 매우 엄격함에 유의)

o 관세상당치의 감축폭, 감축기간에서의 개도국 특별우대 확보

o 갓트 제11조 2항(C)조문상 수량 제한 근거 유지 교섭

o 이행기간중 관세인상과 함께 수량제한도 인정하는 특별세이프가드
　제도 도입 교섭

0022

2. 기존 Offer 와의 대비표

협상요소	De Zeeuw 의장안(90.7)	Hellstrom 의장안(90.12.6)	기존 Offer	제검토 방안
국내보조	○ 의정조건하 허용되는 보조금을 제외한 보조는 보조금 총액기준 91/92 부터 합의될 기간동안, 합의된 적정적 수준으로 인하, 감축 (AMS) ○ 개도국우대 - 합의될 조건하 이행범위, 이행기간등에서 응통성 부여 - 특히 개발목적 보조금의 일정조건하 감축대상에서 제외	○ '91부터 5년간 품목별 30% 감축 - 기준년도 : 90년 또는 최근년도, 유동년도 - 감축방법 : 매년 품목 감축 - 감축대상보조 : 협의적적으로 결정 영향 및 가장 해당 효과가 큰 보조 ○ 개도국우대 - 감축폭 : 15% - 30% - 감축기간 : 5년 - 10년	○ 6년 유예기간 추인 '97부터 10년동안 30% 감축 - 단, 농가소득 안정 직접 확보, 구조조정 정책, NTC 등은 허용 보조금은 허용	○ 합의될 Framework 내 허용보조 범위의 확대 등 보조전의 현취 결정 - 허용보조 범위 확대 - 선진국에 적용되는 보조금 감축보다 더 개도국에는 동보조 적용가 유동성 있도록 적용 ○ AMS base가 아닌 신접 예산지출 기준 정부 예산 확보 대등 - 합의될 framework내에서의 감축품목, 감축기간 이행의 특별우대 확보 결정 - 6년 유예기간은 철회

협 상 요 소	De Zeeuw 의장안(90.7)	Hellstrom 의장안(90.12.6)	기존 Offer	재검토 방안
국경조치 ㅇ	ㅇ 모든 비관세 조치를 관세화, '91/92부터 TE를 합의별 기간 동안으로 감축 - 최소한 기존의 시장접근 수준유지 ㅇ 수입실적이 미미한 경우 91/92의 X%를 최소소비로 시장접근 보장 ㅇ 개도국 우대 - 개도국 관심 품목에 대한 시장접근 기회 제고 ㅇ NTC - 특정품목에 특별상황이 있을 경우 TE에 의해, 시장접근 감축율, 별도 결정 ㅇ 특별세이프가드 제도 관세인상 가능한 협상에 의해 안전장치 도입 ㅇ 모든 기존관세의 양허 및 관세인하	ㅇ '91부터 5년간 모든 품목에 대해, '90기준 국경보호 평균 30% 감축(매년 균등 감축) - 90년 현재 시장접근 수준은 관세화 이후 향후 포함할 Modality 합의될 따라 유지 ㅇ 수입실적이 미미한 품목의 경우 91/92 국내소비의 5%를 최소시장접근으로 보장 - 개도국 우대 관심품목에	ㅇ 15개 NTC 품목은 관세화 대상에서 제외 - 쌀, 보리, 감자주, 옥수수, 고구마, 마늘, 참깨, 양파, 감귤, 쇠고기, 돼지고기, 닭제품, 우유 및 유제품 ㅇ 여타 품목은 '91-'97간 단계적으로 관세화 - TE는 관세화 시점부터 10년동안 30%감축 - '86-'88평균 수입량을 TQ로 보장 향후 수입실적이 미미한 경우 TQ를 국내소비의 1% 보장 ㅇ 특별세이프가드 제도 수용 관세인상 가능 관세화 이후에도 적용 ㅇ 관세인하 및 양허 단, 수 양허관세율을 제조정 필요	ㅇ 예외 품목 최소화 완전 예외 품목은 쌀 1개 품목으로 축소(MTR에서 인정된 NTC에 대한 특별교례 근거 활용) - BOP 품목 9개는 UR협상 결과 이행 준년도에 모두 관세화 - 콩 . . . - 옥수수는 관세화 현실생산수준 확보 여타 국내적 대응방안 - 보리, 감자, 고구마는 국내소비의 1% 이상 시장접근 - 국내생산 판매물량 감축후 해당 품목 11조 2항(C) 근거 서는(i)에 근거한 수입제한 검토 ㅇ TE감축후, 감축기간 사이의 개도국 특별우대 확보교섭 ㅇ 갓트 11조 2항(C)조문상 수량 제한 근거 유지교섭 ㅇ 이 이행기간이상과 함께 수량제한도 인정하는 특별세이프가드 도입교섭

첨부 2 : 아국 기존 Offer 요지

o 국경조치

- 비관세 조치를 '90-'97간 연차적으로 관세화

  . 단, 15개 품목(※)은 관세화 대상에서 제외

    ※ 쌀, 보리, 콩, 옥수수, 고추, 마늘, 양파, 참깨, 감자,
       고구마, 감귤, 쇠고기, 돼지고기, 닭고기, 우유 및 유제품

- 관세화 대상품목에 대하여는 관세화 싯점부터 10년 동안 TE를
  최대 30% 감축

  . '86-'88 평균수입량을 최소시장 접근으로 보장하되 수입실적이
    없거나 극히 미미할 경우에는 '86-'88 국내평균 소비량의 1%보장

- 관세화 대상에서 제외되는 품목의 경우에도 기초식량을 제외하고는
  국내수입상황을 감안, 최소시장 접근 허용

o 국내보조

- 감축할 정책은 시장가격 지지 및 품목 특정적인 요소비용 보조에
  국한

- 구조조정에 필요한 6년 유예기간 경과후 97년 부터 10년 동안 최대
  30% 감축

- 하기 정책은 감축대상에서 제외

  . 개도국의 농업 및 농촌발전과 관련된 정책

  . 농가소득의 안정적 확보를 위한 관련 정책

  . 농산물 시장개방 과정에서 불가피하게 수반되는 구조조정 정책

  . 식량안보, 환경보전, 지역간의 균형발전등과 같은 NTC 목적
    달성에 필요한 적정수준의 농업유지 목적의 정책등

0025

첨부 3 : 15개 NTC 품목의 TE, 생산액등 주요 통계

품 목 명	T E	생산액('87-'89 평균, 단위 : 억원)	농산물 총 생산액(※)에 대한 비율	비 고
쌀	505 %	56,600	39 %	
보 리	258 %	3,050	2.1 %	
쇠 고 기	213 %	8,650	6 %	- 총소비의 50% 수입 - BOP 품목
돼지고기	25.8 %	9,830	6.8 %	- BOP 품목
닭 고 기	41.4 %	3,550	2.5 %	- BOP 품목
고 추	208 %	4,900	3.4 %	- BOP 품목
마 늘	97.5 %	4,300	3 %	- BOP 품목
참 깨	1,203 %	2,800	1.9 %	- BOP 품목
우유 및 유제품	- 탈지분유 : 433% - 치즈 : 529%	5,300 (우유)	3.7 % (우유)	- BOP 품목
대 두	456 %	2,200	1.5 %	- 총소비의 85% 수입
옥 수 수	338 %	340	0.2 %	- 총소비의 97% 수입
고 구 마	301 %	1,700	1.2 %	
감 자	115 %	1,600	1.1 %	
양 파	91 %	750	0.5 %	- BOP 품목
감 귤	105.1 %	2,900	2 %	- BOP 품목
계		108,470	74.9 %	

※ '87-'89 평균 농산물 총생산액 : 14조 5천 160억원

0026

I

통 화 요 록

o 통화시간 : 91.1.4. 09:10-20

o 통 화 자

  - 송화자 : 주미대사관 서용현 1등 서기관
  - 수화자 : 통상기구과 김봉주 서기관

o 통화내용

  - UR 협상 전망 (WUS-0013)과 관련 금일 우선 전화 보고하고 명일(한국시간 1.5) 아침 전문 보고하겠음.

  - "페"만 사태가 동 회의에 미치는 영향

    . "페"만 사태가 UR에 별다른 영향을 미치지 않을 것으로 보며 그 이유는 상기 양문제를 다루는 부서가 다르기 때문임.

  - 회의 성격 및 기간

    . 미국으로서는 EC의 움직임이 없으면 금번 TNC 회의에서 크게 의의를 찾을 수 없을 것으로 봄

    . Dunkel 사무총장이 현재 상황을 점검하는 성격의 회의가 될 것이며, EC가 Hellstrom 제안을 토의의 기초로 인정한다면 실질적인 토의가 가능할 것임.

    . TNC 회의 개최는 가능할 것이나 동회의 기간은 얼마나 실제적인 것이 나오느냐에 달려 있음.

  - 대표단 구성

    . 제네바 주재 현지 대사를 중심으로 구성할 예정이며 현재로는 본부 대표단 파견 계획은 없음.

    . 그러나 동 회의에서 실제적인 것이 나올 가능성이 보이면 회의 개시 그 다음날 1.16. 이라도 대규모 대표단이 파견될 것임.

  - 농산물 분야에서의 미. EC간 절충 가능성

    . 현재로서는 알수 없음. 끝.

양 고 재	통 상 기 구 과	91 년 1 월 4 일	담 당	과 장	국 장	차관보	차 관	장 관
			김봉주					

0027

외 무 부

종 별 :

번 호 : JAW-0011

일 시 : 91 0104 1700

수 신 : 장관(통기)

발 신 : 주 일 대사(경제)

제 목 : UR 협상전망

대 : WJA-0013

대호 관련 1.4 오후 주재국 외무성 국제기관 1 과와 접촉한 내용을 아래 보고함.

1. 회의전망

0 실무급 TNC 회는 예정대로 1.15 부터 개최될 것으로 봄.

0 동 회의에서는 향후 협상절차에 대해 협의하게 될것이나, 어느정도 실질협상에 들어가게 될 것인지는 확실치 않음.

 - 협상기한이 얼마남지 않은 점등을 고려, 절차협의외에 가장 문제되는 분야를 우선 협의하게 될 것이라는 관측도 가능하나, 실질협상 개시 여부는 덩켈 사무국장과 미국 및 EC 간의 협의 결과에 영향을 받게 될 것으로 봄.

2. 주재국 대표단 구성

0 일본측 대표단 구성은 내주초에 결정될 예정인바, TNC 회의임을 고려하여, 본국 정부로서부터도 상당한 레벨의 실무자를 파견할 방침임.

3. 농산물 분야 관련 미.EC 간 의견절충 가능성

0 90.12 중순 농림수산성 아즈마 국제부장이 유럽출장시, EC 는 공통농업 정책을 개혁할 방침이며 이를 바탕으로 미국과 타협책을 모색해 나갈 것이라는 이야기가 있었으나, 구체적으로 어떠한 타결책을 고려하고 있는지는 알수 없음.

0 또한 90.12 중순 EC 멕쉐리 위원이 야이터 장관에게 EC 측의 타결방안을 설명하고 야이터 장관이 이에 관심을 표명했다는 정보가 있으나, 구체적인 제시 내용은 확인되지 않고 있음.

0 상기와 구체적인 PAPER 를 제시않는한 신빙성있는 예측이 불가하며 EC 도당분간 그러한 PAPER 를 제시하지 못할것으로 봄. 끝

(공사 이한춘-국장)

통상국   2차보   아주국

PAGE 1

91.01.04   18:14

외신 2과 통제관 CA

0028

예고:91.6.30. 까지

관리
번호 91-8

외 무 부

종 별 :

번 호 : USW-0035

일 시 : 91 0104 1656

수 신 : 장관(통기,봉일)

발 신 : 주 미 대사

제 목 : UR 협상 전망

대: WUS-0013,4229

대호 관련 당관 서용현 서기관이 MARY RYCKMAN USTR MTN 담당과장과 접촉, 파악한바를 하기 보고함.

1. 페만 사태가 동회의에 미치는 영향및 동회의의 성격

-TNC 회의는 페만 사태및 이락에 대한 UN 시한에 무관하게 예정대로 개최될것으로 봄.

-동 회의에서는 DUNKEL 사무총장의 각국 순방 결과를 기초로 하여 회의가 진행될것인바, DUNKEL 총장의 순방 및 각국 정부 접촉의 성과 여부에 따라 즉각 실질 협상으로 이어질수도 있고 그렇지 못한 경우에는 매우 짧은 회의가 될수도 있을것임.

2. 주재국의 대표단 구성및 수준

-현 단계에서는 RUFUS H. YERKA 제네바 주재 부대표, LAVOREL 대사등 현지 주재인사들이 대표로 참석할 예정임.

-그러나, 농산물 분야에서 EC, 일본, 한국등이 HELSTROM 안을 협상의 기초로 인정한다든가 하는 전기가 마련되어 동회의가 실질 협상으로 발전되는 경우에는 HILLS 대표, YEUTTER 농무장관등이 언제라도 파견될수 있을것임.

3. 농산물 분야에 관한 미.EC 간 의견 절충 가능성

-현재로서는 EC 측으로부터 아무런 대안을 제시받은바 없음(한편 RYCKMAN 과장은 EC 측으로부터 대호 국경 조치, 국내 보조, 수출 보조에 대한 분리 협상 제의를 받은바도 없다고 밝힘)

-미.EC 의견 절충 가능 시기등에 관하여는 지금 공이 EC 측에 넘어가 있는 상황이므로 미측으로서는 말할수 있는 상황이 아님.

(대사 박동진-국장)

통상국	장관	차관	1차보	2차보	통상국

PAGE 1

91.01.05   08:43

외신 2과 통제관 BT

0030

91.6.30 까지

발 신 전 보

번 호 : WCZ-OO1O   910105 1852 DA 종별 :

수 신 : 주   체코   대사·총영사 ▨▨▨ (사본 : 주제네바대사대리)   WGV -0017

발 신 : 장 관 (통 기)

제 목 : UR/TNC 회의 참가

~~91.6.80.(일반 1호 재분기~~

1. 91.1.15. 제네바에서 개최될 UR/TNC 회의에 귀직을 수석대표로 임명, 파견 ~~코자하니 양지 바람.~~ ~~끝.~~

   검토중이니, 1.10경 제네바 향발 준비바람.

2. 상대 훈령은 별도 시달할 것임. 끝

(장 관)
이상옥

양 고 재	91 년 1 월 5 일	통 상 기 구 과	기안자		과 장		국 장		차 관	장 관		보안통제	외신과통제
			김현등										

0032

기 안 용 지

분류기호 문서번호	통기20644-2가	(전화 :)	시 행 상 특별취급	
보존기간	영구 · 준영구, 10. 5. 3. 1.	장 관		
수 신 처 보존기간				
시행일자	1991. 1. 7.			

보조기관	국 장	전결	협조기관		문 서 통 제	
	심의관					
	과 장					
기안책임자	김 봉 주			발 송 인	

경 유 수 신 참 조	수신처 참조	발신명의	

제 목	UR/TNC 회의 대표 추천 요청

　　　1.　　91.1.15. 제네바에서 개최 예정인 TNC 회의의 성격 및

각국의 대표단 규모등이 아직 불투명한 상황이기는 하나, 동 회의에서

~~UR 협상의 전면 재개될 것에~~ <u>실질협상이 재개될 가능성이</u> 대비하여 귀부에서 파견할 대표를

1.8(화)한 전언통신으로 추천하여 주시기 바랍니다.

　　　2.　　상기 회의에 파견할 아국 정부대표단의 수석대표는 선준영

주체코대사가 임명될 것임을 참고하시기 바랍니다.　　끝.

수신 : 경제기획원장관, 재무부장관, 농림수산부장관, 상공부장관

0033

1505 - 25 (2 - 1) 일 (1)갑
85. 9. 9. 승인　　"내가아낀 종이 한장 늘어나는 나라살림"　　190mm×268mm 인쇄용지 2급 60g/㎡
가 40-41 1990. 3. 30

외 무 부

관리 번호 91-21

종 별 :

번 호 : GVW-0034   일 시 : 91 0107 1800

수 신 : 장관(봉기, 경기원, 재무부, 농림수산부, 상공부)

발 신 : 주 제네바대사대리

제 목 : UR 협상(전망)

대: WGV-0003
연: GVW-0011

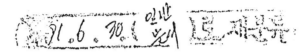

1.15. 개최 TNC 수석대표급 비공식 회의 및 이후 협상 전망에 대해 당지 미,일, 카나다, 스위스, 북구등 주요국 대표부 및 갓트 사무처 관계관들과 접촉결과 파악한바를 아래 추가 보고함.

1. DUNKEL 총장이 금주중 EC 를 방문하여 농산물 협상을 포함한 UR 협상 재개 문제를 MACSHANY 이씨 농업담당집행위원과 협의할 예정으로 있으나 MACSHARRY위원이 1.4 이씨 집행위에서 이씨 공동 농업 정책 개혁에 대한 의견을 구두 보고한데 그치고 1.19 에 가서야 문서로 정식 제안하여 본격 토의할 예정이므로 그이전에는 EC 의 구체적인 입장이 결정되기 어려울것으로 보이며 따라서 DUNKEL총장이 금주 EC 방문결과를 토대로 1.15.TNC 회의에서 농산물 협상에 관한 교착 타개의 실마리를 제시하기 어려울 것이라는 관측이 지배적임.

2. 또한 1.25-26 푼타델 에스터에서 있을 ANDRIESSEN EC 대외담당집행위원과 중남미 케언즈그룹 국가 각료들과의 협의와 곧이어 개최될 것으로 보이는 동인과 HILLS 대표와의 협의, 1 월말로 예상되는 DUNKEL 총장의 ASEAN 및 일본 방문(DUNKEL 총장은 ASEAN 방문이 성사될 경우 일본을 방문할 가능성도 시사 하였다함) 등을 통해 EC 의 새로운 입장에 기초하여 주요 국가간 농산물 협상과 관련한 이견 조정이 시도될 것이라는 점, 당초 1.15. 이전에 진행키로 했던 시장접근분야의 쌍무협의가 아직도 이루어지지 않고 있다는 점, 농산물 협상에서 중요한 역할을 해온 미국 농무장관 경질설과 농무장관 경질에 따른 정책유동 가능성등이 변수로 작용할 것이라는 점도 이러한 관측을 뒷받침하고 있음.

3. 따라서 1.15. TNC 회의는 협상 점검을 위한 짧은 회의가 될것이며,

통상국	장관	차관	1차보	2차보	경기원	재무부	농수부	상공부

각국관계관과 갓트사무처는 주요 4 개국을 제외하고는 참석대표 수준도 각국의 제네바 주재 협상 대표가 될것으로 전망되고 있음.(미국과 일본의 경우, 각각 과거TNC 에 계속 참석해 온 LAVOREL 대사 및 ENDO 본부대사, 카나다는 SHANON 주재네바대사, 스위스는 DE PURI 본부대사가 참석할 것이라고 하며 여타 국가는 아직미확정 상태임.)

4. 이러한 상황이므로 1.15. TNC 이후 곧 바로 실질 협상이 이루어 질지 여부에 대하여도 대체로 부정적인 관측이며, 일부에서는 EC 의 입장 변경여부가 1.19 에야 토의될 것이고 EC 내부의 의사결정 과정에 장시간이 걸리며 관계국가와의 이견 절충에도 상당한 시간이 필요하다는 점에서 2 월말까지 협상 타결이 물리적으로 어려울 것이라는 관측도 제기되고 있음. 끝.

(대사 대리 박영우-국장)

예고:91.6.30 까지

UR(우루과이라운드) 협상 동향 및 TNC(무역협상위원회) 회의, 1991. 전4권(V.1 1월) 41

외 무 부

종 별 : 지급

번 호 : AUW-0013

일 시 : 91 0107 1800

수 신 : 장관(봉기, 아동)

발 신 : 주 호주 대사

제 목 : UR협상 전망

대:WAU-0003

1. 대호 주재국 외무.무역부 WILKINSON 가트담당 부국장에 의하면 1.15 TNC대사급 회의는 페만 사태 진전에 관계없이 예정대로 개최될것으로 보이며 동회의는 1.15 하루만 개최되고 DUNKEL 사무총장이 각국 대표에게 바라셀 각료회의이후의 새로운 진전상황에 관해서 보고하기 위한 성격의 회의가 될것으로 본다함.

2. DUNKEL 사무총장은 브라셀 각료회의이후 워싱본과 브라셀등을 공식 방문하였거나 방문예정으로 있으며 그동안 관련국과 비공식적인 의견 교환을 해온것으로 알고있으며 1.15 TNC 회의이후 3 월 이전에 또한차례의 회의를 소집하는것을 구상중인것으로 감지되고 있으나 협상진전에 관한 뚜렷한 전망이 없는 가운데의 회의 재소집이나 실질 협상재개시 이에 따르는 실패가능성은 협상전체에 커다란 위험을 줄수 있으므로 특히 미국과 EC 간의 의견 절충 내지 접근이 없는 상태에서는 동사무총장이 적극적으로 실질협상 재개에 적극 개입할것으로는 예상되지않는다고 말함.

3. 또한 동국장은 브라셀 각료회의시 GREEN ROOM 의 HELLSTROM 의장이 작성한 NON-PAPER 가 EC 등에 의해 거부되었으나 협상의 기초문서가 없는 상태에서 앞으로 동 PAPER 가 협의와 협상의 기초가 될가능성이 있는것으로 보이며 농업문제와관련 , EC 측에서 종전의 입장에 다소 신축성을 부여하기 시작한것으로 느껴진다고 말하고 현재의 15 개 협상그룹이 앞으로는 6 개국정도로 축소될가능성도 있는것으로 본다고 말함.

4. 주재국은 KENYON 봉상국 수석자문관이 브라셀 각료회의후 계속 제네바에체류중이며 동 자문관이 TNC 회의에 참석할 예정이라고 말함. 끝.(대사 이창수-국장)

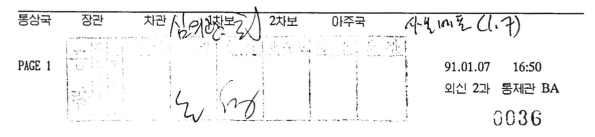

통상국	장관	차관	2차보	아주국

PAGE 1

91.01.07 16:50

외신 2과 통제관 BA

0036

예고:91.6.30. 까지

외 무 부

종 별 : 지 급

번 호 : ECW-0016

일 시 : 91 0107 1700

수 신 : 장관 (봉이, 경기원, 재무부, 농수산부, 상공부)

발 신 : 주 EC 대사

제 목 : UR 협상전망

대: WEC-0003

연: ECW-0005

1. 대호관련, 1.7. 당관 이농무관은 BISARRE농산물협상 담당과장과 GUTH UR 협상총괄 담당관을 접촉한바, 결과 하기 보고함

가. 1.15. 제네바 TNC 회의가 폐만사태로 취소될경우 새로운 무역전쟁을 유발하게 되어 개도국경제에 지대한 영향을 미치게 될것이므로 예정대로 개최될 것으로 본다고 말함. 다만 브랏셀 TNC 각료회의 이후 미.EC 간에 구체적인 쌍무협의가 이루어지지 않았으며, DUNKEL 갓트 사무총장도 미.EC 등 주요 협상국들과의 비공식 접촉이 진행중이므로 구체적이고 실질적인 협상이 이루어질 것으로는 보지 않으며, 이제까지의 협상추진에 대한 각국의 입장을 평가 (STOCK- TAKING EXCERCISE) 하고 향후 협상일정을 협의하게 될것으로 본다고 말함

나. 아직 동 제네바 TNC 회의에 임하는 EC 의 입장은 정리되지 않은 상태이므로동 TNC 회의대표단 및 각 분야별 대표는 확정된바 없으나 89.4. 제네바 TNC 회의시와 같이 각 분야별 대표는 현지 대사 또는 EC 집행위의 담당총국장 또는 부총국장급에서 결정될 가능성이 있다고 말함. 참고로 농산물 협상의 경우는 LEGRAS 농업총국 또는 MOHLER 부총국장이 참석 예정이라 함.

다. 브랏셀 TNC 각료회의 이후 미.EC 는 미국의 대스페인 옥수수 수출협정 기간연장 문제와 관련하여 YEUTTER 미 농무장관과 MAC SHARRY 집행위원이 접촉한것 이외에는 특히 UR 과 관련하여 쌍무협의가 이루어진바는 없음. 한편 동담당관들은 제네바 회의가 개최되는 1.15. 을 전후하여 DUNKEL 갓트 사무총장의 미.EC 등 방문, 1.25-26 ANDRIESSEN EC 대외관계 담당 집행위원의 알젠틴, 브라질등 주요 케언즈그룹국가방문 (귀임시 HILLS 미대표와 회담예정) 등을 계기로 농산물 문제등 UR

통상국   경기원   재무부   농수부   상공부

91.01.08   05:32 DA

외신 1과 통제관

0038

현안사항에 대한 구체적인 타협점을 모색할 것으로 본다고 말함

 2. 명 1.8. 김참사관및 이농무관은 DE PASCALE EC 집행위 UR 총괄과장과 오찬을가질예정인바 동 오찬시에도 표제건 EC 측 입장을 알아보고 결과 추보하겠음.

 끝

 (대사 권동만-국장)

UR/TNC (1.15) 회의관련 업무추진 일정 계획

1991. 1. 7.
통상기구과

일 자	업 무 계 획	비 고
1.7 (월)	○ 정부 방침 결정 (관계부처 장관회의) ○ 관계부처 대표 추천 요청 (전통 발송) ○ 수석대표 발언요지, 주제네바대표부 타전	
1.8 (화) ~ 1.9 (수)	○ 대표단 파견준비 - 훈령 작성 - 수석대표 연설문 작성 - 대표단 임명, 결재상신 ○ 주요국 사전통보 준비 - Talking point 작성 - 지시전문 작성	
1.9 (수)	정부방침 최종확정 (대외협력 위원회)	
1.10 (목)	○ 대표단 임명 결재 완료 ○ 대표단 훈령타전 (주제네바 대표부, 주체코대사관) ○ 주요국 공관 지시전문(사전통보) 타전	
1.11 (금)	○ 대표단 출발 ○ 주요국 주한 대사관 설명 차관 - 주한 미국대사 통상국장 - 주한 호주, 카나다, 뉴질랜드 대사	

0040

발 신 전 보

번   호 : WGV-0021   910107 1852   CG   종별 :

수   신 : 주   제네바대사 대리・총영사

발   신 : 장 관 (통기)

제   목 : UR/TNC 아국대표 연설문

[91.6.30.]엄선 도 재문류

　　　정부는 90.1.15. 개최 예정인 표제회의시 아래 요지의 수석대표 연설을
통하여 실질 협상의 재개와 UR협상의 원만한 타결을 위해 보다 전향적이며
적극적인 자세로 협상에 임할 것이라는 아국입장을 표명코자하는 바 동 요지의
연설문안(영문)을 작성 1.10 까지 송부바람.

1. 한국은 브랏셀 각료회의에서 UR 협상 성공의 기초가 될 정치적 지침을
　　마련치 못하게 된 것에 실망하며 이번 TNC 회의에서 UR이 가까운 장래에
　　원만히 타결될 수 있는 계기가 마련되기를 희망함.

2. 한국은 다자무역체제의 강화와 자유무역을 항상 지지해 왔고 이를 위해
　　UR협상이 성공적으로 타결되어야 한다는 신념하에 UR 협상의 거의 모든
　　분야에서 전향적 자세로 협상에 임해 왔으며, 앞으로도 계속 이러한 자세와
　　입장을 견지할 것임.

3. 일부 언론에서 브랏셀 각료회의시 한국이 여타 수개국과 함께 농산물
　　협상을 block 하거나 거부하였다고 보도한 바 있으나 이는 사실과 다름.
　　한국은 Hellstrom 스웨덴 농무장관의 Non-paper에는 한국의 핵심 관심
　　사항인 비교역적 고려(NTC), 구조 조정을 위한 유예기간, 시장접근에서의
　　농업 개도국에 대한 특별우대가 적절히 반영되어 있지 않았기 때문에 이에
　　관해 이의를 제기한 것임. 일부 협상을 block 하거나 거부한건은 아님.
　　오해 없기 바람.　　　　　　　　　　　　　　　　　계 속 ....

-1-

0041

4. UR 협상의 원만한 타결은 다자간 무역체제의 구원과 세계무역의 확대,
   나아가 세계경제의 지속적 성장을 위해 필수적인바 참가국 모두는 이를
   위해 최선의 노력과 건설적 기여를 아끼지 말아야할 것임. 한국으로서는
   UR의 타결을 위해 다음과 같은 노력과 기여를 다짐함.

   가. 한국은 농산물 분야에서 심각한 어려움을 겪고 있는 것이 사실이나,
      농산물 협상의 진전을 위해 보다 전향적인 자세에서 기제출한 Offer를
      개선할 예정이며, 향후 농산물 협상의 진전 상황을 보아 수정 Offer를
      제출할 용의가 있음.

   나. 또한 서비스 분야 협상의 진전을 위해 Initial Offer를 금일자로
      제출하였음.

   다. 브랏셀 각료회의시 밝힌대로 일정 조건하에 분야별 무세화 협상에도
      참여할 용의가 있음.

   라. 아울러 한국은 BOP 협의결과등 기존의 다자적인 자유화 공약과 기발표한
      자유화 계획도 성실히 이행할 것임.

   마. 한국은 UR 협상의 조속한 타결을 위해 이상에서 언급한 사항을 포함하여
      전향적 자세로 협상에 참가할 것인바, 모든 참가국도 협상에 보다
      적극적인 자세로 임해주기를 희망함. 끝.

                                        (통상국장 김삼훈)

                        -2-

	분류번호	보존기간

발 신 전 보

번 호 : WGV-0022   910108 1000 CT   종별 :

수 신 : 주 ~~제네바대사대리~~ 대사 · 총영사 ~~(사본 — 무체고대사)~~

발 신 : 장 관 (통기)

제 목 : UR 협상 아국입장 재조정

예고 ~~기재의거~~ ~~~~ 1991. 6.30)	5
~~	성명

연 : WGV-0021

1. 브랏셀 각료회의 결렬이후 농산물 협상에서 EC, 일본, 아국이 취한 ~~~~
    입장에 대한 비판적 시각과 UR협상이 실패할 경우 아국 경제에 미칠 부정적
    영향등을 감안, 정부는 농산물 협상을 위시 써비스, 무세화안에 관한 아국
    입장을 전향적으로 재조정키로 하고 이를 위해 각각 2회의 관계장관회의
    (1.5 및 1.7), 국장회의(12.23 및 1.6)를 개최한 바 있으며, 동 회의 결과를
    1.9. 대의 협력위원회에 상정하여 확정할 예정임.

2. 정부방침이 확정되면, 1.15. TNC 회의에서 연호 요지의 수석대표 연설을
    통해 입장 재조정 용의를 표명하는 일방, 미국, 카나다, 호주, 뉴질랜드등
    주요국에 대해서는 동 회의를 전후하여 서울, 귀지 및 각국수도를 통해서
    동 재조정 내용의 개요를 전달할 예정인바, 확정내용 및 이에 따른 귀관의
    행동 지침은 추후 통보할 것임.   필 (1991. 6.30.) 5

3. 현재까지 검토되고 있는 대체적 재조정 방향은 아래와 같으니, 행동 지침
    시달시까지는 귀관의 참고로만 하고, 보안 각별 유의 바람.

                                        // 계 속 ...

앙고재	91년 1월 8일 통기과	기안자 동병현	과 장	심의관	국 장		차 관	장 관	보안통제	외신과통제

0043

가. 농산물

   o 예외 품목의 극소화

   o 유예기간 주장의 철회

   o BOP 품목은 UR협상 결과 이행 초년도에 일괄 관세화

   o 감축폭, 감축기간에 대한 개도국 우대 확보

나. 1.15.까지 써비스 Initial Offer 제출

다. 무세화 협상 참여. 끝.

(통상국장 김삼훈)

0044

외 무 부

종 별 :

번 호 : GVW-0042   일 시 : 91 0108 1830

수 신 : 장관(통기), 경기원, 재무부, 농림수산부, 상공부)

발 신 : 주 제네바대사대리

제 목 : UR 협상(전망)   (인) 91. 6. 30.( ) 표 재분류

연: GVW-0034

국회 농수산위 방문단 일정 주선과 관련 박공사는 1.8.CARLISLE 갓트 사무차장을
면담하고 UR 협상 전망에 대해 의견 교환한바, 동 차장의 발언요지 아래 보고함.

1. DUNKEL 총장이 금주 EC 를 방문 MACSHARRY 위원을 만날 예정이나, MACSHARRY
위원의 EC 공동농업정책 개혁안이 1.19.EC 이사회에 제시되더라도 이씨내에서 결론에
도달하기까지는 상당기간 토의를 요할 것이므로 1.15.TNC 회의에 협상 타결의
실마리를 제시할 것으로 기대하기는 어려울 것임.

2. MACSHARRY 안이 EC 회원국에게 그대로 수락될 경우에는 미국, 케언즈 그룹, EC
간 합의 유도에 도움이 되겠지만 불란서, 독일이 MACSHARRY 안을 받아들이기
어려울것임. 또한, 1 월말에 있을 EC ANDRIESSEN 집행위원의 중남미 케언즈국가 및
미국 HILLS 대표와의 접촉에서 다소 의견 차가 좁혀진다고 허더라도 2 월말까지
협상을 끝내기에는 시간이 너무 촉박하여 걱정스러움.

3. 이런 상황에서 협상 시한이 2 년 연장 또는 2 월말 이후 수개월간 연장하는
의견들이 제시되고 있으나, 시한을 2 년후로 할 경우 사실상 새로운 협상 라운드가
될것이며, 수개월정도 연장도 불가능하지는 않으나 미국 의회를 설득할만한 가시적인
성과(TANGIBLE RESULE)가 확보되어야 하는데 예측이 어려운 실정임.

4. 걸프사태도 불가피하게 UR 협상에 영향을 미칠것인바, 본인 견해로는 군사
행동없이 경제제재에 의한 압력만으로 이라크의 쿠웨이트로부터의 점진적 철수가
이루어질 가능성도 있다고 보며, 이것이 가장 바람직하지만, 일단 군사 행동이
취해지면 설사 속전속결로 끝나더라도 연합국에 대한 피해와 아랍권 전체에미칠영향등
후유증이 예상됨. 이러한 후유증의 정동에 따라 부쉬 대통령의 입지가 약화될 경우도
예상할 수 있으며 그렇게 될 경우 UR 협상의 2 월말이후까지 계속을 위한 미 의회의

통상국   장관   차관   1차보   2차보   경기원   재무부   농수부   상공부

PAGE 1   91.01.09   07:18

신속처리철자 시한의 연장은 어렵게 될것이므로 여러가지면에서 걸프사태의 진전이 UR 협상의 변수로 작용할 것으로 우려됨.

　5. 금번 1.15. TNC 회의는 DUNKEL 총장의 그간의 비공식 접촉 내용과 협상 현황을 간단히 설명하고, 이에대하여 각국이 COMMENT 하는 형식이 될것이며, 각국의 COMMENT 내용에 따라 유동적이기는 하나 대체로 짧은 회의가 될 가능성이 큼. 끝.

　(대사대리 박영우-국장)

　예고:91.6.30 까지

관리
번호 91 - 26

원 본

외 무 부

종   별 :

번   호 : ECW-0017   일   시 : 91 0108 1730

수   신 : 장관(봉기) 경기원, 재무, 농수산, 상공부) 사본:주제네바-직송필

발   신 : 주 EC 대사

제   목 : UR 협상 전망

대: WEC-03

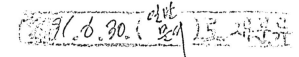

연: ECW-16

연호, 금 1.8. 김광동참사관및 이관용농무관은 DE PASCALE EC 집행위 UR 총괄담당 과장을 오찬에 초대, 표제협상 관련, 의견교환한바, 결과 요지 아래보고함

1. 협상전망

0 1.15. 제네바 TNC 회의는 일단 예정대로 개최될 것이나, 페만사태로 인하여 구체적인 협상진전을 기대하기는 어렵고 지난 브랏셀 TNC 각료회의 이후의 STOCK - TAKING EXCERCISE 형식의 회의가 될것임

0 동과장은 향후 UR 협상 추진전망에 관하여 개인적으로 매우 비관적으로 본다고 전제한후 미의회가 행정부에 부여한 협상 FAST-TRACK 시한인 91.3.1. 이전에 동협상이 완료되기를 기대하기는 현실적으로 무리가 있으며, 협상 참가국들은 보다 냉정해질 필요가 있다고 강조함

0 미국이나 EC 공히 UR 협상보다 우선해야할 국내, 국제적인 문제가 많은바 미국의 경우는 페만사태가 최우선 과제이며, EC 로서는 EMU, 정치동맹, CAP 등 내부의 문제와 쏘련을 비롯한 대동구권 문제등이 우선과제이며, 농산물등 기본적인 입장변화가 없는 상황하에서 UR 협상은 EC 의 주요관심사항에서 떨어질수밖에 없는 현실을 인식하는것이 중요함.

0 브랏셀 TNC 각료회의 이후 동협상 진전을 위하여 농산물등 주요현안에 대하여 미,EC 간 아무런 쌍무협의가 없었으며, 그런 분위기를 조성할 분위기도 조성되어 있지않음

0 DUNKEL GATT 사무총장이 여사한 UR 협상 교착상태 타개를 위하여 금주말 브랏셀 방문을 시작으로 일, 미, 카나다등 주요국을 방문할 예정이나 페만사태로 큰성과를

통상국 상공부	장관	차관	1차보	2차보	정와대	경기원	재무부	농수부

PAGE 1

91.01.09   03:03

외신 2과 통제관 CF

0047

기대하기는 어려울것임

    0 또한 동과장은 EC 의 경우 농산물협상 입장을 변경하기 위해서는 복잡한 의견 조정 절차가 필요하며, 15 개 분야를 총괄하여 각 회원국의 이해를 조정하는것이 쉬운작업이 아닐뿐만 아니라, 91.3.1. 이전 또는 그 이후라도 UR 협상이 타결되지 못하는 경우에도 EC 로써는 크게 잃을것이 없으며, UR 협상의 교착상태에 대하여 EC 가 참가국의 비난을 받을 가능성도 있으나 미국의 씨비스협상, 브라질의 SAFEGUARD. 협상에서의 입장도 다같이 비난을 받아야 하므로 크게 우려치 않고 있으므로 여사한 UR 협상의 교착상태가 연말까지 계속될 가능성도 배제할수 없을것이며, 페만사태의 긍정적인 해결이 협상분위기 개선에 크게 기여할것임

    0 1.15. TNC 회의의 EC 수석대표는 TRAN VAN TINH 주제네바대사가 될것이며, 각분야별 협상대표는 EC 집행위의 관련총국의 국장급 이상이 담당할것임

    2. 농산물협상과 CAP 개혁

    0 비록 CAP 개혁문제가 UR 협상에서의 EC 입장 재정립 또는 UR 협상이후의 농산물 무역환경 변화등과 무관한것은 아니나, 동 개혁문제가 제기된 것과 UR 농산물 협상에서의 EC 입장 재정립 하는것과 직접적인 관계가 있다고 말하기는 어려움

    0 MAC SHARRY 위원은 1.19. 까지 MEMORANDA 형식으로 CAP 개혁 기본방향을 EC/ 이사회등에 제출하여 합의를 이룬후 EC 농무장관 회의에서 구체적인 제의 (PROPOSAL) 를 재제출할 것이며, EC 의 농산물협상 입장을 재정립하기 위한 시도를 할것이나 상당한 진통을 겪어야 할것인바, 근본적인 입장의 변화를 기대하지 않는것이 좋을것임. 끝

    (대사 권동만-국장)

    예고: 91.6.30. 까지

長 官 報 告 事 項

報 告 畢

1990. 1 . 9 .
通 商 局
通商機構課

題 目 : UR 對策 關聯 對外協力委員會 會議 結果 報告

    1.9(水) 開催된 UR 對策 關聯 對外協力委員會 會議에서는 1.15 제네바
TNC 會議에서 UR 成功을 위한 我國의 前進的 姿勢를 表明키로 결정하고,
同 結果를 1.10(木) 大統領께 報告키로 하였는 바, 同 會議 結果를 아래와
같이 報告드립니다.

1. 會議 槪要

○ 日   時 : 91.1.9(水) 10:00-11:20

○ 場   所 : 經濟企劃院 大會議室

○ 參席者 : 副總理, 財務部, 農水産部, 商工部, 動資部, 建設部, 保社部,
            交通部, 遞信部, 科技處長官, 外務部次官補등

○ 議   題 : 우루과이라운드 協商 展望과 對策

2. 會議 結果

가 . 農産物 協商 對策

○ 1.15. TNC 首席代表 演說을 통해 UR 協商 成功을 위한 我國의 前進的
   姿勢 表明 (演說文案은 外務部案 대로 採擇)

- 보다 融通性 있고 前進的인 姿勢로 協商에 臨할 것이며 協商 進展
   狀況을 보아 修正 Offer 를 提示할 用意가 있음을 表明

1

0049

o 美側에 대해서는 1.14-15 韓. 美 經濟協議會, 2月初 副總理 訪美 日程을 고려하고 農産物 協商에 대한 美側 오해 해소를 위해 美側에 我國의 立場 再檢討 方向을 事前 說明 (餘他國에 대한 說明은 協商 動向을 보아가며 決定)

  - 누가 설명해 줄 것인지와 어느 정도 자세한 內容을 說明해 줄 것인가는 外務部에서 決定後 關係部處 通報

    (1.9. 午後 上記 決定 事項 關係部處 通報 :

      ① 제네바, 워싱톤, 서울에서 外交 채널을 통하여 美側에 說明함.

      ② 說明內容은 外務部 Talking Points 文案 대로 함.)

나. 서비스 1次 Offer 提出

  o 經濟企劃院에서 綜合한 草案을 最終 點檢하여 1.15. TNC 開催日까지 GATT에 提出

다. 無稅化 協商 參加

  o 財務部에서 商工部等 각 해당 部處 檢討 結果를 綜合하되 브랏셀 閣僚會議時 我國의 參與 意思를 公式 表明한 바 있음을 감안, 최대한 前進的인 姿勢에서 檢討

  o 檢討 結果는 協商 過程을 통해 提示

    (TNC 我國 首席代表 演說文에는 上記 農産物외에도 서비스, 無稅化에 대한 我國의 前進的 立場을 表明함)

라. 今日 協議한 UR 對策과 韓. 美 通商問題를 明 1.10. (木) 大統領께 報告

  o 報告日時 : 1.10(목), 15:30

2

0050

3. 其他 論議 事項

가. 我國의 自由貿易 政策과 UR 協商에 대한 積極的인 姿勢를 對外에
   효율적으로 弘報토록 최대한 努力

   ○ 駐韓 外信記者의 인터뷰 申請을 回避하지 말고 오히려 積極 活用

   ○ 經濟長官과 駐韓 外國商社 代表 및 外信記者가 定例的으로 만나는
      方案을 마련

나. 韓. 美 서비스 兩者 協議

   ○ 今 1.9(水) 10:00 Hills USTR은 商工部長官을 통해 1.29 以後 서비스
      兩者協議 開催를 提議해온 바, 美側 意圖 및 我側의 準備 狀況을 고려,
      1-2일내 我側 立場을 提示   끝.

3

0051

	분류번호	보존기간

발 신 전 보

번 호 : WGV-0037　910109 1805　CG　종별 :

　　　　　　　　　　　　　　　　　　　　　WCZ-0021

수 신 : 주 제네바 　대사·총영사 (사본 : 주체코대사)

발 신 : 장 관 (통 기)

제 목 : UR/TNC 회의

1991.6.30.(일반 논세)로 재분류

1.15. 개최 예정 TNC 회의를 전후로 주요국 대표단을 접촉, UR 협상에 관한 (농산물협상에대한 입장조정내용을 미측에만 설명)

아국의 입장을 설명함과 동시에 농산물 협상을 포함한 전체 UR협상에 관한 주요국의

입장, 동향을 파악하고 향후 협상 전망등에 관한 의견 교환을 갖는 것이 유익할

것으로 판단되는 바, 아국 수석대표의 아래 주요국 대표와의 면담일정을 적의

주선해 주기 바람.

1. 대 상 국 : 미국, 일본, EC, 카나다, 호주, 스위스 및 스웨덴 고위대표, 갓트

　　　　　　 사무국 (Dunkel 총장 또는 Mathur 차장)

2. 면담시기 : 1.14-16 기간중.　끝.

（통상국장 김삼훈）

제2차관보 !

앙 고 재	91년 1월 9일 통기과	기안자 김범주	과 장	심의관	국 장 전결	차 관	장 관	보안통제	외신과통제

0052

	분류번호	보존기간

발 신 전 보

번 호 : WCZ-0022   910109 1805 CG 종별 :

수 신 : 주 체코 대사 · 총영사 <s>■■■</s> (사본 : 주제네바대사)   WGV-0038

발 신 : 장 관 (통기)

제 목 : UR/TNC 회의

연 : WCZ-0010

1. 귀직을 1.15 개최 예정인 연호 UR/TNC 수석대표로 1.13-17간 제네바
   파견 예정이니 준비 바람.

   검 토 필 (198**1 . 6 . 3/ .**) ㉿

2. 금번 TNC 회의는 미. EC간 농산물 분야에 대한 절충이 이루어 지지 않았기
   때문에 브랏셀 각료회의 이후 현재까지의 진행 상황 점검 (stock-taking)
   성격의 단기간 <s>소규모</s> (가능성이큰) 회의가 될 것으로 전망됨.

3. 아국은 브랏셀 각료회의 결렬 이후 동 회의 농산물 협상에서 EC, 일본,
   아국이 취한 입장에 대한 주요국의 비판적 시각과 UR협상이 실패할 경우
   아국 경제에 미칠 부정적 영향등을 고려, 농산물, 써비스 분야 및 미국이
   제안한 무세화 제안등에 관한 아국 입장을 전향적으로 재조정하고, 이러한
   아국의 입장을 금번 TNC회의에서 대외적으로 표명키로 정부 방침을 정하였음.

4. 귀직은 주제네바 대표부로 타전되는 대표단 상세 훈령에 따라, 동 회의
   기조 발언등을 통해 상기 아국 입장을 밝히고 주요국 대표와의 공식. 비공식
   접촉을 통하여 농산물 협상을 포함한 UR 협상 전반에 관한 앞으로의 전망과
   각국 동향등을 면밀 파악 보고 바람. 끝.

(장   관)

앙 고 재	91 년 1 월 9 일	통 기 과	기안자 김영주	과 장	심의관	국 장		차 관	장 관		보안통제	외신과통제

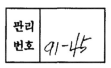

외 무 부

종 별 :

번 호 : CNW-0037

일 시 : 91 0109 1700

수 신 : 장 관(통기,미북,상공부)

발 신 : 주 카나다 대사

제 목 : UR 협상전망

연 : CNW-4

대 : WCN-5

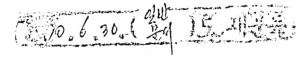

하명근 상무관이 1.8. 주재국 외무무역부 MTN BRANCH MR. JOHN KLASSEN(SENIOR COORDINATOR, GEOGRAPHIC AND OPERATIONS) 및 MR. MIKE GIFFORD(SENIOR COODINATOR, AGRICULTURE)와 대호건 관련 협의한바 있어 동인들의 발언 요지 아래 보고함.

1. 페만 사태가 .15. DEADLINE 이후 곧 바로 전쟁으로 연결되는 경우 제네바 개최 TNC 회의에 대한 각국의 열의가 줄어들것이나, 그렇지 않을 경우에는 동회의가 영향을 받지 않고 진행될 것으로 보임.

2. 동 회의는 1.15. GATT 의 DUNKEL 사무총장에 의한 막후 접촉 결과 및 주요 현안 사항에 대한 현황 설명에 이어 농산물 문제를 중심으로 진행될 것이고 농산물 협상에 진전이 있을 경우 1.21. 경부터 타 분야 협상으로 발전될수 있을 것임.

3. 그동안 EC 내부에서 공동 농업정책 개편 방안에 대한 논의가 있었으나 아무런 결론에 도달되지 않은 상태이고 미국으로서는 EC 측의 구체적인 양보 없이는 현 교착 상태의 타개가 어렵다는 입장을 표명하고 있어 현재로서는 새로운 진전사항은 없는 것으로 알고 있음. 그러나 동건관련 GATT DUNKEL 사무총장이 그동안 미국측과 접촉해왔고 1.9. 부터 MACSHARRY EC 측 농업 위원장등과도 타진할계획으로 있어 동 협상 전망을 예측하기는 어려움.

4. 주재국은 현지의 SHANNON 대사가 수석대표로 참석하고 본부에서는 DENISMTN 차관보 참석은 확정되었으나 기타 관계관의 파견은 미 확정 상태임. 1.21.경 이후 회의 전망이 확실시 되는 경우 주요 분야별 실무 책임자를 추가로 파견할 것으로 보임.끝

(대사 - 국장)

통상국	장관	차관	1차보	2차보	미주국	상공부

예고문 : 91.6.30. 까지

외 무 부

종 별 :

번 호 : GVW-0047   일 시 : 91 0109 1730

수 신 : 장관(통기,경기원,재무부,농림수산부,상공부)

발 신 : 주 제네바대사대리

제 목 : UR/시장접근분야및 협상전반에관한 갓트사무국 담당관의 전망과견해

당관 엄재무관은 1.9 갓트사무국 SCHRODER 관세국장을 접촉하여 UR 시장접근분야
및 협상전반에 대한 동인의 의견을 청취하였는바 요지 아래 보고함.

1. 브랏셀회의 평가

브랏셀 각료회의 농산물 협상에서 한국측의 반대의견 표시가 동 협상의 타결을
불가능하게 한 주요 원인의 하나라는 비판적 시각이 갓트사무국내에 있는지여부에
대해 질문하였는바 동인은 브랏셀 농산물 협상 최종회의에서 협상분위기를 냉각시킨
주요 원인은 동 타협안에 최초 반대의견을 강경히 주장한 일본측이었다는 것이
갓트내의 일반적 견해이고 이어서 이씨, 한국등이 발언하였는바 한국측의 발언은 자국
입장의 솔직한 견해이었다고 이해하고 있다고 답변하였음

2. DUNKEL 총장의 협상재개노력과 1.15.TNC 회의전망

가. DUNKEL 총장이 작녀말 미국을 방문하여 HILLS USTR 대표등 주요인사들을
접촉한바에 의하면 미측은 매우 강경한 입장을 표시하였고 1.15.TNC 회의에 이씨측의
새로운 협상 가능 대안을 제시하지 않으면 본국에서는 따로 협상 대표를 파견하지 않을
것이라고 하였으며 1.10 동 총장이 브랏셀을 방문할 예정이나 동 협의에서 이씨측으로
부터 구체적인 협상 대안이 제시될 것으로 기대하기 어렵다는 분위기 이라고 하였음

나. 따라서 1.15.TNC 회의에서 DUNKEL 총장은 매우 비관적 견해를 표시하고협상
참가국들의 적극적 협조를 요청할 것으로 생각되며 구체적인 협상 타개를 위한 대안의
제시까지는 하지 못할 것이라고 전망하였음.

3. 협상의 본격적 재개와 협상시한 연장등의 전망

가. 협상 그룹별로는 1 월 하순부터 부분적으로 새로운 협상활동이 재개될 것으로
보이지만 본격적인 협상 재개를 위하여는 주요 잇슈별로 각국의 새로운 입장 제시
가능성과 아울러 미국의회의 "FAST TRACK"연장 결정이 필수적이라고 하였음

통상국	장관	차관	2차보	경기원	재무부	농수부	상공부

PAGE 1

91.01.10   03:40

외신 2과 통제관 CH

0056

나. 미국의회의 "FAST TRACK" 연장 가능성에 대하여는 현재 걸프사태에 미 의회의 관심이 쏠려있어 나쁜 영향을 받게될지도 모른다는 견해도 있으나 이런때일수록 미국내의 단합된 모습을 보여주어야 한다는 분위기 때문에 미국 행정부의연장 요청을 의회가 반대하지는 않을 것으로 보는 견해가 설득력이 있다고 생각한다고 하면서 다만, 미의회에 시한연장요청을 위하여는 미행정부가 가시적인 협상성과를 제시하여야 하고 동 연장 결정과정에서 새로운 조건등이 부과되어 협상의 새로운 장애요인이 생기게 될 우려도 있다고 언급하였음.

다. UR 협상이 연장되는 경우 이씨 통합계획등과 관련하여 "92 년까지 연장을 전망하는 견해도 있으나 이는 비현실적이라고 하면서 일반적으로는 금년 6,7 월까지 연장될 것으로 생각한다고 하였음.

4. 협상 분야별 견해

가. 농산물 협상에 있어서는 이씨가 생산관련 보조 방식을 소득지원 보조형태로 전환하는등의 농업보조정책의 재조정을 모색하고 있는바 이러한 노력의 결과 이씨측 입장이 제시되면 미국이나 케언즈 국가등도 타협적인 자세를 보여야지만 협상이 타결될 것이고 또 그렇게 될것으로 보는 견해가 많다고 하였음

나. 섬유협상과 관련하여서는 현재 미국내의 섬유 생산업체들의 반대 로비가 매우 심각하게 행하여지고 있는바 만약 이로 말미암아 미국 의회가 "FAST TRACK"을 연장하는 과정에서 섬유협상의 제외등을 주장하게 되면 UR 의 타결에 매우 심각한 어려움을 초래할 우려가 있다고 하였음

다. 미국측이 갓트 사무국에 이야기 한바에 의하면 1.21. 주간부터 협상 대상국과의 시장접근 양자협상을 재개할 예정이라고 하며 미측은 종래의 R/O 방식,분야별 무세화 제안등을 고수하고 있는바 이씨가 의약품등 일부 분야를 제외하고는 무세화 제안을 받아들이기 어렵기 때문에 양국간의 이견이 어떻게 해결될수있는지 아직은 예측하기 어렵다고 하였음. 끝.

(대사대리 박영우-국장)

예고:91.6.30 까지

원 본

외 무 부

종 별 :

번 호 : GVW-0046

일 시 : 91 0109 1600

수 신 : 장관(봉기)

발 신 : 주 제네바 대사대리

제 목 : UR/TNC 아국대표 연설문

대: WGV-0021

대호, 연설문 초안을 별첨 송부함.

첨부: 연설문 초안 1 부(GVW(F)-0010). 끝

(대사대리 박영우-국장)

예고:91.6.30 까지

91. 6. 30.(일반 문서)로 재분류

통상국	장관	차관	2차보	경기원	재무부	농수부	상공부

PAGE 1

91.01.10   01:15

외신 2과 통제관 CH

0058

GVW(H)—○/○ 1○/8 16○
"첨부"

Draft   15.1.1991
                               UR/TNC Informal
                               At Heads of Delegation Level
                               Korean Delegation

1. It was disappointing that at the Brussels Ministerial
    Meeting the participants were not able to map out a
    politicial guideline which would constitute a firm basis
    for the completion of the Uruguay Round multilateral trade
    negotiations. My delegation sincerely hopes that this
    meeting of the TNC at the level of heads of delegation will
    deliver new momentum enabling the Round to be successfully
    concluded in the very near future.

2. Korea has always been a staunch supporter of strengthening
    both the multilateral trading system and free trade which
    flows from it. In this respect, Korea has been flexible
    and positive in almost all the negotiating areas. Korea
    will continue to be flexible in future negotiations with
    the conviction that the Uruguay Round must be brought to a
    successful conclusion.

3. To our regret, certain news media reported that, alongside
    several other countries, Korea blocked or rejected the
    negotiations on agricultural trade at the Brussels meeting.
    Such allegations are quite contrary to the truth. The
    Korean delegation, in Brussels, expressed its reservation
    to the non-paper prepared by Minister Hellström, because in
    Korea's view, the paper did not adequately reflect Korea's
    vital interests, such as non-trade concerns, a grace period
    for structural adjustment, and differential and more
    favourable treatment for developing countries in the area
    of market access. This cannot be construed to be an
    outright blockage or rejection.

4. A successful conclusion to the Uruguay Round negotiations

is a _sine qua non_ for salvaging the multilateral trading
system, for expanding international trade, and furthermore,
for sustaining the growth of the world economy. All
participants in the Round must give their best effort, and
make constructive contributions to this end.

5. Korea is prepared to make the following contributions for
    the success of the Uruguay Round:

    (3) Although Korea's most serious difficulty exists in the
        area of agricultural trade, Korea will review its
        offer on agricultural trade in a more positive manner
        for the sake of progress in the agricultural
        negotiations. It is the intention of my government to
        submit a revised offer taking into account future
        developments in the agricultural negotiations.

    -   To accelerate progress in the services negotiations,
        Korea submitted its initial offer today.

    -   As already indicated in the Brussels meeting, under
        certain conditions Korea is ready to engage in the
        zero-for-zero market access negotiations.

    (4) Furthermore, Korea will faithfully carry out the
        existing multilateral undertakings for import
        liberalization, including the result of the 1989 BOP
        consultations, as well as the autonomous
        liberalization programmes that Korea has already
        announced.

6. In order to ensure an early and successful conclusion to
    the Round, Korea is determined to participate in the future
    negotiations in a more flexible and positive way, including
    the efforts just mentioned now. It is an earnest hope of
    my delegation that all other participants will do the same.

0060

2 - 2

	분류번호	보존기간

KOCN- 60 9101개 148 # **밝 심 전 보**

번 호 : WUS-0082 910110 1414 DN 종별 : 지급

WGV -0045

수 신 : 주 미 대사 · 총영사 (사본 : 주제네바대사)

(" : 주카나다 대사)

발 신 : 장 관 (통 기)

제 목 : UR 협상 아국입장 재조정

1. UR 협상이 실패할 경우 대외 지향적 경제 구조를 갖고 있는 아국 경제에
   미칠 부정적 영향과 90.12. 브랏셀 각료회의 이후 농산물 협상에서 EC,
   일본, 아국이 취한 입장에 대한 미국등 주요 농산물 수출국의 ~~~~~~
   시각 및 농산물 협상에 대한 기존 아국 Offer의 비현실성등 문제점을 감안,
   정부는 농산물 협상을 위시 서비스, 무세화안에 관한 아국 입장을 전향적으로
   재조정하는 것이 바람직 하다고 판단하여 이를 위해 각각 2회의 관계장관
   회의(1.5 및 7), 국장회의(12.28 및 1.6)를 개최하였으며 1.9 대외협력
   위원회에서 동 3개 분야에 대한 입장 재조정 방향을 확정하고 금 1.10 그
   내용을 대통령께 보고 예정임.

해 ~ 의 ~ 분류	1991. 6 30.	용
권위	성명	

2. 상기 UR 협상 3개 분야의 입장 재조정 방향은 아래와 같음.

   가. 농산물

   ┌─────────────────────┐
   │ ~ 토 필 (1991. 6. 30.) 용 │
   └─────────────────────┘

   ○ 예외 품목의 극소화

   ○ 유예기간 주장의 철회

   ○ BOP 품목은 UR 협상 결과 이행 초년도에 일괄 관세화

   ○ 감축폭, 감축기간에 대한 개도국 우대 확보   // 계 속 ...

앙고재	91년7월6일 통상길과	기안자 송봉헌	과 장 심의반	국 장	차 관	장 관		보안통제	외신과통제

0061

나. 1.15. 제네바 TNC 회의까지 서비스 Initial offer 제출

다. 무세화 협상 참가

3. 또한 대외협력 위원회에서는 1.15. TNC 회의시 아측 수석대표가
연설을 통해 아국 협상 입장의 전향적 재조정 용의를 공식 표명하고, 농산물
협상에 대한 입장 재조정 방향은 상금 농산물 협상에서 미. EC간 입장 접근이
없는등 진전이 없고 국내적인 민감성도 감안, 우선 미측에 대해서만 사전
설명(여타국에 대한 설명은 협상 동향을 보아가며 검토)키로 결정하였음.

4. 이에 따라, 상기 농산물 협상에 대한 아국 재검토 입장을 제네바, 귀지,
본부의 외교채널을 통해 1.15. TNC 회의에 앞서 미측에 설명키로 하고 본부
에서는 ~~제2차관보가 1.11(금) 15:30 Burghardt 주한 미대사관 공사를 초치하여~~
차관이 1.14(월) McCormack 차관보에게 설명예정인바,
~~그 내용을 통보 예정인바~~, 별도 송부하는 Talking Points 를 참고, 귀관에서도
1.14(현지시간) 미측에 설명토록 조치 바람.   끝.

(장관 이상옥)

발 신 전 보

번 호 : WGV-0047   910110 1416   DN 종별 : 지급

WUS-0083

수 신 : 주   제네바   대사 · 총영사   (사본 : 주미대사)

발 신 : 장 관 (통 기)

제 목 : UR 협상 아국입장 재조정

연 : (1) WGV-22

(2) WGV-45

예고문에 의가 분류 1991. 6.30. 2	
직위	성명

1. 금 1.9. 대외협력위원회에서는 연호(1) 3항과 같은 입장 재조정 방향을
확정하고, 1.15. TNC 회의시 아측 수석대표가 연설을 통해 아국 협상 입장의
전향적 재조정 용의만 표명하고, 농산물 협상에 대한 입장 재조정 방향은
상금 농산물 협상에서 미. EC간 입장 접근이 없는등 진전이 없고 국내적인
민감성도 감안, 우선 미측에 대해서만 사전 설명 (여타국에 대한 설명은
협상 동향을 보아가며 검토)키로 결정하였음.

2. 이에 따라, 미측에 대해서는 1.15. TNC 회의 이전 연호(2)와 같이 입장
재조정 내용을 본부 및 워싱턴의 외교 채널을 통해 사전 통보키로 함.
귀지에서도 1.14(월) 미측 대표 접촉, 설명바람.

3. 1.15. TNC 회의시 아측 수석대표 연설문 및 귀지 미측 대표단에게 전달할
입장 재조정 방향에 관한 Talking Points 는 추송함. 끝.

검 토 필 (1991. 6.30) 2   (장관 이상옥)

0063

	분류번호	보존기간

발 신 전 보

번 호 : WGV-0046   910110 1416   DN 종별 : 지급

수 신 : 주 제네바 대사 . 총영사

발 신 : 장 관 (통기)

제 목 : UR/TNC 회의

연 : (1) WGV-0037

(2) WGV-45

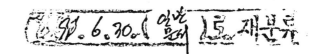
(2) 91. 6. 30.(일반) 도 재분류

연호(1) 미국 대표와의 면담은 연호(2) 워싱턴 및 서울에서의 대미 통보
일정등을 감안 가급적 1.14중으로 주선바람. 끝.

(통상국장 김삼훈)

양고재	91년1월10일인	통상기구과	기안자 송봉헌	과 장 심의관	국 장	차 관	장 관		보안통제	외신과통제

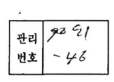

원 본

외 무 부

종 별 :

번 호 : JAW-0124   일 시 : 91 0110 1817

수 신 : 장관(봉기 농수산부,상공부), 사본:주제네바대사-중계필

발 신 : 주 일 대사(경제)

제 목 : 제네바 TNC 실무급회의

대 WJA-0013

연:JAW-0011

표제회의 일본 대표단 및 협상전망에 관해, 주재국 외무성측과 접촉한 내용을 아래 보고함.

1. 본국정부 파견대표

0 외무성 엔도 미노루 국제무역. 경제 문제 담당 심의관(대외직함 대사)

0 외무성 야마모토 국제기관 1 과 기획관

0 농림수산성 아즈마 히사오 국제경제부장

0 봉산성 호소까와 히사시 국제경제부장

2. 협상전망

0 일부 언론이 "페"만 사태가 전쟁으로 전개되면, UR 에 대한 각국의 관심이 분산되어 UR 협상이 재차 중단될 가능성이 있는 것으로 보도하고 있는데 대해, 외무성측은 극히 예측하기 어려운 문제라는 반응임.

0 오히려 외무성측은 금번 실무급 TNC 회의가 실질협상으로 계속될 것인지와 관련해서는 미.EC 간 농업문제 입장 접근 여부에 더욱 관심을 두고 있는 것으로 보임.

0 동 성측에 의하면, 최근 EC 가 국내보조, 국경조치, 수출보조등 분야에서양보된 입장을 미국측에 제시 하였으므로, 이번에는 미국측이 유연한 태도를 보여야 할 차례이나, 아직 양측간의 입장차이가 커서 이견해소가 쉽지만은 않을 것이라고함.

- 이와관련 야이터 미 농무장관의 경질(내정)을 계기로 미국의 정책변화 가능성을 예측하는 언론보도에 대해, 외무성측은 야이터 장관이 적어도 UR 협상기한 까지는 협상에 참여하게 될 것이므로 동 장관의 경질 내정과 정책의 변화와는별 관계가 없을 것이라는 반응임.

통상국	장관	차관	1차보	2차보	청와대	농수부	상공부

PAGE 1   검 토 필 (1991. 6. 30)   91.01.10   23:42

외신 2과 통제관 CW

0065

0 한편 덩켈 사무국장과 주요관계국간 사전 조정협의에서 일본이 제외되고 있다는 보도와 관련, 외무성측은 동 국장의 방일 예정이 없는 것은 사실이나, 일본으로서는 동 국장과 사전 협의를 한다고 하더라도 일본의 기존입장 변경만을 요청받게 될 것이므로 스스로 협의를 요청하지는 않을 것이라고 하였음. 끝.

   (공사 이한춘-국장)

   예고:91.6.30. 까지

예고문에 의거   무무 1991 630
직위   성명 김박단

기 안 용 지

분류기호 문서번호	봉기20644-	(전화 :)	시 행 상 특별취급	
보존기간	영구·준영구. 10.5.3.1.	차 관	장 관	
수 신 처 보존기간				
시행일자	1991. 1. 9.			

보조기관	국 장		협조기관	기획관리실장 제2차관보	문 서 통 제
	심의관			총무과장	
	과 장			기획운영담당관	
기안책임자	김봉주				발 송 인

경유 수신 참조	건 의	발신명의	

제 목 : UR/TNC 회의 정부대표 임명

91.1.15(화) 스위스 제네바에서 개최되는 우루과이라운드

무역협상위원회 수석대표급 비공식 회의에 참석할 정부대표를

"정부대표 및 특별사절의 임명과 권한에 관한 법률"에 의거

아래와 같이 임명코자 하오니 재가하여 주시기 바랍니다.

- 아 래 -

1. 회의 일시 및 장소 : 91.1.15(화), 스위스 제네바

// 계 속 //　　0067

1505-25(2-1) 일(1)갑
85. 9. 9. 승인　"내가아낀 종이 한장 늘어나는 나라살림!"
190㎜×268㎜ 인쇄용지 2급 60g/㎡
가 40-41 1990. 3. 30

2. 회의참가 목적

　가. UR 협상의 조속한 타결을 위한 아국의 적극적이고 전향적인

　　　입장표명

　나. 브랏셀 각료회의시 농산물 분야에서 취한 아국입장에 대한

　　　일부 협상 참가국들의 대 아국 비판적 시각 고정

　다. 농산물 협상에서의 주요협상 참가국들의 동향 및 전채

　　　UR협상이 본격 재개 전망등 파악

3. 정부 대표

　ㅇ 수석대표

　　　- 선준영 주 체크슬로바크 연방공화국 대사

　ㅇ 교채수석대표

　　　- 박영우　　주제네바대표부 공사

　ㅇ 대　　표

　　　- 추준석　　상공부 국제협력관

　　　- 오행겸　　주제네바 대표부 참사관

　　　- 이종화　　주제네바 대표부 경협관

// 계　　속 //　　　0068

1505-25(2-2) 일(1)을　　　　　　　　　　　　　　　　190mm×268mm　인쇄용지 2급 60g/㎡
85. 9. 9. 승인　　"내가아낀 종이 한장 늘어나는 나라살림"　　가 40-41 1990. 3. 15

- 엄낙용	주제네바 대표부 재무관
- 천중인	주제네바 대표부 농무관
- 강상훈	주제네바 대표부 상무관
- 홍종기	주제네바 대표부 1등서기관
- 송봉현	외무부 통상기구과 사무관

4. 수석대표 및 본부대표 출장지 및 출장기간

   o 출 장 지 : 스위스 제네바

   o 출장기간

   - 선준영 대사 : 91.1.13-17 (4박 5일)

   - 본부대표 : 91.1.12-18(6박 7일)

5. 소요예산

   가. 선준영 대사

   o 총액 : $1,635

   o 내역

   - 항공료(프라하 ↔ 제네바간 1등 왕복) : $811

   - 일 식 비 : ($30 + $50)X5일 = $400

   - 숙 박 비 : $106 X 4박 = $424   /계 속/

0069

1505-25(2-2) 일(1)을
85. 9. 9.승인   "내가아낀 종이 한장 늘어나는 나라살림"

190㎜×268㎜ 인쇄용지 2급 60g/㎡
가 40-41 1990. 3. 15

ㅇ 지출근거 : 경제활동 국외여비

나. 송봉헌 사무관

ㅇ 총 액 : $2,978

ㅇ 내 역

- 항공료 : $2,148

- 일식비 : ($20+$42)×7일 = $434

- 숙박비 : $66×6박 = $396

ㅇ 지출근거 : 경제활동 국외여비

다. 추준석 국제협력관 : 소속부처 소관예산

6. 대표단 훈령 : 별첨

첨부 : TNC 회의 정부대표단 훈령. 끝.

0070

1505-25(2-2) 일(1)을
85. 9. 9. 승인   "내가아낀 종이 한장 늘어나는 나라살림"   190mm×268mm 인쇄용지 2급 60g/㎡
가 40-41 1990. 3. 15

대 한 민 국
상 공 부

국 협 28140 - 8   503-9446   1991. 1. 8

수 신 외무부 장관

제 목 UR/TNC 회의 참가

'91.1.15 부터 스위스 제내바에서 개최되는 UR/TNC 회의에 다음과 같이 참가하고자 하오니 정부대표 임명등 필요한 조치를 하여 주시기 바랍니다

= 다   음 =

1. 출 장 자 : 상공부 국제협력관 추준석

2. 출장기간 : '91.1.12(토) - 1.20(일) (9일간)

3. 소요예산 : 상공부 예산

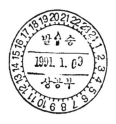

첨 부 : 당부입장 (추후 송부)

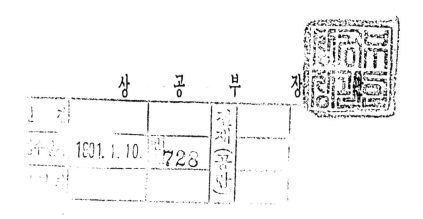

0071

전 언 통 신 문

국관 22710-6

수신 외무부장관

참조 통상국장

제목 UR/ TNC 회의 대표추천

1. 통기 20644-272 (91.1.7)와 관련입니다.

2. 91. 1. 15 제네바에서 개최 예정인 TNC 회의는 그 성격 및 각국 대표단
    규모등이 불투명한 상황이므로 당부는 본부대표를 별도로 파견하지 않고
    현지 재무관보로 하여금 참가토록 할 것이며, 추후 구체적인 협상일정이
    확정대는 대로 본부대표를 추천할 예정임을 알려드립니다.   끝.

봉화시간 : 91.1.8. 17:00

송 화 자 : 이 창 범

수 화 자 : 이 금 선

0072

전 언 통 신 문

국협 28140-8

수신   외무부장관

발신   상공부장관

제목   UR/ TNC 회의 참가

　　　91.1.15 부터 스위스 제네바에서 개최되는 UR/TNC 회의에 다음과 같이
참가하고자 하오니 정부대표 임명등 필요한 조치를 하여 주시기 바랍니다.

- 다　　음 -

1.   출장자 : 상공부 국재협력관　추준석

2.   출장기간 : 91.1.12(토) - 1.20(일)

3.   소요예산 : 상공부 예산.

첨부 : 담부 입장 (추후 통보)

통화시간 : 91.1.9. 09:50

송화자 : 김인관

수화자 : 이급선

0073

전 언 통 신 문

국협 20644-4

수신 외무부장관

참조 통상국장

발신 농림수산부장관

재목 UR/ TNC 회의 대표추천

1. 동기 20644-272 (91.1.7) 호와 관련입니다.

2. 91.1.15. 개최 예정인 TNC 회의와 관련 최근까지 농산물협상에 대한 주요국의
    입장변화가 없는 상황에서 실질적인 진전을 기대하기 어려울 것으로 전망되므로
    표제회의에는 담부대표를 파견하지 않을 계획임을 알려드립니다.

통화시간 : 91.1.10. 13:20

송 화 자 : 최 대 휴

수 화 자 : 이 급 선

0074

UR/TNC 회의 참가 정부대표단에 대한 훈령(안)

1. TNC회의 참가 정부대표단은 UR협상이 가급적 조속히 타결되는 것이 바람직하다는 정부의 기본 시각(1.8. 연두 기자회견시 노태우 대통령 언급 내용 참조)과 UR협상 실패가 가져올 자유무역 기조의 붕괴가 아국 경제에 미칠 심각한 부정적 영향을 감안하고, 브랏셀 각료회의에서 아국이 취한 입장에 대한 일부 협상 참가국의 비판적 시각 교정을 통한 쌍무적 통상압력 완화 및 UR협상 결렬시의 비난에 대비할 필요성도 염두에 두어, UR협상의 조속한 타결을 위해 전향적 자세로 회의에 임할 것.

2. 수석대표는 별첨(1) 수석대표 연설문에 입각, TNC 전체회의에서 협상에 임하는 아국의 기본입장과 협상 성공을 촉진키 위한 아국의 추가 기여 용의를 표명할 것.

3. 정부 대표단은 미국 대표를 접촉하여 별첨(2) 설명자료 내용에 따라 아국 농산물 Offer의 개선 방향를 포함한 UR 협상 성공을 위한 아국의 추가적 기여 방침을 사전(가급적 TNC회의 이전)에 전달하고, 쌀에 대한 시장개방 및 보조금 감축의무로 부터의 예외 취급, 여타 품목에 대한 관세율 및

0075

보조금 감축, 최소 시장 접근율등에 있어서 농업 개도국인 아국에 대한
특별우대등 아국 농산물 Offer 개선의 기본 전제조건이 받아들여 질 수
있도록 미측과 적극 교섭 할 것.

4. 여타 일본, EC, 카나다, 호주, 스위스, 스웨덴등 주요국 고위대표 및 GATT
   사무국측과도 접촉하여 UR협상의 조속한 타결을 위한 아국의 전향적인 자세를
   설명하고 브랏셀 각료회의시 농산물 분야에서의 아국 입장에 대한 비판적
   시각을 불식시키도록 노력할 것.

5. 정부대표단은 주요국 대표들과의 활발한 공식. 비공식 접촉을 통해 농산물
   협상에 임하는 각국의 동향 및 전략, 농산물 분야 주요국간 이견 절충
   가능성을 포함한 전체 UR협상의 본격 재개 전망등을 면밀히 파악 보고할 것.

첨부 : 1. 수석대표 연설문(국. 영문)
       2. UR 협상 타결을 위한 아국의 기여에 대한 설명자료
       3. 서비스 협상 Offer List 제출에 관한 설명 자료
       4. 분야별 무세화 협상 참여에 관한 설명 자료. 끝.

0076

UR/TNC 아국 수석대표 연설문 요지

1. 한국은 브랏셀 각료회의에서 UR 협상 성공의 기초가 될 정치적 지침을
    마련치 못하게 된 것에 실망하며 이번 TNC 회의에서 UR이 가까운 장래에
    원만히 타결될 수 있는 계기가 마련되기를 희망함.

2. 한국은 다자무역체제의 강화와 자유무역을 항상 지지해 왔고 이를 위해
    UR협상이 성공적으로 타결되어야 한다는 신념하에 UR 협상의 거의 모든
    분야에서 전향적 자세로 협상에 임해 왔으며, 앞으로도 계속 이러한 자세와
    입장을 견지할 것임.

3. 일부 언론에서 브랏셀 각료회의시 한국이 여타 수개국과 함께 농산물
    협상을 block 하거나 거부하였다고 보도한 바 있으나 이는 사실과 다름.
    한국은 Hellstrom 스웨덴 농무장관의 Non-paper에는 한국의 핵심 관심
    사항인 비교역적 고려(NTC), 구조 조정을 위한 유예기간, 시장접근에서의
    농업 개도국에 대한 특별우대가 적절히 반영되어 있지 않았기 때문에 이에
    관해 이의를 제기한 것일뿐 협상을 block 하거나 거부한 것은 아님.

4. UR 협상의 원만한 타결은 다자간 무역체제의 구원과 세계무역의 확대,
    나아가 세계경제의 지속적 성장을 위해 필수적인바 참가국 모두는 이를
    위해 최선의 노력과 건설적 기여를 아끼지 말아야할 것임. 한국으로서는
    UR의 타결을 위해 다음과 같은 노력과 기여를 다짐함.

    가. 한국은 농산물 분야에서 심각한 어려움을 겪고 있는 것이 사실이나,
         농산물 협상의 진전을 위해 보다 전향적인 자세에서 기제출한 Offer를
         개선할 예정이며, 향후 농산물 협상의 진전 상황을 보아 수정 Offer를
         제출할 용의가 있음.

0077

나. 또한 서비스 분야 협상의 진전을 위해 Initial Offer를 금일자로
　　 제출하였음.

다. 브랏셀 각료회의시 밝힌대로 일정 조건하에 분야별 무세화 협상에도
　　 참여할 용의가 있음.

라. 아울러 한국은 BOP 협의결과등 기존의 다자적인 자유화 공약과 기발표한
　　 자유화 계획도 성실히 이행할 것임.

5. 한국은 UR 협상의 조속한 타결을 위해 이상에서 언급한 사항을 포함하여
　 전향적 자세로 협상에 참가할 것인바, 모든 참가국도 협상에 보다
　 적극적인 자세로 임해주기를 희망함.

0078

<u>Statement by Ambassador Joun-Young SUN, Chief Delegate of the Republic of Korea,</u>
<u>at the Meeting of Trade Negotiations Committee on January 15, 1991</u>

Mr. Chairman,

To our great disappointment the Brussels Ministerial Meeting failed to set a political guideline for the successful conclusion of the Uruguay Round. We strongly hope that this meeting will provide a long-awaited momentum to bring the negotiations to a successful end in the very near future.

As a staunch supporter of the multilateral free trading system attaching a priority importance to the success of the Uruguay Round negotiations, Korea has always taken a positive and forward-looking attitude in almost all of the negotiating areas and will remain so in the remaining process of the negotiations.

In this context, we were greatly dismayed to learn after the Brussels Ministerial Meeting that Korea was being identified by some press media as one of the countries which were responsible for the failure of the Meeting.

0079

Those media reported that Korea, together with a couple of other participants, blocked the negotiations by refusing to accept Minister Hellstrom's non-paper as a basis for the agricultural negotiations.

Such allegations are quite contrary to the truth. The Korean delegation, in Brussels, expressed its reservation to the non-paper, because, in Korea's view, the paper was not balanced and did not reflect Korea's vital interests such as recognition of non-trade concerns, needs of grace period for structural adjustment and special and differential treatment for developing countries in the market access area.

This cannot be construed to be an outright blockage or rejection. Rather, Korea made it amply clear that it was ready to enter into serious negotiations in Brussels on the basis of a more balanced paper.

0080

Mr. Chairman,

This year the world economy is facing a number of serious challenges, inter alia, high price of oil, slow-down of economic growth, strong inflationary pressure and strong trade protectionism. In this situation, we cannot afford to delay the negotiations.

Indeed, the strengthening of multilateral trading system of GATT is the only and most certain way which will lead to the expansion of the world trade and to the continued growth of world economy.

We should do our utmost to salvage the multilateral trading system by bringing the Uruguay Round to a successful end. The hour of decision is approaching fast and it bears down on all of us.

Mr. Chairman,

On its part, Korea has conducted an overall review of the negotiations and, as a result of that, decided to make following additional contributions to reactivate the negotiations and eventually to bring them to a successful conclusion :

0081

1. Although Korea's most serious difficulty exists in the area of agricultural trade, Korea is prepared to review its offer on agricultural trade in a more positive manner for the sake of progress in the agricultural negotiations and to submit a revised offer taking into account future developments in the agricultural negotiations.

2. To accelerate progress in the services negotiations, Korea formally submitted its initial offer yesterday.

3. As it has already indicated at the Brussels Ministerial Meeting, Korea will participate in the sectoral tariff elimination negotiations.

4. Furthermore, Korea will faithfully carry out the existing multilateral undertakings for import liberalization, including the result of the 1989 BOP consultations, as well as the autonomous liberalization programmes that Korea has already announced.

0082

Mr. Chairman,

Those contributions are results of painful process in Korea. We hope that it will be duely appreciated. Before conclusion, Korea hopes that the constructive move on the part of my country will be duly recognized and reciprocated by all the participants, in particular, by leading trading partners.

Thank You.

0083

UR 협상의 타결을 위한 아국의 기여에 대한 설명 자료

1991. 1 . 8 .

통 상 기 구 과

0084

1. UR협상에 대한 그간의 기여 및 기본입장

   o 한국은 다자무역체제의 강화와 자유무역을 항상 지지해 왔고 이를 위해
     UR 협상이 성공적으로 타결되어야 한다는 신념하에 UR협상의 거의 모든
     분야에서 전향적 자세로 협상에 임해 왔음.
     - 서비스, 투자, 지적소유권등 신분야 협상 적극 참여
     - 열대산품, 비관세, 관세등 시장접근 분야에서의 상당 기여등

   o 또한, 다자적으로 공약한 자유화 계획 및 합의 사항을 성실히 이행해
     왔음.
     - '89-'91 수입자유화 계획 이행(총284개 품목 수입자유화)
     - 쇠고기 합의 사항 이행등

   o 이는 UR 협상 성공과 다자 무역체제의 강화, 발전에 적극적으로 기여하려는
     한국 정부의 노력으로 평가되어야 할 것임.

2. 브랏셀 각료회의 결렬에 대한 입장

o 한국은 브랏셀 각료회의에서 UR 협상 성공의 기초가 될 정치적 지침을
  마련치 못하게 된 것에 실망하며 1.15. TNC 회의에서 UR이 가까운 장래에
  원만히 타결될 수 있는 계기가 마련되기를 희망함.

o 일부 언론에서 브랏셀 각료회의시 한국이 여타 수개국가와 함께 농산물
  협상을 block 하거나 거부하였다고 보도한 바 있으나 이는 사실과 다름.

o 한국은 Hellstrom 스웨덴 농무장관의 Non-paper에는 한국의 핵심 관심
  사항인 비교역적 고려(NTC), 구조조정을 위한 유예기간, 시장접근에서의
  농업 개도국에 대한 특별우대가 적절히 반영되어 있지 않았기 때문에 이에
  대해 이의를 제기한 것일뿐 협상을 block하거나 거부한 것은 아님.

o 어떠한 협상 참가국도 자국의 핵심 관심 사항이 적절히 반영되지 못한
  협상안에 대해 이의를 제기할 수 있는 것은 갓트의 확립된 관행이며
  권리임.

0086

3. 입장 재검토 배경 및 방향

o 브랏셀 각료회의 결렬 이후 다자간 무역체제의 구원과 세계무역의 확대,
  나아가 세계경제의 지속적 성장을 위해 UR 협상의 원만한 타결이 필수적임을
  참가국 모두가 재확인하게 되었음.

o 따라서, 성공적 UR협상 종료를 위하여는 모든 협상 참가국들이 최선의
  노력과 건설적 기여를 아끼지 말아야 할 것임.

o 이러한 차원에서 한국 정부로서도,

  - 첫째, 한국은 농산물 분야에서 심각한 어려움을 겪고 있는 것이 사실이나,
    농산물 협상의 진전을 위해 보다 전향적인 자세에서 기제출한 Offer를
    개선할 예정이며, 향후 농산물 협상의 진전 상황을 보아 수정 Offer를
    제출할 용의가 있음. (Offer 개선 방향 : 별첨 참조)

  - 둘째, 써비스 분야 협상의 진전을 위해 Initial Offer를 가급적 1.15.
    이전에 제출할 것임.

  - 셋째, 브랏셀 각료회의시 밝힌대로 일정 조건하에 분야별 무세화 협상에도
    참여할 것임.

0087

o 아울러 한국은 89.10월 갓트 BOP 협의 결과등 기존의 다자적인 자유화 공약과 기발표한 자유화 계획도 성실히 이행할 것임.

o 한국은 UR협상의 조속한 타결을 위해 이상에서 언급한 사항을 포함하여 전향적 자세로 협상에 참가할 것인바, 모든 참가국도 협상에 보다 적극적인 자세로 임해주기를 희망함.

첨부 : 한국의 농산물 Offer 개선 방향

첨부 : 한국의 농산물 Offer 개선 방향

1. 기본 방향

o 한국의 농업은 전체인구의 16%인 8백만의 농가인구, 총 취업인구의 18.7%가
  농업 취업인구를 점하고 있으며 GNP에 대한 기여는 8.4%수준으로 한국 경제에
  중요한 부문임. 그러나, 선진국에 비해 상대적으로 낮은 생산성등 구조적
  취약성을 벗어나지 못하고 있는 저개발 단계에 있으므로 앞으로 어려운
  구조조정 과정을 거쳐 어느 정도 자생력을 갖게 되기까지는 적정수준의 정부
  지원과 보호가 필요함.

o 그러나, 이러한 어려움에도 불구, UR 농산물 협상의 타결을 위해 예외를
  최소화하는등 보다 융통성있는 입장을 취할 것임.

o 이러한 전향적 자세를 가능케 하기 위해서는 무엇보다도 보조 및 보호감축에
  있어서 장기 이행기간 또는 보다 낮은 감축율 부여등 개도국 우대가 필요함.

0089

2. 시장 접근

① 관세화

ㅇ 쌀등 수개 품목을 제외한 현행 모든 수입제한 품목을 향후 합의될 Framework 내에서 관세화할 용의 (쌀을 제외한 관세화 예외품목에 대한 질문이 있을 경우 : 보리등 2-3개 품목)

- 다만, 감축 부담 수준은 선진국에 적용되는 수준보다 현저히 완화 필요 (감축 수준에 대한 질문이 있을 경우 : 선진국의 1/2 수준)

ㅇ 수입실적이 있는 품목의 경우 현 수준 시장접근 보장

- 수입실적이 없는 품목의 경우 국내소비의 일정 비율을 최소시장 접근으로 보장할 것이나 선진국에 요구되는 수준보다 상당수준 완화 필요 (최소시장 접근 보장 수준에 대한 질문이 있을 경우 : 선진국의 1/2 수준)

- 관세화 예외 수개 품목의 경우에도 쌀을 제외하고는 최소시장 접근 보장 용의

0090

② 갓트 BOP 협의 결과 이행

　o UR 협상에서 동 품목을 UR 협상 결과 이행 초년도에 일괄 관세화
　　- 단, 91.3.까지 협상이 타결되지 않거나 관세화 원칙에 대한 합의가
　　　이루어지지 않을 경우 BOP 협의 결과에 따라 91.3. 갓트에 '92-'94
　　　수입자유화 계획을 통보할 방침 (단, 91.3. 이후 UR 협상 타결 및
　　　동 협상에서 관세화 원칙 합의시 UR 협상 결과 이행초년도에 일괄
　　　관세화)

③ 쌀 1개 품목에 대한 시장접근 예외

　- 북한과 군사적으로 대치하고 있는 현상황하에서 식량안보에 극히 긴요

　- 농가소득의 40-50%를 점하고 있어 농가소득 유지에 필수적이며 한국
　　농업의 근간으로서 문화적 전통과도 긴밀히 연계

　- 정부의 농업 정책에 대한 점증하고 있는 농민들의 불만과 한국 농업의
　　최후 보루로 인식됨으로 인해 시장접근 고려 불가

　- 한국문화의 상징으로 전통문화 보존에 긴요

0091

3. 국내 보조

o 향후 합의될 Framework 내 감축 용의 있으나 선진국 보다 상당수준 낮은 감축 의무 부담 필요 (감축 수준에 대한 질문이 있을 경우 : 선진국의 1/2 수준)

- 단, 쌀에 대한 국내보조는 상기 ③항의 사유에 따라 현행대로 유지

4. Offer 개선 전제 조건

o 상기 시장접근, 국내보조에서 새로운 Offer를 가능하게 하기 위해서는 여타 협상 참가국의 상응한 조치를 전제로 하며 하기 사항 반영 필요

① 개도국 우대 적용

- 한국 농업의 구조적 취약성을 고려할 때 향후 합의될 Framework내에서 국내보조, 국경보호분야에서의 선진국이 부담할 감축 수준보다 이행기간, 감축폭에 있어서 상당수준 완화된 부담 (우대 수준에 대한 질문이 있을 경우 : 선진국 감축수준의 1/2 수준)

② 갓트 11조 2항 (C) (i)의 개선 및 동조항 원용권리 유보

- 향후 11조 2항 (C) (i)가 현재처럼 엄격한 조건 때문에 원용할 수 없는 조항이 아니라 원용 가능하도록 개선 되어야 하며 아국은 동 조항 원용 권리 유보 (해당 품목에 대한 질문이 있을 경우 : 고추, 마늘, 양파등 일부 품목)   끝.

0092

o   아국은 작년 12월 브랏셀 각료회의시 밝힌대로 UR 협상의 성공에 적극
    기여한다는 취지에서 분야별 무세화 협상에 참여할 용의가 있음.

    ※ 무세화 논의 대상 분야 : 맥주, 건설장비, 전자제품, 수산물, 비철금속,
                           철강, 의약품, 종이, 목재 및 목제품등 9개 분야

    ※ 아국 참여 요구 분야   : 건설장비, 전자제품, 철강, 수산물, 종이, 목재등
                           6개 분야

o   아국은 이를 위하여 정부내 대책반을 수립하여 아국의 참여 가능 분야를
    검토중임.

o   다만 아국의 국내 여건을 감안하여 일정한 참여조건이 필요할 것으로 봄.
    - 특히 아국의 경우 다른 선진국들에 비해 상대적으로 높은 관세율을 유지
      하고 있으므로 보다 장기간의 무세화 이행기간이 필요

o   아울러 아국은 장기적인 수출 환경의 개선을 위하여 무세화 협상에 일부
    품목을 추가 제안하는 방안을 검토중임.

    ※ 무세화 제안 검토 대상분야 : 가구, 완구, 신발, 가전제품 일부등

0093

서비스 협상 Offer List 제출에 관한 설명 자료

1. 기본 방향

o 아국은 금번 TNC 회의를 계기로 아국의 써비스 분야 Initial Offer 를 제출함으로써 써비스 협상을 비롯하여 교착상태에 빠진 전체 UR협상의 성공적 타결에 기여코자 함.

o 아국의 양허 계획 제출이 다수 개도국을 비롯한 보다 많은 협상 참가국들이 양허 계획을 제출하는 계기가 되기를 희망함.

2. 아국 양허 계획(Initial Offer) 내용

① 서비스 협상에 대한 아국의 기본입장

- 서비스 협상은 전체 서비스 업종을 포괄하여야 하며 (Universal Coverage) 무조건적 MFN 원칙이 적용되어야 함.
- 현행 국내법에 의해 일반적으로 적용되는 외국인의 국내 영업 활동에 관한 제한 사항은 기본적으로 유지 (예 : 외자 도입법, 외국환 관리법, 외국인 토지법, 출입국 관리법)
- 서비스 일반 협정 및 분야별 부속서, 각국의 양허 계획 내용이 구체화 될 경우 아국입장을 신축적으로 조정할 수 있는 권리를 유보함.

0094

② 분야별 시장 개방 약속

　　ㅇ 대상 업종

　　　- 금융, 통신, 운송, 유통, 건설, 관광, 시청각 서비스, 사업 서비스등
　　　　서비스 협상에서 논의된 주요한 업종을 대부분 포함

　　ㅇ 자유화 수준

　　　- 대부분 현존 개방 및 규제 수준을 동결
　　　- 통신분야를 비롯한 미국등 주요국의 관심 사항에 대해서는 추가적인
　　　　자유화 계획을 포함

0095

| Talking points on Korea's contribution for the successful conclusion of the Uruguay Round negotiations |

1990. 1.

Ministry of Foreign Affairs
Republic of Korea

0096

1. Korea's basic position and contribution in the UR negotiations.

   o As a staunch supporter of the multilateral free trading system attaching a priority importance to the success of the Uruguay Round negotiations,

     ① Korea has maintained a positive and forward-looking attitude in almost all of the negotiating areas.

       - Korea has participated actively in the negotiations on new areas : Services, TRIMs, and TRIPs ;

       - Korea made substantial contributions in the area of Market Access including Tariffs, Non-tariff Measures and Tropical Products.

     ② Korea has faithfully implemented the commitments it has ever entered into :

       - Its three year ('89-'91) import liberalization program has been carried out as announced in 1989 ;

       - The commitment it made in the context of the GATT panel report on beef import restrictions is also being carried out.

1

2. Korea's position at the Brussels Ministerial Meeting

o To our great disappointment the Brussels Ministerial Meeting failed to set a political guideline for the successful conclusion of the Uruguay Round. We strongly hope that the Geneva TNC meeting of January 15 will provide a long-awaited momentum to bring the negotiations to a successful end in the near future.

o In this context, we were greatly dismayed to learn after the Brussels Ministerial Meeting that Korea was being identified by some media as one of the countries which were responsible for the failure of the Meeting.

o Those media reported that Korea, together with a couple of other participants, blocked the negotiations by refusing to accept Minister Hellstrom's non-paper as a basis for the agricultural negotiations.

o It is true that Korea raised objections to the non-paper because in its view the paper was not balanced and did not reflect Korea's vital interests such as recognition of non-trade concerns, needs of longer time-period for structural adjustment and special and differential treatment for developing countries in the market access area.

2

0098

o Yet it did not mean that Korea attempted to block the negotiations, nor did it mean an outright rejection of the paper. Rather, Korea made it amply clear at the Meeting that it was ready to enter into serious negotiations in Brussels on the basis of a more balanced paper.

o Furthermore, it is an established practice of the GATT that contracting parties are allowed to comment on any negotiating document.

3. Korea's additional contibutions to the Uruguay Round.

o The successful conclusion of the Uruguay Round is essential for the strengthening of the multilateral free trading system of GATT and the continued growth of world economy.

o In light of the crucial importance of the Uruguay Round, all participating countries should make every effort to reactivate the negotiations.

o In this context, Korea conducted an overall review of its negotiating positions after the Brussels meeting. As a result of that, Korea decided to make following additional contributions to bring the negotiations to a successful end :

3

① Despite structural weaknesses as well as the political and social difficulties in its agricultural sector, Korea would change its negotiating position in the agricultural negotiations in a more flexible one and is prepared to submit its revised offer in the course of the resumed agricultural negotiations. (For the details of the position, refer to the Annex)

② To accelerate the progress in the negotiations on trade in services, Korea will table its initial offer before the January 15 TNC meeting.

③ As it already indicated at the Brussels Ministerial Meeting, Korea will participate in the sectoral tariff elimination negotiations under certain terms and condition.

④ Korea will implement faithfully the commitments it entered into in the context of GATT including the results of BOP consultations.

o Those contributions are results of painful and difficult process in Korea. Korea hopes that such constructive move will be duly recognized and reciprocated by all the participants, in particular, by the leading trading partners.

4

0100

Annex : Main points of the revision in Korea's offer in the agricultural negotiations

---

| 1. Background |

o   With 8 million farm population representing 16% of its total population, the Korean agricultural sector accounts for 18.7 percent of total employment and produces 8.4 percent of the GNP. It still constitutes an integral part in the Korean economy. Yet, suffering from structural weakness such as extremely small farm land and low productivity, the agriculture in Korea remains at an underdeveloped stage and in need of government support and protection for certain period of time to carry out a necessary structural adjustment.

5

0101

o Despite such difficulties, however, Korea, for the successful conclusion
   of the Uruguay Round, is prepared to take a flexible attitude in the
   forthcoming agricultural negotiations as elaborated below, provided that
   certain conditions are met including a full application of the special
   and differential treatment to Korea in implementing the commitments of
   reducing internal support and border protection, in the form of longer
   time-frame or reduced rate of reduction commitment.

---

2. Market Access

---

① Tariffication

   o Korea will accept tariffication, within the framework to be agreed
      upon in the future agricultural negotiations, for most of the products
      currently subject to import restrictions with very few exceptions
      including rice. (쌀을 제외한 관세화 예외품목에 대한 질문이 있을 경우 :
      보리등 2-3개 품목)

6

0102

- Reduction of the tariff equivalents will be implemented over
  a longer time-period or at a reduced rate than those applying to
  the developed countries. (감축 수준에 대한 질문이 있을 경우 :
  선진국의 1/2 수준)

o Current market access level will be improved and minimum market
   access will be guaranteed :
   - In the absence of significant level of imports, minimum market
     access will be established in terms of percentage out of total
     consumption, but at a lower level than the level applying to
     the developed countries. (최소시장 접근 보장 수준에 대한 질문이
     있을 경우 : 선진국의 1/2 수준)

   - Minimum market access will be guaranteed for those products which
     will not be subject to the tariffication, with rice as the only
     exception for which no minimum market access will be considered.

② Implementation of results of the GATT Balance of Payments Committee's
   consultations with Korea (BOP/R/183/Add. 1)

7

0103

o Korea will convert, at the time when it starts to implement the
results of the Uruguay Round negotiations, all import restrictions
on agricultural products (which are currently under import restric-
tion but are to be gradually liberalized in accordance with the
understanding reached in the 1989 Balance of Payment Committee
consultations) into tariff equivalents.

- In case the Uruguay Round negotiations are not concluded and the
principle of tariffication is not agreed on by March 1991, Korea
would notify its '92-'94 liberalization program to the GATT
Council in accordance with the understanding of the BOP
Committee.

- In case the Uruguay Round negotiations are concluded and the
principle of tariffication are agreed on after March 1991, Korea
would carry out the tariffication when it starts to implement
the results of the Uruguay Round negotiations for those products
still under import restriction at that date.

8   0104

③   Exceptions for Rice

o   Rice will be excluded from the commitments with regard to
    tariffication and extablishment of minimum market access for the
    following reasons :

    -   Rice is an essential product for Korea's food security, because
        of the unique situation on the Korean peninsula : division of
        the country and continuing military threat from North Korea

    -   Rice is the most important crop in Korea which provides as much
        as 40 to 50% of farm income, Thus, protection of rice market is
        indispensable for the maintenance of stable farm income.

    -   Before the opening of its rice market, Korea needs to carry out
        necessary structural adjustment in the area of production and
        income structure.

    -   It is also very important for the preservation of the traditional
        values of the Korean culture, because rice is the symbol of Korean
        culture.

9

3. Internal Support

o Korea is prepared to make reduction commitment with regard to internal support(under the framework to be agreed upon in the negotiations), but the level and pace of the reduction will be considerably slower than those of the developed countries. (감축 수준에 대한 질문이 있을 경우 : 선진국의 1/2 수준)

o (However,) current level of internal support for rice will be maintained。 for the same reasons as elaborated for the exceptional treatment for rice in the market access.

4. Conditions for Korea's new offer in Agriculture

o The improvements of Korea's offer in agriculture outlined above will be tabled only when the following two conditions will be met in the forthcoming agricutural negotiations.

10

0106

① Korea should be allowed, under the general framework to be agreed upon, to undertake the reduction of internal supports and border protections over a considerably longer time-period or at a reduced rate than the developed countries under the principle of special and differential treatment for developing countries. (우대 수준에 대한 질문이 있을 경우 : 선진국 감축 수준의 1/2 수준)

② The rules and disciplines under GATT Article XI 2(C) should be improved in such a manner as to make it applicable. Korea reserves the right to invoke, if necessary, the improved Article XI 2(C). (해당 품목에 대한 질문이 있을 경우 : 고추, 마늘, 양파등 일부 품목)

11

분류기호 통기20644-//9
문서번호

기 안 용 지

(전화 :   )

시 행 상 특 별 취 급	

보존기간	영구·준영구. 10. 5. 3. 1.
수 신 처 보존기간	
시행일자	1991. 1. 11.

장 관

세0

보 조 기 관	국 장	전결
	심의관	
	과 장	
기안책임자	안 선 국	

협 조 기 관	

문 서 통 제	
접 수 1991. 1. 12	
발 송 인	
반 송 인 1991. 1. 12	

경 유	
수 신	상공부장관
참 조	

발 신 명 의	

제 목   UR/TNC 회의 정부대표 임명 통보

91.1.15(화) 스위스 제네바에서 개최되는 우루과이라운드

무역협상위원회 수석대표급 비공식회의에 참가할 정부대표단이

"정부대표 및 특별사절의 임명과 권한에 관한 법률"에 의거 아래와

같이 임명되었음을 알려드립니다.

- 아   래 -

1. 회 의 명 : 우루과이라운드 무역협상위원회 수석대표급

    비공식 회의

2. 회의 일시 및 장소 : 91.1.15(화), 스위스 제네바   0108

1505-25(2-1) 일(1)갑
85. 9. 9. 승인   "내가아낀 종이 한장 늘어나는 나라살림"
190㎜×268㎜ 인쇄용지 2급 60kg/㎡
가 40-41 1990. 3. 30

3. 정부대표단

○ 수석대표

- 선준영 주체코슬로바크 연방공화국대사

○ 교체수석대표

- 박영우 주제네바대표부 공사

○ 대　표

- 추준석 상공부 국제협력관

- 오행검 주제네바 대표부 참사관

- 이종화 주제네바 대표부 경협관

- 엄낙용 주제네바 대표부 재무관

- 천중인 주제네바 대표부 상무관

- 강상준 주제네바 대표부 상무관

- 홍종기 주제네바 대표부 1등서기관

- 송봉헌 외무부 통상기구과 사무관

4. 본부대표 출장지 및 출장기간

○ 출　장　지 : 스위스 제네바

○ 출장기간 : 91.1.12-18(6박7일)

5. 소요예산 : 소속부처 소관예산.　끝.

0109

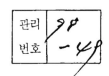

관리 번호		

분류번호	보존기간

발 신 전 보

번 호 : WGV-0057 910111 1801 DA 종별 : 지급

수 신 : 주 제네바 대사·총영사

발 신 : 장 관 (통 기)

제 목 : UR/TNC 회의

1. 1.15. TNC 회의에 참가할 정부 대표단을 아래 통보하니 별첨 훈령에 따라
    적의 대처 바람.

    ㅇ 수석대표 선준영 주체코대사

    ㅇ 교체수석대표 박영우 공사

    ㅇ 대표

      - 추준석   상공부 국제협력관

      - 오행겸   참사관

      - 이종화   경협관

      - 엄낙용   재무관

      - 천중인   농무관

      - 강상훈   상무관

      - 홍종기   1등서기관

      - 송봉헌   통상기구과 사무관

예고 의 분류 1991.6.30.	인
직위 성명	

2. 본부대표(추국장 및 송사무관)는 1.12(토) 22:45(SR 795)귀지 도착 예정임.

    (선대사와 송사무관은 같은 호텔 예약 요망)

// 계 속 ...

앙 고 재	91년1월11일인 통상기구과	기안자 송봉헌	과 장	심의관	국 장 전결	차 관	장 관	보안통제	외신과통제

0110

3. 수석대표 연설문 및 UR협상 타결을 위한 아국의 기여에 대한 Talking Points
    등 관련 자료는 ~~별첨 통보 또는~~ 송사무관이 지참 예정임.

첨부 : 1.15. TNC회의 훈령.   끝.

                                        (통상국장 김삼훈)

1.15. TNC 회의 훈령

1. 정부대표단은 UR협상이 가급적 조속히 타결되는 것이 바람직하다는 정부의
   기본 시각과 UR협상 실패가 가져올 자유무역 기조의 붕괴가 아국 경제에
   미칠 심각한 부정적 영향을 감안하고, 브랏셀 각료회의에서 아국이 취한
   입장에 대한 일부 협상 참가국의 비판적 시각 교정을 통한 쌍무적 통상압력
   완화 및 UR협상 결렬시의 비난에 대비할 필요성도 염두에 두어, UR협상의
   조속한 타결을 위해 전향적 자세로 회의에 임할 것.

2. 수석대표는 수석대표 연설문에 입각, TNC 전체회의에서 협상에 임하는 아국의
   기본입장과 협상 성공을 촉진키 위한 아국의 추가 기여 용의를 표명할 것.

3. 정부 대표단은 미국 대표를 접촉하여 설명자료 내용에 따라 아국 농산물
   Offer의 개선 방향를 포함한 UR 협상 성공을 위한 아국의 추가적 기여 방침을
   사전에 전달하고, 쌀에 대한 시장개방 및 보조금 감축 의무로 부터의 예외
   취급, 여타 품목에 대한 관세율 및 보조금 감축, 최소 시장 접근율등에 있어서
   아국에 대한 개도국우대등 아국 농산물 Offer 개선의 기본 전제 조건이 받아들여
   질 수 있도록 미측과 적극 교섭 할 것. 또한, 일본 대표에 대하여도 TNC 회의
   직후 아국 농산물 Offer 재검토 방향을 설명할 것.

- l -

4. 여타 EC, 카나다, 호주, 스위스, 스웨덴등 주요국 고위대표 및 GATT 사무국
   측과도 접촉하여 UR협상의 조속한 타결을 위한 아국의 전향적인 자세를 설명
   하고 브랏셀 각료회의시 농산물 분야에서의 아국 입장에 대한 비판적 시각을
   불식시키도록 노력할 것.

5. 정부대표단은 주요국 대표들과의 활발한 공식. 비공식 접촉을 통해 농산물
   협상에 임하는 각국의 동향 및 전략, 농산물 분야 주요국간 이견 절충
   가능성을 포함한 전체 UR협상의 본격 재개 전망등을 면밀히 파악 보고할 것. 끝.

(UR 협상의 현황, 전망 및 아국입장)

91. 1. 11

주 제 네 바 대 표 부

0114

- 목 차 -

I. UR 협상 현황

1. 브랏셀 TNC 각료회의 결과

2. 브랏셀 TNC 각료회의 이후 동향

II. UR 협상 전망

1. TNC 수석대표급 회의 (1.15.)전망

2. 중·장기 전망

III. 아국 입장

1. 기존 입장

2. 최근 동향

3. 입장 재조정 사항

첨 부 : 1. UR 협상의 분야별 쟁점

   2. 브랏셀 TNC 각료회의 제출보고서 (MTN/TNC/W/35/Rev.1)

   3. 브랏셀 TNC 각료회의 의장의 최종 statement

0115

I. UR협상 현황

1. 브랏셀 각료회의 결과

가. 회의 개요

1) 기간 및 장소 : '90. 12. 3~7, 브랏셀

2) 개최 여건

O 농산물 협상이 최종 순간까지 교착 상태였으며,
그외, 반덤핑, TRIMs, 갓트조문 (BOP 조항)등 분야
에서도 협상 초안이 마련되지 않은 상태

O 이러한 주요 쟁점에 대한 정치적 지침 마련으로
UR 협상 타결 기반 구축을 목표로 개최

O 당초부터 상당한 어려움이 예견되었으며, 특히 회의
초반 48시간내 농산물 문제에 관한 돌파구가 마련되지
않으면 협상 타결이 난망시된다는 관측이 있었음·

3) 회의 운영

O 본회의, 전체 수석대표 비공식 회의, 주요국 수석대표
비공식회의, 의제별 소규모 실무협의등이 동시에 진행

O 협상은 20~25개국의 협상 참가국으로 제한된 주요국
수석대표 비공식 회의 (그린룸 협의) 중심으로 진행

O 그러나 실질 협상은 미, EC등 강대국간의 막후절충을
통해 진행

- 1 -

0116

나. 회의 결과

1) 농산물 협상 타결 실패

0 4차례의 주요국 수석대표 협의 및 계속된 막후 절충
  작업에도 불구 농산물 분야의 미국, 케언즈 그룹등
  수출국과 EC, 일본, 한국등 수입국간 입장 접근 실패

0 농산물 수출국으로 부터의 강한 압력으로 EC가 1) 국내
  보조, 시장접근, 수출보조 3개 요소의 분리취급 가능성
  시사, 2) 수출보조 농산물의 수출물량 축소, 3) 농산물
  수입을 3% 까지 허용등 일부 양보안을 비공식으로 제시
  하였으나, 수출국, 특히 미국이 정치적으로 수락키에는 미흡

0 협상 돌파구 마련을 위해 농산물 그린룸회의 Hellstrom
  의장(스웨덴 농무장관)은 아래 내용의 non-paper 제시

  (1) 국내보조

    - 무역왜곡 효과가 큰 국내보조는 91. 1. 1부터
      5년간 30% 삭감 (기준년도는 90년 또는 최근년도)

    - 개도국의 경우는 선진국 삭감율의 50-100% 범위내
      에서 삭감하고 이행기간을 최대 5년까지 연장

  (2) 시장접근

    - 가공품을 포함 모든 품목에 대하여 관세화등 향후
      협상에서 합의될 방법을 통하여 90년 현재 시장
      접근 수준을 유지

    - 수입량이 매우 적은 경우는 91~92년부터 현소비
      수준의 5% 이상 최저시장 접근 허용

- 2 -

0117

- 향후 협상에서 합의될 방법에 따라 90년 기준 국경
  보호 수준을 91. 1. 1부터 5년간 30% 삭감

- 개도국의 열대산품등 수출 관심품목에 대하여 보다
  빠른 속도로 시장접근 확대

(3) 수출경쟁

- 수출 보조 재정지출 총액, 단위당 수출보조금
  또는 수출보조 대상 품목의 물량을 점진적으로
  삭감

- 물량 삭감의 경우 88~90 평균 수출보조 지급
  대상 물량을 기준 향후 5년간 30% 삭감

- 식량원조는 최소한 90년 수준 유지

- 최저 개발 순수입 개도국에 대하여는 기초식량의
  공급을 확보

(4) 평가

- 95년도에 자유화 추진 실적을 평가하고, 추가
  삭감 필요성을 검토

0 미국, 케언즈 그룹은 동 non-paper를 환영하였고
북구, 스위스등 선진 농산물 수입국도 협상의 출발점으로
할 수 있다고 하였으나, EC는 이를 협의의 기초로 수락
하기를 거부

- 일본, 한국도 수락거부 입장 표명

0 미국은 현 EC 입장의 변경이 없는한 협상을 계속하는

- 3 -

0118

의미가 없으며 냉각기를 갖는 것이 바람직하다고 판단

2) 여타 분야 협상 결과

ㅇ 농산물 협상의 교착으로 거의 모든 분야에서 실질적
   토의가 이루어질 수 없었던 분위기 형성

ㅇ 다만 아래 분야에서 일부 성과 거양

   - 비관세 분야에서 미, EC간 의견 대립이 첨예했던
     원산지 규정에서 EC가 양보, 선진국간 단일안
     제시

   - 반덤핑 분야에서 반덤핑 조사를 위한 거증확보 방법,
     수출업자의 가격인상 약속에 따른 조사중지등 7개항의
     합의 도출

   - 서비스 분야에서 미국이 조건부 MFN 수락시사등 신축적
     태도를 보였고, 4개 국가가 회의직전 inifial offer 제출

3) 협상 시한의 실질적 연장

   ㅇ Dunkel 갓트 사무국장의 주도하에 1991년초까지 미합의
      쟁점타결을 위한 집중적인 실질협상을 추진키로 합의

   ㅇ 상기 협의 결과에 따라 적당한 시기에 적당한 수준의
      TNC 회의 개최

다. 회의 결과 평가

ㅇ UR 협상 전체의 성공의 관건이 농산물 협상에 있음을 재확인

ㅇ 농산물 협상 실패의 원인

- 4 -

0119

- 보조 및 보호의 대폭 감축을 추구하는 미국과 소폭의
  점진적 감축을 고수하는 EC간의 입장 대립

- 걸프사태로 인한 미국의 대 EC 강경대응 한계

- 독일통일, EC 통합 추진등 EC의 협상 입장 강화

O 구체적 협상 시한, 협상방식에 대한 합의 부재로 향후 협상
  전망 불확실

O 사실상의 협상시한은 미국 Fast-Track에 의한 협상 결과
  의회보고 시한 또는 Fast-Track 시한연장 요청 시한인
  91. 3. 1로 인식

2. 브랏셀 TNC 각료회의 이후 동향

가. Dunkel 총장의 막후 접촉

O 90. 12. 19. 방미, Hills USTR 대표, Yeutter 농무장관등과
  UR 협상 재개 문제등 협의

- 미측은 EC의 입장 변화가 없는한 1.15. TNC 회의는
  무의미 하다는 강경 반응

O 91. 1. 9. EC 방문, MacSharry EC 농업담당 집행 위원과
  면담, 농산물 협상 교착 타개 방안 협의

- EC의 공동농업정책 (CAP) 개혁안이 1.19. 부터 본격
  협의될 예정이므로 구체적 성과 기대 난망

O 91년 1월말~2월초 걸쳐, ASEAN, 일본 방문설도 거론되고
  있음.

- 5 -

0120

나. 주요 국가간 접촉

O 90. 12. Major 신임 영국수상의 Bush 미대통령 면담,
Yeutter 장관의 MacSharry 집행위원과의 면담

- 걸프사태 (미.영 정상회담), 미, EC 쌍무 통상문제
(미, EC 농무장관 회담)등이 주요 관심사항으로서,
UR 협상 재개 및 교착 타개 문제는 심층 협의되지
않음.

O 91. 1월말 Andriessen EC 대외담당집행 위원의 중남미
Cairns 그룹국가 및 Hills 대표와의접촉, 1.14. 일본
외상의 Hills 대표 접촉등 향후 주요국간 접촉 결과가
주목대상

다. 주요국의 입장 재검토 추이

1) EC의 농산물 협상에서의 입장 변화의 조짐은 보이지 않고
있으나, CAP 개혁은 아래와 같이 추진중

O 91. 1. 4. MacSharry 위원은 집행위 회의에서 CAP
개혁안 구두 설명

- 수출보조, 가변부과금등 2중 가격제는 최소한으로
유지

- 소득 직접 보조제도 강화

- 과잉생산 품목의 생산 감축

O 91. 1. 19. 집행위원회 회의 및 이사회에 상기 내용을
서면제안, 토의 예정

2) 미국은 농산물 협상에서의 EC의 입장 변화가 전제되어야
   한다는 것이 기본 방침이나, 최근에는 12. 30. Hills
   대표의 기자회견등에서 유연성 발휘 가능성을 시사

   0 Carlisle 갓트 사무차장은 최근 Hills 대표, Yeutter
     장관 면담시 미국의 유연성 발휘 가능성을 감지하였
     다고 언급

3) 일본의 경우 대외적으로 입장 변화를 보이지 않고 있으나,
   미, EC간 타협 가능성에 대비하여 쌀의 최소 시장접근
   (minimum access)을 인정하는 방안을 검토중

II. UR 협상 전망

1. TNC 수석 대표급 회의 (1.15) 전망

가. 회의 성격

O 당초부터 협상 현황 평가 (review the state of play)를
위한 회의로 예정

O 동 회의에서 향후 협상 계획의 제시, 곧 이은 후속 실질
협상의 재개 여부가 주목대상이었으나, 미, EC등 주요국간
입장 변화가 없었으므로, 평가회의에 그칠 전망

- Dunkel 총장 (TNC 실무급 회의 의장 자격)이 각국과의
막후 접촉을 토대로 현황 설명

- 이에 대한 각국의 comment

나. 후속 실질 협상

O 농산물 협상과 관련한 미, EC등 주요 국가간의 타협에 기초한
협상 타결 전망이 어두운 상황이며, 걸프사태의 영향도
감안해야 하므로 1.15. TNC 회의에 곧 이은 분야별 후속협상
재개는 난망시

- 갓트 사무처 관계관에 의하면 빨라야 1월말에 협상 재개
가능시

- 실질협상 재개시 협상 그룹을 재조정, 현 15개 그룹을
브랏셀 TNC 회의시와 같이 6~7개 그룹으로 하는 방안이
거론되고 있음.

- 8 -

0123

0 시장 접근 분야의 쌍무 협상도 Dunkel 총장은 1.15. 회의 이전에 진행할 것을 촉구 한바 있으나 1.21. 이후에야 개시될 전망

2. 중·장기전망

0 브랏셀 TNC 각료회의시 협상 시한이 미합의 되었으므로 미의회 Fast-Track의 시한인 91. 3. 1.이 정치적 실질적 시한

0 농산물 협상에서 시급히 타협안이 제시되지 않을 경우 91. 3. 1 시한내에 협상 타결 난망시

  - 현재의 미, EC간 입장 차이에 비추어 조속한 입장 절충 기대난

0 91. 3. 1. 이후 협상 계속을 위해 미행정부의 Fast-Track 협상 권한 시한 연장 가능성 여부도 불투명

  - 미 의회에 기사적인 성과 (tangible result)를 제시, 설득 필요

  - 섬유 협상 제외등 의회측의 까다로운 부대조건 제시가능성 상존

0 협상 시한 연장시에는 2년간의 연장설 (미 Fast-Track하의 최종 시한) 보다는 6개월, 1년등 중기 연장설이 우세

0 협상이 완전 결렬되지 않는한 규범이 완전 합의되지 않더라도 시장접근 및 서비스 분야의 양자 협상은 활발히 계속되고 앞으로 주요 관심사항으로 등장 예상

- 9 -

0124

III. 아국 입장

1. 기존 입장

O 브랏셀 각료회의시 아국은 UR 협상의 성공적 타결을 위한
   기여의 측면에서 전향적 입장 견지

   - 다만 농산물 협상 분야에서는 비교역적 관심사항(NTC),
     유예기간, 장기간의 협상결과 이행 기간 확보등 아국의
     필수적 관심사항 반영 주장

O 농산물 협상 Green Room 협의 의장 (Hellstrom 스웨덴 농무장관)
   이 제시한 non-paper에 대하여 이견 제기 (협상 성공을 위한
   협상 기초로서 수락 반대)

   * <u>의장 non-paper와 한국 입장 비교</u>

	non - paper	한 국 입 장
국내보조	O 91년부터 5년간 30% 감축 　(유예기간 불인정)	O 97년부터 10년간 30% 감축 　(96년까지 유예기간)
시장개방	O NTC 예외인정 없이 91년 　부터 5년간 30% 감축	O NTC 품목에 대한 예외 인정
		O 품목별로 개방하여 10년간 　30% 감축
	O 수입제한 모든 품목에 대한 　국내소비량의 5% 수입허용	O NTC 이외의 품목에 대하여만 　1% 수입 허용

- 10 -

2. 최근 동향

    0 브랏셀 TNC 각료회의에서 아국이 농산물 협상을 거부하였고,
      EC, 일본과 합께 협상 결렬의 주역이 되었다는 언론보도 및
      미국 관리들의 주장 대두

    0 최근 미국으로 부터의 301조 발동 위협등 쌍무적인 봉상압력 가중

      - 90. 12. 한.미 부역소위, 91. 1. 한.미 경제협의회 (예정)등
        쌍무협의

      - 기타 미국 행정부, 의회 고위 인사들의 불만 표시

3. 입장 재조정 사항

   가. 재조정 내용

      0 브랏셀 TNC 각료회의 이후 아국 입장 재검토

      0 91년 1월 수차례의 경제장관 회의 및 관계 국장회의를
        거쳐 1. 9. 대외 협력 위원회에서 아래와 같은 입장
        재조정 방향 확정

         1) 농산물

            - 예외 품목의 극소화

            - 유예기간 주장의 철회

            - BOP 품목은 UR 협상 결과 이행 초년도에 일괄관세화

            - 감축쪽, 감축기간에 대한 개도국 우대 확보

- 11 -

0126

2) 서비스

- 1.15. TNC 회의시까지 서비스 initial offer
제출 (90. 12. 브랏셀 각료회의시까지 스위스,
미국, 일본, EC, 홍콩, 호주, 카나다등 7개국이
제출)

3) 시장접근분야 무세화 협상

- 무세화 협상에 참가

나. 관련조치사항

0 1.15. TNC 회의 아국 수석대표 연설을 통해 아국입장의
전향적 재조정 의사 공식 표명

0 농산물 협상에 대한 입장 재조정 방향은 미측에만
사전 설명

- 1.14(월) 중 서울, 와싱턴, 제네바에서 미측에 설명

선 준 영 대 사 일 정

'91. 1. 11(금) - 17(목)

주 제 네 바 대 표 부

0128

1. 일 정

일 시	일 정	비 고
1.11(금)		
20:10	O 제네바 도착 (SR 942)	
	- 호텔 : Movenpick-Radisson	
20:30	O 박영우 대사대리 관저 만찬	O 참석범위 :
1.12(토)		
1.13(일)		
1.14(월)		
11:30	O 카나다 Shannon 대사 면담	
15:00	O EC Tran 대사 면담	

- 1 -

0129

일 시	일 정	비 고
<u>1.15(화)</u>		
11:30	0 미국 USTR Lavorel 대사 면담	
15:00	0 UR/TNC 수석대표급 비공식 회의	
<u>1.16(수)</u>		
<u>1.17(목)</u>		

- 2 -

0130

2. 주요 전화 번호

○ 대표부	022) 791 01 11	20, Route de Pre-Bois 1215 Geneva
○ 대사대리 관저	022) 786 02 89	7, chemin des Tulipiers, 1208 Geneva
○ 오행겁 참사관	022) 47 71 43	15 Avenue Eugene-Pittard, 1206 Geneva
○ 홍종기 서기관	022) 798 16 75	11, chemin de Taverney, Grand-Saconnex, 1218 Geneva
○ 민동석 서기관	022) 45 82 65	2, rue Liotard 1202 Geneva
○ Hotel Movenpick- Radisson	022) 798 75 75	20, Route de Pre-Bois 1215 Geneva

|

Statement by Ambassador Joun-Yung SUN,
Chief Delegation of the Republic of Korea at the
Meeting of Trade Negotiations Committee on January 15, 1991

Mr. Chairman,

To our great disappointment the Brussels Ministerial Meeting failed to set a political guideline for the successful conclusion of the Uruguay Round. We strongly hope that this meeting will provide a long-awaited momentum to bring the negotiations to a successful end in the very near future.

As a supporter of the multilateral free trading system attaching a priority importance to the success of the Uruguay Round negotiations, Korea has always taken a positive and forward-looking attitude in almost all of the negotiating areas and is ready to be even more forward-looking in the remaining process of the negotiations.

In this context, we were dismayed to learn after the Brussels Ministerial Meeting that Korea was being wrongly identified by some press media as one of the countries which were not so cooperative as some other countries expected.

Such criticism is not acceptable to Korea. As we recall, the Korean delegation, in connection with the agricultural negotiations, expressed its reservation to the non-paper prepared by Chairman Hellstrom because, in Korea's view, the paper did not reflect Korea's vital interests in this respect.

Mr. Chairman,

This year the world economy is facing a number of serious challenges, inter alia, high price of oil, slow-down of economic growth, strong inflationary pressure and strong trade protectionism. In this situation, we cannot afford to delay the

1

0132

negotiations.

Indeed, the strengthening of multilateral trading system of GATT is the only and most certain way which will lead to the expansion of the world trade and to the continued growth of world economy.

We should do our utmost to salvage the multilateral trading system by bringing the Uruguay Round to a successful end. The hour of decision is approaching fast and it bears down on all of us.

Mr. Chairman,

On its part, Korea has conducted an overall review of the negotiations and,as a result of that, decided to make the following additional contributions to reactivate the negotiations and eventually to bring them to a successful conclusion:

1. Although Korea's most serious difficulty exists in the area of agricultural trade, Korea is now in the process of seriously reviewing its offer on agricultural trade in a more positive manner for the sake of progress in the agricultural negotiations, and we are ready to submit a revised offer in due course depending upon future developments in the agricultural negotiations.

2. In an effort to accelerate progress in the services negotiations, Korea did submit its initial offer on trade in services to the Secretariat yesterday.

3. Korea is also prepared to negotiate in the sectoral tariff elimination proposal.

4. Furthermore, the Korean delegation would like to take this opportunity to state that Korea's multilateral

2

0133

undertakings for import liberalizations, including the
result of the 1989 BOP consultations, will continue to
be carried out without disruption.

Mr. Chairman,

My delegation reiterates that the above-said constructive
move on the part of Korea has been made possible through painful
domestic process, and we hope such efforts will be duly
recognized and be reciprocated by all the participating
countries.

3

<u>Statement by Ambassador Joun-Young SUN, Chief Delegate of the Republic of Korea,</u>

<u>at the Meeting of Trade Negotiations Committee on January 15, 1991</u>

Mr. Chairman,

To our great disappointment the Brussels Ministerial Meeting failed to set a political guideline for the successful conclusion of the Uruguay Round. We strongly hope that this meeting will provide a long-awaited momentum to bring the negotiations to a successful end in the near future.

As a staunch supporter of the multilateral free trading system attaching a priority importance to the success of the Uruguay Round negotiations, Korea has always taken a positive and forward-looking attitude in almost all of the negotiating areas and will remain so in the remaining process of the negotiations.

In this context, we were greatly dismayed to learn after the Brussels Ministerial Meeting that Korea was being identified by some press media as one of the countries which were responsible for the failure of the Meeting.

1

0135

Those media reported that Korea, together with a couple of other participants, blocked the negotiations by refusing to accept Minister Hellstrom's non-paper as a basis for the agricultural negotiations.

It is true that Korea raised objections to the non-paper, because, in its view, the paper was not balanced and did not reflect Korea's vital interests such as recognition of non-trade concerns, needs of grace period for structural adjustment and special and differential treatment for developing countries in the market access area.

Yet it did not mean that Korea attempted to block the negotiations, nor did it mean an outright rejection of the paper. Rather, Korea made it amply clear that it was ready to enter into serious negotiations in Brussels on the basis of a more balanced paper.

2

0136

Mr. Chairman,

This year the world economy is facing a number of serious challenges, inter alia, high price of oil, slow-down of economic growth, strong inflationary pressure and strong trade protectionism. In this situation, we cannot afford to delay the negotiations.

Indeed, the strengthening of multilateral trading system of GATT is the only and most certain way which will lead to the expansion of the world trade and to the continued growth of world economy.

We should do our utmost to salvage the multilateral trading system by bringing the Uruguay Round to a successful end. The hour of decision is approaching fast and it bears down on all of us.

Mr. Chairman,

On its part, Korea has conducted an overall review of the negotiations and, as a result of that, decided to make additional contributions to reactivate the negotiations and eventually to bring them to a successful conclusion :

3

0137

1. Despite structural difficulties in its agricultural sector, Korea is
   prepared to improve its current offer in agricultural negatiations
   and to submit its revised offer in the course of the negotiations.

2. As a contribution to the negotiations on the trade in services, Korea
   formally submitted its initial offer yesterday.

3. As it has already committed itself at the Brussels Ministerial
   Meeting, Korea will participate in the sectoral tariff elimination
   negotiations.

4. Korea will implement faithfully the commitments it entered into
   in the context of GATT including the results of BOP consultations.

Mr. Chairman,

Those contributions are results of painful process in Korea. We hope
that it will be duely appreciated. Before conclusion, Korea hopes that the
constructive move on the part of my country will be duly recognized and
reciprocated by all the participants, in particular, by leading trading partners.

Thank You.

4

0138

<u>Statement by Ambassador Joun-Yung SUN, Chief Delegate of the Republic of Korea,</u>

<u>at the Meeting of Trade Negotiations Committee on January 15, 1991</u>

Mr. Chairman,

To our great disappointment the Brussels Ministerial Meeting failed to set a political guideline for the successful conclusion of the Uruguay Round. We strongly hope that this meeting will provide a long-awaited momentum to bring the negotiations to a successful end in the very near future.

As a ~~staunch~~ supporter of the multilateral free trading system attaching a priority importance to the success of the Uruguay Round negotiations, Korea has always taken a positive and forward-looking attitude in almost all of the negotiating areas and ~~will remain so~~ *is ready to be even more forward-looking* in the remaining process of the negotiations.

In this context, we were ~~greatly~~ dismayed to learn after the Brussels Ministerial Meeting that Korea was being *wrongly* identified by some press media as one of ~~the~~ *those* countries which were ~~responsible for the failure of the Meeting.~~ *not so cooperative as some countries expected.*

1

Those media reported that Korea, together with a couple of other participants, blocked the negotiations by refusing to accept Minister Hellstrom's non-paper as a basis for the agricultural negotiations.

~~Such allegations are quite contrary to the truth. The Korean~~ delegation, ~~in Brussels,~~ expressed its reservation to the non-paper because, in Korea's view, the paper ~~was not balanced and did not reflect~~ Korea's vital interests ~~such as recognition of non-trade concerns, needs of grace period~~ ~~for structural adjustment and special and differential treatment for~~ ~~developing countries in the market access area.~~

criticism

is not acceptable to Korea.

As we recall,

prepared by

in connection with the agricultural negotiation

Chairman of .....

did not reflect

in this respect .

This cannot be construed to be an outright blockage or rejection. Rather, Korea made it amply clear that it was ready to enter into serious negotiations in Brussels on the basis of a more balanced paper.

2

Mr. Chairman,

This year the world economy is facing a number of serious challenges, inter alia, high price of oil, slow-down of economic growth, strong inflationary pressure and strong trade protectionism. In this situation, we cannot afford to delay the negotiations.

Indeed, the strengthening of multilateral trading system of GATT is the only and most certain way which will lead to the expansion of the world trade and to the continued growth of world economy.

We should do our utmost to salvage the multilateral trading system by bringing the Uruguay Round to a successful end. The hour of decision is approaching fast and it bears down on all of us.

Mr. Chairman,

On its part, Korea has conducted an overall review of the negotiations and, as a result of that, decided to make follwing additional contributions to reactivate the negotiations and eventually to bring them to a successful conclusion :

3

0141

1. Although Korea's most serious difficulty exists in the area of agricultural trade, Korea is ~~prepared to review~~ now in the process of seriously reviewing its offer on agricultural trade in a more positive manner for the sake of progress in the agricultural negotiations. And to submit a revised offer ~~taking~~ in we are ready ~~into account~~ future developments in the agricultural negotiations. due course depending upon

In an effort
2. ~~To~~ accelerate progress in the services negotiations, Korea ~~formally~~ did or trade in services submitted its initial offer yesterday. to 8 the Secretariat.

3. ~~As it has already indicated at the Brussels Ministerial Meeting, Korea will participate in the~~ sectoral tariff elimination ~~negotiations~~ is also prepared to ~~discuss~~ the negotiate proposal. ~~with respect to tariff negotiation~~ Korea's

4. Furthermore, ~~Korea will faithfully carry out the existing~~ multilateral we would like to state that take this opportunity to state undertakings for import liberalization, including the result of the 1989 the Korean Delegation BOP consultations, ~~as well as~~ the autonomous liberalization programmes will ~~be~~ carried out without disruption ~~that Korea has already announced.~~ continue to be

4

0142

Mr. Chairman,

~~These contributions are results of painful process in Korea. We hope~~ ~~that it will be duely appreciated.~~ Before conclusion, ~~Korea~~ My delegation hopes that the constructive move on the part of ~~my country~~ Korea will be ~~duly~~ which recognized and reciprocated by all the participants, ~~in~~ particular, by leading trading partners.

Thank You.

My delegation reiterates that the above-said constructive move on the part of Korea has been made ~~possible~~ possible through painful domestic process, and we hope such efforts will be duly recognized and be reciprocated by all the participating countries

5

2각5걸28

<u>Statement by Ambassador Joun-Yung SUN</u>
<u>Chief of the Delegation of the Republic of Korea</u>
<u>at the Meeting of Trade Negotiations Committee</u>
<u>on January 15, 1991</u>

Mr. Chairman,

My delegation ~~joins other delegations in~~ *wishes to*
express~~es~~ appreciation to the Director-General for
arranging the TNC informal meeting which is very useful
and timely. ~~to have an intensive cust~~

thus far
We also support the Director-General's efforts *made*
aimed at reactivating the Uruguay Round negotiation
process as soon as possible. ~~intensive~~
CI hope that the D.G. continue ~~torsed to~~
Mr. Chairman,   to have intensive
                           consultations hereafter to this
                                                          end.
This year, the world economy is facing a
number of serious challenges, <u>inter alia</u>, the high price
of oil, a slow-down in economic growth, strong
inflationary pressure. Under these circumstances, we can
not afford to delay the negotiations.

We should do our utmost to salvage the
multilateral trading system by bringing the Uruguay
Round to a successful end. The hour of decision is
approaching fast and it bears down on all of us.

Korea continues to view that the strenthening
of the GATT trading system is essential in expanding
world trade and continuing the growth of world economy.

0144

Mr. Chairman,

For its part, Korea has conducted an overall review of the status of negotiations and Korea's position thereon after the Brussels Ministerial Meeting and came up with the following ~~modifications~~ improvements in an effort to reactivate the negotiations and to bring them to a successful conclusion as soon as practicable.

1. Although Korea's most serious difficulties exist in the area of agricultural trade, Korea is now in a position to table a more flexible offer on agricultural negotiations. We will submit such an offer in due course depending upon future developments in the agricultural negotiations.

2. Again in an effort to accelerate progress in the services negotiations, Korea submitted its initial offer on trade in services to the Secretariat on Jan. 14, 1991. (~~Doct~~ MTN.TNC/W/61. It has been made available in document No.)

3. Korea is also prepared to have discussions on the basis of sectoral tariff elimination proposal.

Mr. Chairman,

The aforesaid move on the part of Korea has been made possible only through a painful domestic process. We hope that such efforts will be duly recognized and that other participating countries make their due share of contributions so that the Uruguay Round process can move forward toward a successful end in time.

Thank you.

0145

분류번호	보존기간

발 신 전 보

번 호 : WGV-0056   910111 1153   DA 종별 : 지급

                                              WJA -0119

수 신 : 주   제네바   대사 · 총영사 (사본 주일대사)

발 신 : 장 관 (통 기)

제 목 : UR 협상 아국입장 재검토

        연 : (1) WGV-47

           (2) WGV-55

        연호(2)에 따라 농산물 협상에 대한 아국 Offer 재검토 방향을 1.15.

    TNC 회의직~~~~~~~~~~~~~~~~~~~~~~~~~~ 일측에도 설명 바람.   끝.

                                              (장 관 ~~~~~)

검 토 필 (1991. 6. 30.)

예고문 의기 분류 1991.6.30	
직위	성명

앙고재	91년 6월 11일	통상국 과	기안자 농병헌		과 장	심의관	국 장	제2차관보	차 관	장 관	보안통제	외신과통제

0146

	분류번호	보존기간

발 신 전 보

번   호 : WCZ-0031   910111 1803   DA종별 : 지급

WGV -0058

수   신 : 주 체코 대사·총영사 ㅁㅁㅁ (사본 : 주제네바대사)

발   신 : 장 관 (통 기)

제   목 : UR/TNC 회의

연 : WCZ-11

1.   귀직을 1.15. 개최 표제회의 수석대표로 임명하였으니 1.13-17간 제네바 출장 바라며, 제네바 도착 일정은 주제네바 대표부에 통보 바람.

2.   대표단 훈령등 관련자료는 제네바로 타전 또는 송봉헌 사무관이 지참예정임.

3.   송사무관은 1.12(토) 22:45 제네바 도착 예정이며, 귀직의 항공료, 여비 및 활동비등 지참 예정임.   끝.

(통상국장 김삼훈)

예고 : 의거 분류 1991.6.30.)
직위   성명

<table>
<tr><td rowspan="3">양
고
재</td><td>91
년
1
월
11
일</td><td>통상
국
과</td><td>기안자
송봉헌</td><td></td><td>과 장</td><td>심의관</td><td>국 장
전범</td><td></td><td>차 관</td><td>장 관</td><td colspan="2"></td></tr>
<tr><td></td><td></td><td></td><td></td><td></td><td></td><td></td><td></td><td></td><td>보안통제</td><td>외신과통제</td></tr>
</table>

0147

	분류번호	보존기간

발 신 전 보

번 호 : WJA-0136 910111 2049 DN. 종별: 지급

WGV-0061

수 신 : 주 일본 대사 . 총영사 (사본 : 주제네바대사)

WJA-137 WGV-62
WJA-138 WGV-63

발 신 : 장 관 (통 기)

제 목 : UR 협상 아국입장 재검토

연 : WJA-118

1. 연호, 1.15(화) 귀관에서 일측에 설명할 표제관련 Talking Points를 별첨 타전하니 적의 시행하고 결과 보고 바람.

2. 다만, 상기 Talking Points는 사실상 앞으로 협상 진전 상황을 보아 제출할 아국 수정 Offer의 내용이 되므로 농산물 협상에 대한 미. EC간 입장 접근이 없고 협상 타결 전망이 상금 불투명한 현 상황에서는 서면으로는 상대측에 전달하지 않도록 각별 유의 바람.

3. 특히, 일측에 대하여는 Talking Points 중 2항(브랏셀 각료회의 결렬에 대한 입장)은 언급치 않도록 하기 바람.

첨부 : 상기 Talking Points 끝.

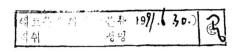

(통상국장 김삼훈)

검 도 필 (1991. 6. 30)

앙고재	91년 1월 11일 통상기획과	기안자 농병호	과 장	국 장	차 관	장 관	보안통제	외신과통제

0148

	분류번호	보존기간

발 신 전 보

번   호 : WUS-0103   910111 2046   DN종별 : 지급

WUS-104
WUS-105

수   신 : 주   미국   대사 . 총영사

발   신 : 장 관 (통 기)

제   목 : UR 협상 아국입장 재검토

연 : WUS-82

예고 ___ 의 ___ 분류 1991. 6.30 ⓒ
직위 ___ 성명

1.   연호, 1.14(월) 귀관에서 미측에 설명할 표제관련 Talking Points를 별첨
      타전하니 적의 시행하고 결과 보고 바람.

2.   다만, 상기 Talking Points는 사실상 앞으로 협상 진전 상황을 보아 제출할
      아국 수정 Offer의 내용이 되므로 농산물 협상에 대한 미. EC간 입장 접근이
      없고 협상 타결 전망이 상금 불투명한 현 상황에서는 서면으로는 상대측에
      전달하지 않도록 각별 유의 바람.

      첨부 : 상기 Talking Points   끝.

(통상국장 김삼훈)

검 토 필 (1991. 6.30) ⓒ

앙고재	91년1월11일 통상국과	기안자 송병기		과 장	심의관	국 장		차 관	장 관		보안통제	외신과통제

0149

Talking points on Korea's contribution for the successful
conclusion of the Uruguay Round negotiations

1990. 1.

Ministry of Foreign Affairs
Republic of Korea

0150

1. Korea's basic position and contribution in the UR negotiations.

  o As a staunch supporter of the multilateral free trading system attaching
    a priority importance to the success of the Uruguay Round negotiations,

    ① Korea has maintained a positive and forward-looking attitude in
      almost all of the negotiating areas.
      - Korea has participated actively in the negotiations on new areas :
        Services, TRIMs, and TRIPs ;
      - Korea made substantial contributions in the area of Market Access
        including Tariffs, Non-tariff Measures and Tropical Products.

    ② Korea has faithfully implemented the commitments it has ever entered
      into :
      - Its three year ('89-'91) import liberalization program has been
        carried out as announced in 1989 ;
      - The commitment it made in the context of the GATT panel report
        on beef import restrictions is also being carried out.

/

0151

2. Korea's position at the Brussels Ministerial Meeting

o To our great disappointment the Brussels Ministerial Meeting failed to set a political guideline for the successful conclusion of the Uruguay Round. We strongly hope that the Geneva TNC meeting of January 15 will provide a long-awaited momentum to bring the negotiations to a successful end in the near future.

o In this context, we were greatly dismayed to learn after the Brussels Ministerial Meeting that Korea was being identified by some media as one of the countries which were responsible for the failure of the Meeting.

o Those media reported that Korea, together with a couple of other participants, blocked the negotiations by refusing to accept Minister Hellstrom's non-paper as a basis for the agricultural negotiations.

o It is true that Korea raised objections to the non-paper because in its view the paper was not balanced and did not reflect Korea's vital interests such as recognition of non-trade concerns, needs of longer time-period for structural adjustment and special and differential treatment for developing countries in the market access area.

2

0152

o Yet it did not mean that Korea attempted to block the negotiations, nor did it mean an outright rejection of the paper. Rather, Korea made it amply clear at the Meeting that it was ready to enter into serious negotiations in Brussels on the basis of a more balanced paper.

o Furthermore, it is an established practice of the GATT that contracting parties are allowed to comment on any negotiating document.

3. Korea's additional contibutions to the Uruguay Round.

o The successful conclusion of the Uruguay Round is essential for the strengthening of the multilateral free trading system of GATT and the continued growth of world economy.

o In light of the crucial importance of the Uruguay Round, all participating countries should make every effort to reactivate the negotiations.

o In this context, Korea conducted an overall review of its negotiating positions after the Brussels meeting. As a result of that, Korea decided to make following additional contributions to bring the negotiations to a successful end :

3

0153

① Despite structural weaknesses as well as the political and social difficulties in its agricultural sector, Korea would change its negotiating position in the agricultural negotiations in a more flexible one and is prepared to submit its revised offer in the course of the resumed agricultural negotiations. (For the details of the position, refer to the Annex)

② To accelerate the progress in the negotiations on trade in services, Korea will table its initial offer before the January 15 TNC meeting.

③ As it already indicated at the Brussels Ministerial Meeting, Korea will participate in the sectoral tariff elimination negotiations under certain terms and condition.

④ Korea will implement faithfully the commitments it entered into in the context of GATT including the results of BOP consultations.

o Those contributions are results of painful and difficult process in Korea. Korea hopes that such constructive move will be duly recognized and reciprocated by all the participants, in particular, by the leading trading partners.

4

0154

<u>Annex : Main points of the revision in Korea's offer in the agricultural</u>
<u>negotiations</u>

1. Background

o   With 8 million farm population representing 16% of its total population,
the Korean agricultural sector accounts for 18.7 percent of total
employment and produces 8.4 percent of the GNP. It still constitutes
an integral part in the Korean economy. Yet, suffering from structural
weakness such as extremely small farm land and low productivity, the
agriculture in Korea remains at an underdeveloped stage and in need of
government support and protection for certain period of time to carry
out a necessary structural adjustment.

o Despite such difficulties, however, Korea, for the successful conclusion of the Uruguay Round, is prepared to take a flexible attitude in the forthcoming agricultural negotiations as elaborated below, provided that certain conditions are met including a full application of the special and differential treatment to Korea in implementing the commitments of reducing internal support and border protection, in the form of longer time-frame or reduced rate of reduction commitment.

2. Market Access

① Tariffication

o Korea will accept tariffication, within the framework to be agreed upon in the future agricultural negotiations, for most of the products currently subject to import restrictions with very few exceptions including rice. (쌀을 제외한 관세화 예외품목에 대한 질문이 있을 경우 : 보리등 2-3개 품목)

6

0156

- Reduction of the tariff equivalents will be implemented over
  a longer time-period or at a reduced rate than those applying to
  the developed countries. (감축 수준에 대한 질문이 있을 경우 :
  선진국의 1/2 수준)

o Current market access level will be improved and minimum market
  access will be guaranteed :

  - In the absence of significant level of imports, minimum market
    access will be established in terms of percentage out of total
    consumption, but at a lower level than the level applying to
    the developed countries. (최소시장 접근 보장 수준에 대한 질문이
    있을 경우 : 선진국의 1/2 수준)

  - Minimum market access will be guaranteed for those products which
    will not be subject to the tariffication, with rice as the only
    exception for which no minimum market access will be considered.

② Implementation of results of the GATT Balance of Payments Committee's
  consultations with Korea (BOP/R/183/Add. 1)

7

0157

o　Korea will convert, at the time when it starts to implement the results of the Uruguay Round negotiations, all import restrictions on agricultural products (which are currently under import restriction but are to be gradually liberalized in accordance with the understanding reached in the 1989 Balance of Payment Committee consultations) into tariff equivalents.

- In case the Uruguay Round negotiations are not concluded and the principle of tariffication is not agreed on by March 1991, Korea would notify its '92-'94 liberalization program to the GATT Council in accordance with the understanding of the BOP Committee.

- In case the Uruguay Round negotiations are concluded and the principle of tariffication are agreed on after March 1991, Korea would carry out the tariffication when it starts to implement the results of the Uruguay Round negotiations for those products still under import restriction at that date.

8

0158

③　Exceptions for Rice

o　Rice will be excluded from the commitments with regard to
　tariffication and extablishment of minimum market access for the
　following reasons :

　　- Rice is an essential product for Korea's food security, because
　　　of the unique situation on the Korean peninsula : division of
　　　the country and continuing military threat from North Korea

　　- Rice is the most important crop in Korea which provides as much
　　　as 40 to 50% of farm income. Thus, protection of rice market is
　　　indispensable for the maintenance of stable farm income.

　　- Before the opening of its rice market, Korea needs to carry out
　　　necessary structural adjustment in the area of production and
　　　income structure.

　　- It is also very important for the preservation of the traditional
　　　values of the Korean culture, because rice is the symbol of Korean
　　　culture.

9

0159

3. Internal Support

o   Korea is prepared to make reduction commitment with regard to internal support under the framework to be agreed upon in the negotiations, but the level and pace of the reduction will be considerably slower than those of the developed countries. (감축 수준에 대한 질문이 있을 경우 : 선진국의 1/2 수준)

o   However, current level of internal support for rice will be maintained for the same reasons as elaborated for the exceptional treatment for rice in the market access.

4. Conditions for Korea's new offer in Agriculture

o   The improvements of Korea's offer in agriculture outlined above will be tabled only when the following two conditions will be met in the forthcoming agricutural negotiations.

/0

0160

① Korea should be allowed, under the general framework to be agreed upon, to undertake the reduction of internal supports and border protections over a considerably longer time-period or at a reduced rate than the developed countries under the principle of special and differential treatment for developing countries. (우대 수준에 대한 질문이 있을 경우 : 선진국 감축 수준의 1/2 수준)

② The rules and disciplines under GATT Article XI 2(C) should be improved in such a manner as to make it applicable. Korea reserves the right to invoke, if necessary, the improved Article XI 2(C). (해당 품목에 대한 질문이 있을 경우 : 고추, 마늘, 양파등 일부 품목)

//

0161

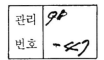

관리 번호	*9P* *-<7*

분류번호	보존기간

발 신 전 보

번   호 : WJA-0118   910111 1150 DA   종별 :

WGV -0055

수   신 : 주   일본   대사 · 총영사   (사본 : 주제네바대사)

발   신 : 장 관 (통 기)

제   목 : UR 협상 아국입장 재검토

1. UR 협상이 실패할 경우 대외 지향적 경제 구조를 갖고 있는 아국 경제에
    미칠 부정적 영향과 90.12. 브랏셀 각료회의 이후 농산물 협상에서 EC,
    일본, 아국이 취한 입장에 대한 미국등 주요 농산물 수출국의 시각 및
    농산물 협상에 대한 기존 아국 Offer의 비현실성등 문제점을 감안, 정부는
    농산물 협상을 위시 서비스, 무세화안에 관한 아국 입장을 전향적으로
    재조정하는 것이 바람직 하다고 판단, 동 3개 분야에 대한 입장을 아래와
    같이 재조정하고 1.15. TNC 회의시 아측 수석대표는 연설을 통해 아국 협상
    입장의 전향적 재조정 용의를 공식 표명할 예정임.

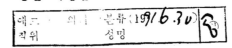

    가. 농산물

        ○ 예외 품목의 극소화 (쌀등 최소한의 품목)

        ○ 국내보조 및 국경조치 감축 유예기간 주장의 철회

        ○ BOP 품목은 UR 협상 결과 이행 초년도에 일괄 관세화

        ○ 감축폭, 감축기간에 대한 개도국 우대 ~~완료~~

    나. 1.15. 제네바 TNC 회의까지 서비스 Initial offer 제출

        일정조건하에

    다. 무세화 협상 참가   ---계 속 ...

        필 (1991. 6. 30.)

앙 고 재	*91* *년* *6* *월* *11* *일*	통 상 국 과	기안자 송병헌	과 장	심의관	국 장	제2차관보	차 관	장 관		보안통제	외신과통제

0162

2. 한편, 본직은 1.10 한.일 외상 회담에서 한.일 양국이 그간 UR/농산물 협상등에서 긴밀히 협조해 온 점을 감안, 1.15. TNC 회의시 아측 수석대표가 농산물 협상에 대한 아국의 전향적 입장 재조정 용의를 표명할 예정임을 일측에 통보하면서 아국 Offer 재검토 방향을 적절한 시기에 알려 주기로 하였고, 이에 따라 본부는 ~~1.15. TNC주~~ 제네바, 귀지, 및 서울의 외교채넘을 통해 농산물 협상에 대한 아국 재검토 입장을 일측에 설명키로 하였으니, 귀관에서도 별도 송부하는 Talking Points 를 참고, 향후 협상과정에서 여타국의 상응한 조치를 전제로한 것임을 분명히 밝히고 동내용을 1.15. 일측에 설명토록 조치 바람.

3. 한편, 미국에 대해서는 TNC 회의 직전 서울, 제네바, 워싱턴에서 사전 설명 예정임. 끝.

(장관 이상옥)

0163

원 본

외 무 부

종 별 : 지 급

번 호 : ECW-0033 일 시 : 91 0111 1500

수 신 : 장관(통기,경기원,재무,농수산,상공부,주제네바직송필)

발 신 : 주 EC 대사

제 목 : 갓트/UR 협상

연: ECW-0017

1. 1.10. DUNKEL 갓트 사무총장은 브랏셀을 방문,EC 집행위의 DELORS 위원장, ANDRIESSEN 부위원장및 MAC SHARRY 위원과 표제 협상추진관련 협의를 가졌음. 금반 동사무총장의 방문은 지난해 12월초 브랏셀 TNC 회의시 동인에게 주어진 MANDATE 에 따른것으로서 표제협상이 처하고 있는 DEADLOCK 타개를 위한 협상의 일환이 아닌 1.15. 제네바 TNC 회의 절차등을 협의한 것으로 알려짐.

2. 동 사무총장과 협의하는 자리에서 DELORS위원장등은 동인에게 표제협상에서의EC입장을 다시 설명하면서 특히 표제협상은 GLOBAL하게 다루어져야 하며, 농산물분야와 같은 특수분야를 별도로 협상을 진행시켜서는 안된다는 점을 상기시키고, 브랏셀TNC 회의시 EC 가 제시한 EC 의 OFFER 는 상금도 유효하다는 점을 강조하였음. 한편, 동 회담후 ANDRIESSEN 부위원장은 표제 협상 타결전망은 그어느때보다 증대되었다고 말함

3. 한편, 표제협상의 타결을 위해 1.15. TNC회의를 전후하여 양자 또는 다자간 협의가 활발히 전개될 것이며, ANDRIESSEN 부위원장은 1.24-25 기간중에 우루과이에서우 루과이, 알젠틴,브라질, 칠레, 멕시코등 중남미 국가 대표들과 만난후 1.28. 워싱턴을 방문, HILLS 대표를 방문하며 1.29. 카나다를 방문할 것임. 끝

(대사 권동만-국장)

통상국 2차보 경기원 재무부 농수부 상공부

PAGE 1 91.01.12 02:23 DN

외신 1과 통제관

0164

외 무 부

종 별 : 지 급

번 호 : ECW-0034   일   시 : 91 0111 1500

수 신 : 장관 (봉기,경기원,재무,농수산,상공부,주제네바직송필)

발 신 : 주 EC 대사

제 목 : EC/CAP 개혁

연: ECW-0023

1. 주 EC 불란서 대표부의 담당관은 표제개혁과 관련, EC 집행위는 이미 각품목별 개혁방향 정립을위한 구체화 작업을 착수하였다고 말함. 동 담당관은 그 예로서 CEREALS 의 경우, 개입가격 (INTERVENTION PRICE)은 미국이 시행하고 있는 LOAN RATE 등을 감안한 세계시장 가격수준을 기준으로 할것을 고려하고 있으며, 이와 관련하여 농민들에 대한 보상이 필요할 경우 직접 소득보조 또는 경작면적을 기준하여 보조를 지급하고, CEREALS에 대한 수출환불 (EXPORT REBATES) 을 철폐하는 방안이 검토되고 있다고 말함. 또한 우유생산 쿼타는 3-5프로 감축하고, 사료가격인하에 따라 우유가격도 인하할 것이나, 쇠고기 수출환불제는 유지, 발전시켜 나가는 방안을 강구하고 있다고 말함.

2. 또한 표제와 관련한 집행위원 세미나는 1.20.개최키로 다시 결정하고, 동 세미나에는 농업담당부서뿐 아니라 기타 관련부서 (예: 환경보전 담당)들도 정책자료를수립하여 제출할 것이며, 1.20.세미나 결과를 토대로 제 2차 CAP 개혁안을 정리하여 동 세미나 직후 농업이사회에 상정할 예정임. 한편 EC/91/92 농산물 가격제안의 부수서류로서 CAP 개혁 기본방향이 첨부되어야 함으로 집행위가 동 가격제안을 이사회에 제출하는 시기는 2월 이후로 연기될것으로 보임.끝

(대사 권동만-국장)

통상국   2차보   경기원   재무부   농수부   상공부

PAGE 1   91.01.12   02:27 DN

                                            외신 1과 통제관

                                                0165

새로운 대안에 대한 기본입장(농림수산부안)

===

O 현재의 협상동향은 미국,케언즈그룹,EC등 협상주도국들이 아직까지 특별한 입장개선을 보이지
   않고 있는 상황이나 한국은 국내적으로 심각한 어려움을 겪고 있음에도 불구하고 농산물협상,
   나아가 전체 UR협상의 성공적인 진전을 위하여 보다 전향적이고 적극적인 방향으로 우리의
   입장을 개선할 용의가 있음

① 15개 중요품목의 예외주장을 개선하여 쌀등 2-3개의 식량안보상 필수적인 최소한의 품목으로
    대폭 축소할것이며 그밖의 모든 수입제한 품목에 대하여는 11조2항C, 관세화등 GATT의 규범과
    협상의 기본원칙을 수용할것임

② 또한 모든 품목에 대한 최소시장접근을 보장과 더불어 국내보조 감축을 합의될 협상원칙에
    따라 전면적,즉각적으로 이행할 것이나 쌀만은 한국에 특수한 정치,사회적,국민경제적 중요성
    을 고려하여 예외가 인정되어야 함

O 이와같이 획기적으로 개선된 한국의 농업개혁안을 효과적으로 이행하기 위하여는 급격한
   구조적 변화를 겪고 있는 한국의 특수상황에 대한 인식과 배려가 전제 되어야 함

① 한국에 대하여는 구조조정이 완료된 선진국과의 동일한 의무이행을 요구하지 않음으로써
    국경보호 및 국내보조의 감축폭과 이행기간, 최소시장 접근등에 있어 개도국 우대조치가
    반드시 인정 되어야 하며

공람	통상기구과	'91년 1월 인 김봉구	담 당	과 장	국 장	차관보	차 관	장 관

0166

② 11조2항C는 현실여건상 그 적용이 어려운 우리와 같은 국가에 대하여 실제로 운용 가능하도록
   개선되어야 하며 특히 동조항의 요건합치를 인정함에 있어 우리와 같은 국가에 대하여는
   특별한 고려 있어야 함

O UR협상의 성공적 타결을 위해서는 모든 협상참여국의 책임과 역할을 인식하고 보다 적극적이고
   실질적인 기여를 위한 입장전환이 필요함.   따라서 한국같이 어려운 국가가 입장을 대폭
   개선하는 만큼, 미국,케언즈그룹 국가도 각국이 처한 정치적 현실과 여건을 이해하여 과도한
   기대치를 현실에 맞게 신축적으로 조정할 필요가 있음을 강조함

✓ O 아국 입장의 보다 구체적인 개선 내용에 대하여는 주요협상국들이 정치적 결단에 의해 신축성을
   보이고 실질적인 협상진전이 이루어질 경우 다자간 협상 Table에서 적극 제시할 것임

협 조 문 용 지

분류기호 문서번호	아일 20231- 13	(	)	검			
시행일자	1990. 1. 12.			재			
수　　신	수신처 참조	발　신	아주국장 （서명）				
제　　목	한.일외무장관 회담내용						

급 카이후 일수상 방한시 91.1.10 개최된 한.일외무장관 회담에서

논의된 귀국 소관사항을 별첨 송부하오니 업무에 참고 하시기 바랍니다.

첨부 : 한.일외무장관회담 기록내용

수신처 : 정특반장, 미주국장, 구주국장, 중동아프리카국장,

국제기구조약국장, 통상국장, 정보문화국장

0168

장   관 :   ㅇ 다음 우루과이라운드에 관하여 일측에서 먼저 말씀하시기 바람.

대   신 :   ㅇ 일정부로서는 자유무역체제를 신봉하는 나라로서 UR협상을 꼭
              성공시키는 것이 자유무역체제 유지를 위해 매우 중요하다고
              생각하며, 지난번 각료회의가 성공하지 못하고 연기된 것을
              유감으로 생각함.
              앞으로 최종 각료회의가 참가 각국의 협력하에 조기에 개최
              되도록 노력하고자 함.

          ㅇ 1.15에는 각국대표가 제네바에 모여 협의할 예정이나 한.일
              양국으로서는 농업문제가 큰 문제이며, 이에 관해 검토중인
              것으로 알고 있음. 농업문제에 관하여는 미국의 waiver 조항
              적용문제도 있고 EC의 수출장려금 문제도 있는 바, 이 문제의
              타결을 위해 전력을 다하고자 함.

장   관 :   ㅇ UR 협상과 관련, EC외에 한.일 양국이 농산물 협상을 거부한 것
              처럼 인식되고 있는 것 같으나 이런 오해를 받지 않도록 노력
              하고자 함.

          ㅇ 브랏셀 각료회의 이후, 농산물 협상에서 우리가 취한 입장에
              대해 그동안 미국으로부터 불만표시가 있었고 또한 우리의
              과소비억제 운동에 대한 미국의 오해로 인해 미측으로부터 불만
              표시가 있었음.

- 7 -

0169

o 우리로서도 UR 협상의 성공을 위해 최대한 기여한다는 입장에는
변함없으며, 특히 일본과 UR 협상, 그중에서도 농산물분야와
관련해서 긴밀하게 협의코자 함.

대 신 : o 농산물에 관해서는 예컨대 EC도 1천만명의 농업종사자가 있고,
미국도 낙농, 사탕생산등 분야에서 여러가지 국내 농업을 보호
하는 정책을 식량안전보장 차원에서 취하고 있음. 우리로서도
식량안보 차원에서 주장할 것은 주장해야 한다고 생각함.
미국이 non-paper 자료에 우리입장을 담을 수. 없도록 사전에
봉쇄한 바 있으나 앞으로 UR협상에서 우리입장을 강력하게 주장
하면서 UR협상 성공을 위해 각국의 의견을 조정해 나가고자 함.

장 관 : o 우리로서는 UR 협상과 과소비억제 운동과 관련하여 한.미 무역
마찰이 생기고 있음. 1.15 TNC 회의가 열리게 되면 좀더
전향적인 입장을 표명하고자 하며 외교경로를 통해 구체적인
내용을 사전에 일측에 알려주겠음.

대 신 : o 고마움.

0170

언단시간 : 91. 1. 11 14:∞-35

그레그: 다음은 UR 에 관한 사항이다. 솔직히 말해서 미국은 EC 때문에 UR 에서 많은
어려움을 겪고있다. 반약 UR이 실패한다면 이는 definately EC 의 책임이
되어야 하며 한국이 blame을 받아서는 안된다고 본다. 따라서 한국이 이
부문에서 좀더 협력하여야 될 것임. 새로운 국제무역질서를 형성해 나가는데
있어 한미간의 좋은 관계설정이야말로 하니의 good example 이 될수 있을것임

장관 : 노대통령 자신도 UR의 성공적타결이 우리경제에 중요한 의미가 있다는 것을
깊이 인식하고 있는 만큼, 앞으로의 협상에서 한국이 보다 적극적으로 역할을
하게 된 것임

그레그: 끝으로 농산물에 관한 사항인데, 미국의 기본입장은 한국을 도우는데 있다.
그러나 지금까지 농산물분야에서의 양국관계를 돌이켜보면 오로지 bilateral
problem만 있었고 Net Working은 거의 없었다고 해도 과언이 아닐 것이다.
만약 양국이 좋은 Binational committee를 갖고 있다면 상당 분문에 있어
상호 협조의 여지가 있었을 것으로 본다. 미국은 한국의 농업이 과도기적
상황에 처해 있으며, 정치적으로도 매우 어려운 부문이라는 것을 이해하고 있나
미국은 한국의 농업을 어렵게 만들고저 하는것이 아니라 도와줄 준비가 되어
있다.

장관 : 농업부문에서도 다른 경제부문과 마찬가지로 양국간의 Channel이 있다면 상호
도움이 될것으로 본다. 농협의 만화건이나, Sable차등이 한미간의 관계를
악화시키고 있는 대표적인 사례들인데, 앞으로 양국이 서로 자주 만나서
이해를 높이고, 문제가 되기전에 풀려는 자세를 가진다면, 한미간의 통상관계는
발전될수 있을 것이다.

0171

관리 번호	91 -57

외 무 부

종 별 :

번 호 : GVW-0064   일 시 : 91 0111 1600

수 신 : 장관(봉기)

발 신 : 주 제네바 대사대리

제 목 : UR/TNC 회의

　　대:WGV-0046

　　대호, 당지에서의 대미 아국 입장 설명관련 , 1.15.TNC 미측 수석대표인 LAVOREL USTR 부대표는 당지에 1.15. 에야 도착하므로 1.15. 오전에만 면담이 가능하고, YERXA 당지 USTR 대사도 1.14. 에는 면담이 불가능하다 하므로, 별도 지시없는 경우 1.15. 오전 11:30 에 LAVOREL 부대표와의 면담을 추진코자 함.끝.

　　(대사대리 박영우-국장)

　　예고:91.6.30 까지

통상국

91.01.12   02:29

외신 2과 통제관 DO

0172

| 관리
번호 | 91
- 58 |

외 무 부

종 별 :

번 호 : MAW-0050

일 시 : 91 0111 1730

수 신 : 장관(봉기,아동)

발 신 : 주 말련 대사

제 목 : UR 협상

대:WMA-0922

브랏셀 각료회의 이후 UR 협상과 관련한 주재국의 입장을 아래와 같이 파악보고함.

1. 브라셀 각료회의 실패와 원인

주재국은 브랏셀 회의 샐패는 물론, UR 협상 전체의 부진이 주요 선진국들의 자국 이익 집착및 양보불가 태도에 주요 원인이 있다고봄. 표면적으로는 EC 의 농산물 보조금 삭각문제가 최대의 걸림돌이 되고 있으나 그 기저에는 미국, 일본, EC 등 선진국이 개도국의 이긱을 포함한 전 세계 자유무역제도 개선에 대한 진정한 의지를 가지고 있지 못하다고 봄.

2. 주재국의 반응

주재국은 말련을 비롯한 개도국들이 브랏셀 회의에서 최대한의 성의를 보였음에도 불구하고 동 개도국들의 입장은 도외된채 상기와 같이 선진국간의 이해다룸으로 협사이 타결되지 못한데 대해 매우 불쾌하게 생각하고 있음. 말련은 선진국들의 이러한 태도에 대해 수시로 이를 지적해왔으며, 금번 브랏셀 각료회의 이후는 대부분의 관계자들이 이를 공공연히 거론하는데 주저하지 않고 있음. 브라셀 각료회의 직후 마하틸 수상이 동 아시아국들간의 경제협의체 구성을 제의한 것도 상기와 같은 배경에 힘 입은바 크다고 봄.

3. 향후 전망

무역의존도가 높은 개방경제체제를 가지고 있는 주재국으로서는 자유 무역제도를 적극 신봉하며, UR 협상 또한 꾀히 타결되어야 한다고 보나, 그 전망에 대해서는 낙관하지 않고 있음. 또한 협상이 타결된다 하더라도 현재와 같은 분위기에서는 개도국의 이익반영이 미흡할것은 필지의 사실이며, 이 경우 많은 문제들이 미결인채로 상존할 것임.

통상국   차관   2차보   아주국   청와대

91.01.13   12:14
외신 2과 통제관 DG

0173

4. 관찰

주재국은 그린룸, G-15, 케인즈 그룹, 아세안의 일원으로서 UR 협상에 상당히 적극적으로 참여해왔으며, 이러한 태도는 앞으로도 견지될 것임. 그러나 선진국들의 독주에 대한 불만을 어떠한 형식으로든 이를 표현하고 자 노력할 것으로보이며, 이는 동아시아 경제협의체 구상실현의 계속적 추진, 협상에서의 개도국간 결속 강화노력등으로 나타날 것으로 판단됨. 끝

(대사 홍순영-국장)예고: 91.12.31 까지

PAGE 2

0174

외 무 부

종 별 : 지 급

번 호 : AUW-0028

일 시 : 91 0114 1600

수 신 : 장관(봉기,아동)

발 신 : 주 호주 대사

제 목 : UR협상 전망

연:AUW-0013

1. 주재국 외무.무역부 DEADY_CATT 농산물 담당 과정에 의하면 1.15 TNC 대사급 회의는 걸프만 사태와 관련없이 예정대로 개최되며 회의 진행이나 성격은 연호로 보고한 내용이 될것으로 본다고 말함.

2. 동과장은 DUNKEL 사무총장이 1.15 TNC 회의후 1 월하순에 호주를 방문할예정이며 일본 및 한국도 방문할 가능성이 있는것으로 본다고 말함. 끝. (대사이창수-국장)

예고:91.6.31. 까지.

통상국   아주국

발 신 전 보

번   호 : WGV-0073   910114 1958 DN   종별 :

수   신 : 주   제네바   대사 . 총영사

발   신 : 장   관 (통 기)

제   목 : UR/TNC 회의

예고문제 의거	분류 19	
직위	성명	

대 : GVW-0064

대호, 아국입장 설명과 관련한 대미 면담은 현지 실정에 따라
추진하기 바람. 끝.

(통상국장 김삼훈)

0176

관리 번호	91-62

외 무 부

종 별 :

번 호 : GVW-0070   일 시 : 91 0114 1200

수 신 : 장관(통기, 경기원, 재무부, 농림수산부, 상공부)

발 신 : 주 제네바대사대리

제 목 : UR/TNC 회의(1)

표제회의 참석 수석대표 선준영대사, 상공부 추준석 국장, 통상기구과 송봉헌 사무관은 예정대로 당지에 도착, 1.13. 및 1.14. 당관 관계관과 대책 회의를 가짐.끝.

(대사대리 박영우-국장)

예고:91.6.30 까지

통상국   경기원   재무부   농수부   상공부

PAGE 1   91.01.15   08:42

UR 무역협상위원회 수석대표급 비공식회의 정부대표단 파견

1. 정부는 91.1.15. 제네바에서 개최되는 우루과이라운드 무역협상위원회(TNC)
    수석대표급 비공식회의에 선준영(宣晙英) 주체크슬로바크대사를 수석대표로
    하고 박영우(朴永佑) 주제네바대표부 공사, 추준석(秋俊錫)상공부 국제협력관등
    관계 부처 관계관으로 구성된 대표단을 파견한다.

2. 금번회의는 금년초부터 제네바에서 실무협상을 집중적으로 진행시켜 조속한
    시일내에 UR 협상을 종결토록 노력하기로 한 지난 12월의 브랏셀 각료회의 합의
    사항에 따라 개최되나, 브랏셀회의 결렬이후 아직까지 미국. EC등 주요협상
    참가국간 협상 타결의 관건이 되고 있는 농산물 분야에 대한 타협점이 마련되지
    않은 상태에서 개최되기 때문에, 이번회의가 곧바로 UR 협상의 실질적 재개로
    이어질런지의 여부는 현재로서는 불투명한 상황임.

3. 한편, 제반 상황에 비추어 UR 협상의 실질적 재개는 1월말 이후에나 가능할
    것이라는 것이 현 단계에서의 주요 협상 참가국들의 지배적 관측임.
    o 공동 농업정책 개혁방향에 대한 EC 내부의 본격 논의가 1.19 이후로 예정
      되어 있는 점
    o Andriessen EC 집행위 부위원장이 1월말경 중남미 강경 Cairns Group 순방
      협의 및 귀로 워싱턴을 방문, Carla Hills 무역대표와 협의를 계획하고
      있는 점.
    o Dunkel 갓트 사무총장도 1월하순경 ASEAN 및 일본 방문등을 계획하고 있는
      점. 끝.

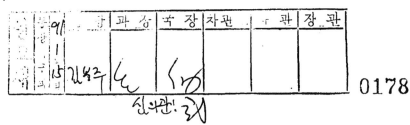

	과	장	국 장	차 관	관	장 관

0178

관리
번호 91-65

외 무 부

종 별 :

번 호 : GVW-0079

일 시 : 91 0114 1900

수 신 : 장관(통기,경기원,재무부,농림수산부,상공부)

발 신 : 주 제네바대사대리

제 목 : UR 협상(평화그룹 협의)

연:GVW-1812

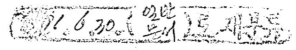

1. 금 1.14(월) 홍콩주최로 평화그룹 대사급 월례 협의가 개최되어 향후 UR협상 전망과 대처 방안등에 대하여 협의를 가졌음.

2. 우루과이는 협상의 성공이 확실해야만 협상재개가 가능할 것이라고 하고던켈총장이 금주말에 이씨를 다시 방문하고 그후 인도네시아, 호주를 방문할 계획인 것으로 듣고 있으며 미국을 다시 방문할 가능성도 있는 것으로 알고있다고 하고, ANDRIESSEN 이씨 대외담당 집행위원도 1.24-25 간 우루과이에서 중나미케언즈그룹 국가 각료들과 회담후 미국, 카나다를 방문할 예정인 것으로 듣고 있으며, 이러한 막후 접촉의 결과는 1 월말에야 나타날 것으로 보인다함.

3. 카나다는 2 월말까지 구체적이고 실질적인 합의가 있어야 미국의 FAST TRACK 기한 연장도 가능할 것이며 따라서 2월말까지 진전이 없으면 이번 UR 협상은 끝나는 것으로 보아야 할 것이라고 함.

4. 호주는 실질 협상 재개가 가능하기 위하여 정치면에서의 정상급노력이 필요한 것은 이론의 여지가 없으나 실무차원의 합의과정에 장시일이 필요하다는 점을 유의해야 할것이라고 하고, 예로서 협상 재개의 핵심인 농산물 분야의 합의 도출을 위해서 이씨 내부의 의사 결정 과정이 수주정도가 아닌 수개월의 시일이 소요된다는 점을 언급함.

5. 콜롬비아는 협상기한을 향후 2 년간 연장하게될 경우 그 2 년간은 아무 진전없이 현 상황이 지속되어 협상의 MOMENTUM 을 상실하게될 우려가 있으며 더구나 자국으로서는 쌍무적인 압력이 우려되기 때문에 협상이 조속히 종결되기를 희망하는 입장이라 함.

6. 아국은 걸프사태가 UR 협상에 정치적인 영향을 미치고 있으나 그렇다고

통상국 상공부	장관	차관	1차보	2차보	정와대	경기원	재무부	농수부

PAGE 1

91.01.15 08:55

외신 2과 통제관 BW

0179

걸프사태 때문에 협상타결을 위한 노력을 늦추어서는 안될것이며 모든 나라들이 가능한 범위내에서 기여를 해야 할것인바, 아국도 UR 협상의 성공적인 조기타결을 바라고 있다고 말하고 브랏셀 각료회의 이후 국내에서 아국의 기여방안에 대해 진지한 토의가 있었으며 그일환으로 금일 써비스 분야의 INITIAL OFFER 를 갓트 사무국에 제출하였다고 밝힘.

7. 금일 협의는 걸프사태의 영향, 성공적인 협상타결의 개념문제, 향후 협상절차, 협상기간, 1.15. 오후의 TNC 비공식 회의에 대한 대응으로 나누어 논의를 진행하였는바, 걸프사태로 인하여 UR 협상의 중요성에 대한 인식이 줄어든 것은 아니지만 정상급 지도자들이 물리적으로 UR 협상에 쏟을 여념이 없으며 협상에서 합의를 유도하기 위해서는 서로가 기대치를 재조정할 필요가 있다는 점과 현단계로서는 던켈 사무총장의 막후 절충 노력을 계속 지원하여야 한다는 필요성에 인식을 같이 하였으며, 대다수 국가가 명 1.15. TNC 비공식 회의에서 발언을 하지 않을 것이라는 입장을 밝힘.

8. 차기 회의는 2.12. 싱가폴 주최로 개최키로 함. 끝.

(대사대리 박영우-국장)

예고:91.6.31 까지

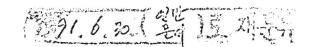

원 본

외 무 부

종 별 :

번 호 : GVW-0078　　　　　　　　　일 시 : 91 0114 1930

수 신 : 장관(통기, 경기원, 재무부, 농림수산부, 상공부, 경제수석)

발 신 : 주 제네바 대사대리(선준영 수석대표)

제 목 : UR/TNC 회의(2)

대: WGV-0057

1. 금 1.14(월) 표제회의 선준영 수석대표는 SHANNON 카나다 대사, TRAN EC대사를 면담, 대호 훈령에 따라 UR 협상의 조속한 타결을 위한 아국의 전향적 입장을 설명하고, 1.15 TNC 회의를 포함한 향후 UR 협상 전망에 관해 협의 한바 동 요지를 아래 보고함.(추준석 상공부 국제협력관, 오행겸 참사관 및 당관 관계관 배석)

가. SHANNON 카나다 대사와의 협의(1.14, 11:30-12:00)

(1) 아측 기본 입장 설명

한국정부가 그간 UR 협상 성공 및 다자 무역 체제의 강화 발전의 중요성을 충분히 인식하고 적극적인 자세로 협상에 임해 왔으며, 브랏셀 각료회의 결렬이후 일부 언론에서 한국이 브랏셀 각료회의에서 협상을 BLOCK 했거나 또는 비협조적이었다는 주장에 수긍할수 없음.

0 한국정부는 브랏셀 회의 이후 UR 협상 성공을 위해 보다 전향적인 자세에서 농산물, 서비스, 무세화 등 3 개 협상 분야에 대한 입장을 재검토한바, 특히 농산물 분야에서의 입장 재검토는 어려운 국내 절차를 거친 결과임. 또한, 1.14.오후 서비스 협상에 대한 INITIAL OFFER 를 제출할 것임. 무세화 협상에도 참여할 방침이며 BOP 협의 결과를 포함한 다자적 약속도 차질없이 이행할 것임.

0 다만, 농산물 협상에서의 전향적 입장 재검토를 위해서는 아국에 대한 이행기간, 감축 폭등에서의 특별 고려와 갓트 11 조 2 항(C)가 운용 가능토록 개선되는 것이 긴요함.

(2) 카나다측 언급사항

(가) 아측 입장 설명에 대한 반응

0 농산물 분야에 대한 한국입장 재검토 내용을 언론보도를 통해 알고 있으며, 이와

통상국 장관 차관 1차보 2차보 정와대 경기원 재무부 농수부
상공부

같은 입장 재조정은 고무적이며 보다 전향적(ENCOURAGING AND MORE FORTH COMING)인 것으로 평가함.

ㅇ 카나다측은 한국의 새로운 OFFER 제출 시기에 대해 관심을 갖고 있음(이에 대해 아측은 향후 협상 진전 상황을 보아가며 구체적 내용을 적의 밝힐 예정(ELABORATE OUR POSITION IN DUE COURSE)이라고 답변함)

ㅇ 카측은 <u>보리</u>에 대한 수입제한 및 <u>미국과의 차별대우</u> 철폐 여부에 관심을 갖고 갖고 있음.

(나) 1.15 TNC 회의 및 향후 협상 전망

ㅇ 던켈 갓트 사무총장이 지난주 브랏셀방문등을 통해 협상 타결을 위한 노력을 시도한바 있고 EC 도 브랏셀 각료회의시 농산물 분야에 대한 3 개 협상 요소별 접근 방식(SEPARATE APPROACH)수용 가능성을 시사(IMPLY)한바 있으나, 금번TNC 회의에서 던켈 사무총장이 농산물 협상에 대한 새로운 협상 기초로 제시할수 있을지에 대하여는 회의적이며 따라서 명일 TNC 회의에서는 별다른 진전을 기대하기 어려움.

ㅇ 현시점에서 UR 협상 특히 농산물 협상 타결을 위해서는 적정수준에서 타협점을 찾는것이 긴요한바, 카나다(케언즈그룹)로서는 <u>기대 수준을 낮출 필요가 있다는 점(입장 수정)</u>을 인식하고 있음.

ㅇ 특히 미국으로서는 농산물 분야에서의 기대 수준을 낮추고 서비스 분야에서 MFN 원칙적용등 초기 협상 단계의 입장으로 복귀 하는 것이 필요하며, <u>EC 로서는 섬유 분야에서의 보다 전향적인 자세를 취하는 것이 UR 협상 타결을 위해 긴요함.</u>

나. TRAN EC 대사와의 협의(1.14, 15:00-16:00)

(1) 아측 기본입장 설명

ㅇ 아측은 상기 가. (1) 항 요지로 아측 입장 설명

(2) EC 측 언급사항

(가) 아측 입장 설명에 대한 반응

ㅇ EC 로서는 한국의 입장 재검토 및 전향적 태도를 환영함.

ㅇ EC 는 미국의 무세화 제안보다는 FORMULA 방식에 더 중요성을 두고 있으며, 한국에 대해서는 농산물, 시장 접근 분야에 있어서 미국처럼 큰 요구를 하고있지 않으며, 다만 비관세 장벽에 관심이 있음.

ㅇ 한국이 농산물 협상에서 한국이 특별 취급을 확보하고자 할 경우 개도국 우대를 주장하는것보다는 <u>농산물 분야에 대한 특수 사정을 내세워 특별한 고려</u>(SPECIFIC

PAGE 2

0182

SOLUTION FOR SPECIFIC CONDITION) 를 주장하는 것이 보다 현실적임. (솔직히 말해서 한국이 개도국임을 거론, 특별대우를 요구하는데 대하여 EC 는 큰거부 반응을 갖고 있음) EC 로서는 개도국에 공히 적용될수 있는 일반적인 예외 개념의 설정은 받아들이기 어려우나 개별 국가의 특수한 사정에 따라 한국에 대해 이행기간에서 적정수준의 우대를 고려할 용의가 있음(참고로 핀랜드에 대하여는 감축폭에서 우대 고려)

(나) 1.15 TNC 회의 및 향후 전망

0 농산물 협상에 대한 EC 의 기본입장(GLOBAL APPROACH)에는 변화가 없으며, 다만, 그동안 비공식 접촉을 통하여 EC 의 입장에 대한 이해가 제고되었다는 점이 진전임.

0 협상 타결을 위해서는 협상 재개 및 종결이라는 두가지 절차가 필요하며,우선 협상 재개를 위해서는 주요 협상 참가국간의 농산물, 섬유, 신분야등에서실질문제에 대한 의견 접근이 있어야 하므로 현단계에서는 협상 재개 가능성 자체도 불확실하며, 따라서 명 TNC 회의에서 새로운 돌파구가 마련될수 있을 것이라고 기대하는 것은 시기상조함.

0 1.20 EC 집행위가 개최될 예정이나 공동 농업 정책에 대한 장기적인 개혁가능성을 논의할 뿐이지 동 집행위에서 UR 협상에 대한 입장 재조정 방향이 도출되기는 어려움.

0 UR 협상은 2 월말까지 종료되어야 한다는 것이 EC 의 공식 입장임. 교섭이 92 년도로 넘어가는 경우, 미국의 선거및 EC 통합의 해이므로 교섭 타결에 불리함.

2. 표제회의 대표단은 명 1.15. 오전 미국, 스웨덴 대표 및 DUNKEL 갓트 사무총장과의 면담을 갖고 15:00 TNC 회의에 참석 예정임. 끝

(대사대리 박영우-장관)

예고: 91.6.30 까지

PAGE 3

0183

관리
번호 9l-l3

외 무 부

종 별 :

번 호 : GVW-0085   일 시 : 91 0115 1900

수 신 : 장관(통기, 경기원, 재무부, 농림수산부, 상공부, 경제수석)

발 신 : 주 제네바 대사대리(선준영 수석대표)

제 목 : UR/TNC (3)

대: WGV-57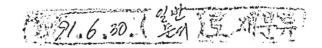

연: GVW-78

1. 금 1.15 (화) 오전 선준영 수석대표는 ARNELL 스웨덴 대사, LAVOREL 미국대사 및 DUNKEL 갓트 사무총장을 면담, 연호 UR 협상의 조기 타결을 위한 아국의 전향적 입장을 설명하고, 향후 UR 협상 전망에 관해 협의함.(추준석 상공부 국제협력관, 오행겸참사관 및 당관 관계관 배석)

2. 동 협의 요지는 아래와 같음.

가. LAVOREL 미국대사와의 협의(1.15, 11:30-12:15)(경협관, 재무관, 농무관 및 상관관도 배석)

(1) 아측 기본입장 설명

O 대호 훈령에 따라 농산물, 서비스, 무세화 3 개 협상 분야에 대한 아국의전향적 입장 재검토 결과를 설명하고 특히 농산물 협상에 대한 아국 입장 재검토 내용을 미국에 대해서만 사전에 알려주는 것임을 밝히고 구체적으로 설명함.

(2) 미측 언급 사항

(가) 아측 입장 설명에 대한 반응

O 한국측의 전향적 입장 재검토 내용을 TAKE NOTE 함.

O 협상이 재개될 경우 수주내(IN A COUPLE OF WEEKS) 서비스, 시장접근, 관세분야에서의 양자 협의를 희망하며, 서비스 분야에 대한 양자 협의에 특별 관심이 있음.(이에 대해 아측은 최근 HILLS USTR 이 서비스 분야에 대한 양자 협의를제의하여 검토중인 것으로 알고 있다고 답변)

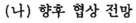

(나) 향후 협상 전망

O 1-2 월중에 최종 합의 문안은 아니더라도 협상 재개를 위해 필요한 공통적인

통상국	장관	차관	1차보	2차보	청와대	총리실	안기부	✓경기원
✓재무부	✓농수부	✓상공부						

PAGE 1   91.01.16   06:44

기초를 마련하는 것이 긴요한바, 금 TNC 회의에서는 돌파구가 마련될것 같지 않음.

　나. ARNELL 스웨덴 대사와의 협의(10:00-10:40)

　(1) 아측 기본 입장 설명

　0 전향적 입장 재검토 방향을 개략적으로 설명함.

　(2) 스웨덴측 언급사항

　(가) 아측 입장 설명에 대한 반응

　0 브랏셀 각료회의 결렬 책임은 모든 협상 참가국들에 있으므로 EC 등 특정국가들에게만 결렬 책임을 전가시키는 것은 곤란함.

　(나) 향후 협상 전망

　0 농산물 분야에 대한 협상 재개없이는 여타 분야의 협상 재개도 불가능한 실정임.

　0 HELLSTROM 의장 NON-PAPER 는 브랏셀 각료회의시 EC 는 물론 미국, 케언즈 그룹으로 부터도 비판을 받았으며, 특히 감축폭, 이행기간등에 관한 구체적 수치를 제시한 것은 큰 비판을 받은바 있음.

　동 NON-PAPER 중 보조금 관련사항등 일부 CONCEPT 는 유용하다고 보나 협상재개를 위해서는 심리적으로 (PSYCHOLOGICALLY) 새로운협상안이 필요하며, 특히 감축폭, 이행기간등에서의 구체적 수치는 협상 과정을 통해 도출되도록 하는 것이 긴요함.(HELLSTROM 의장안이 아직까지도 유용한 것인지 또는 새로운 협상안이 제시되어야 하는지에 대한 아측 질문에 대한 답변)

　0 1 월말경 협상이 재개될 것이라는 관측도 있고 2 월말전에는 실질적 진전이 없을 것이라는 관측도 있으나 현재로서는 예측 불허이며, 차기 TNC 회의는 협상 성공 여부에 긴요한 회의가 될것이므로 브랏셀 각료회의시 보다 실질문제에 있어서 사전 충분한 의견 접근이 선행되어야 함.

　0 또한, 협상이 재개되더라도 기존의 15 개 협상 그룹은 사실상 해체되었으므로 협상 그룹을 재구성해야 함.

　다. DUNKEL 사무총장과의 협의(11:00-11:30)

　(1) 아측 기본입장 설명

　0 기본 입장을 설명하고 금 TNC 회의시 수석대표 연설을 통해 아측입장을 표명할 예정임을 통보함.

　(2) 던켄 사무총장 언급사항

　(가) 아측 입장 설명에 대한 반응

O 아측입장 재검토를 환영하며 한가지 부담(HEADACHE)을 덜어주어 협상 진전을 위해 유익할 것임.

(나) 향후 협상 전망

O 금일 TNC 회의는 브랏셀 각료회의 결과에 대한 논의보다는 협상 촉진을 위한 논의에 중점을 둘것임.

O 농산물 분야에 대한 협상 기초를 마련하는 것이 협상 재개를 위한 선결과제인바, HELLSTROM NON-PAPER 에는 협상을 통해 도출되어야 할 구체적 수치까지 포함되어 있었으며, 일부 협상 요소들이 누락되어(POINTS MISSING) 다수 협상 참가국으로 부터의 불만이 있었으므로 본인 책임하에 협상 기초를 마련할 것을 검토중임.

O 농산물 협상 기초로는 HELLSTROM 의장 NON-PAPER 상의 국내 보조, 시장접근, 수출경쟁에 관한 STRUCTURE 를 바탕으로 하되, 규범, 위생 및 검역 분야도 포괄되어야 할것임. 다만, 감축폭, 이행기간등에 관한 구체적 수치는 향후 협상을 통해 도출토록 할것임.

O 상기 협상 기초 마련을 위해서는 시장 접근 분야에서 관세화로 할것인지 또는 현재의 체제 (PRESENT REGIME)대로 유지할 것인지, 수출 경쟁분야에서 결손보존금 (DEFICIENCY PAYMENT)도 포함할것인지, REBALANCING 문제를 어떻게 할것인지등을 해결해야 함. 우선 동 문제해결을 위해 미국, EC, 케언즈 그룹과 협의 예정이며, 적절한 시기에 식량안보 문제등을 한국과도 협의(DISUSS IN DUE TIME)할 생각임.

O 농산물 협상 기초를 마련하여 협상이 재개될 경우 시장접근, 섬유, 서비스, 농산물, TRIM/TRIPS, 제도분야, 규범등 7개 협상그룹으로 구성, 협상토록 할것임.

O 협상 재개를 위해서는 향후 1-2 주가 중요한바 협상을 촉진시키기 위한 노력을 제네바에서 계속해 나갈 것이나, 난관이 있을 경우 주요국을 방문, 직접 협의할 예정임. 끝

(대사대리 박영우-장관)

예고 91.6.30. 까지

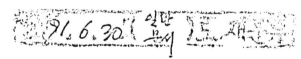

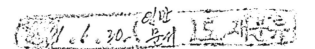

외　무　부

원　본

종　별 :

번　호 : GVW-0087　　　　　　　　일　시 : 91 0115 1920

수　신 : 장관(통기,경기원,재무부,농림수산부,상공부,경제수석)

발　신 : 주 제네바 대사대리(선준영 수석대표)

제　목 : UR/TNC 회의(4)

연: GVW-0085

1. 1.15(화) 15:00 DUNKEL 갓트 사무총장 주재로 개최된 UR/TNC 수석대표급비공식 회의에서는 예상대로 DUNKEL 총장의 협상현황 평가와 앞으로의 협상진행 계획에 대한 개괄적인 설명이 있었고, 아국, 스위스, 일본대표들의 발언후 DUNKEL 총장의 결론을 끝으로 40 분만에 간단히 종료됨.(선준영 수석대표 및 추준석국장 참석)

2. 아국은 DUNKEL 의장의 STATEMENT 에 이어 첫번째로 발언한바(발언물 별첨), UR 협상 진전을 위해 농산물 협상에 대한 아국 입장을 전향적으로 재검토하였으며 향후 협상진전 상황에 따라 구체적 내용을 제시할 용의가 있음을 표명하고 1.14. 서비스 협상 INITIAL OFFER 제출 사실 및 무세화 협상참여 의사를 밝힘(DUNKEL 사무총장은 회의 종료후 아국대표단에게 별도로 사의를 표함)

3. 금일 회의요지는 아래임.

가. DUNKEL 총장 언급사항

1) 협상 현황

0 브랏셀 TNC 각료회의 의장으로부터 위임받은대로 91 년초 까지 협상타결을 위한 기반을 마련하기 위해 긴박감을 가지고 협상을 재개해야 하며, 협상이 더 지연될 경우 지금까지의 원동력을 모두 상실할 위험도 배제할 수 없음.

0 브랏셀에서 합의된대로, 브랏셀 회의 제출보고서(MTN/W/35.REV.1) 가 협상의 기초로서 계속 유효하며, 브랏셀에서 추가로 진전을 이룬 사항들도 향후 협상에 고려될 것임.

0 개도국 우대 평가 회의도 적당한 시기에 개최할 것이며, 일부국가간 합의결과를 기정사실화 하지 않을 것이며(NO FAIT-ACCOMPLI), 모든 분야가 합의되어야 협상을 종결될 수 있다는 인식하에서 협상을 진행할 것임.

롱상국 상공부	장관	차관	1차보	2차보	정와대	경기원	재무부	농수부

PAGE 1

91.01.16　07:37

외신 2과 통제관 BW

0187

O 브랏셀 각료회의 이후 제네바 및 각국 수도에서의 비공식 협의 결과 아래와 같은 예비적 결론에 도달함.

(1) 모든 국가가 협상을 진전시켜야 한다는 <u>의지</u>를 가지고 있으며, 일부 국가는 협상 입장을 재검토하고 있음.

이러한 의지는 구체적 행동으로 표현되어야 하며, 특히 농산물 분야에서의 융통성 발휘가 중요함.

(2) UR 협상의 관건은 농산물 협상이며, 농산물 협상의 교착 타결없이 전체협상이 재개될 수 있을 것인지는 의문임.

(3) 농산물외에 여타 분야 특히, 시장접근, 섬유류, 서비스, 지적소유권 및무역관련투자, 무역규범, 기구적문제(분쟁해결 포함)등 6 개 분야에서도 이견 해소를 위한 노력이 필요함(기존 15 개 협상그룹에 기초한 협상구조는 종료되었으며, 향후 협상을 브랏셀 각료회의시와 같이 7-8 개 그룹으로 나누어 진행될것이라는 것이 일반적 관측임)

O 2) 향후 협상 진행 계획

O 농산물 분야에서의 합의를 위한 기초(PLATFORM)를 마련하기 위해 집중적인 협의를 진행중이며 현재 조심스런 낙관적 견해(CAUTIOUSLY OPTIMISTIC)을 갖고 있음

O 농산물 분야에서 진정한 협상 기초가 발견되면 여타 분야의협상도 즉각 재개할 것임

O 현재로서 1) 각국 정부의 합의에 기초하여 단기간의 활발한 협상을 통해 모든 협상 요소에 합의하는 경우와 2) 각국이 실질 협상을 시작하지 못하는 상황에 처해 협상 기간 연장이 불가피하게 되는 경우를 상정할 수 있음.

O 후자의 경우는 가급적 피해야 하며, 이를 위해 신속하고 실질적인 진전을위한 집중적 협의를 계속할 것인바, TNC 회의를 언제라도 개최할 수 있는 상태(REMAIN ON CALL)에 두겠음

나. 각국 언급 사항

1) 스위스

O 사무총장의 협상 진행 계획에 동의함.

O 스위스로서도 UR 협상의 조속한 종결을 희망하며, 신속한 협상 재개가 필요함.

O 농산물 협상을 재개하는데 필요이상의 시간을 소비해서는 안됨.

O 한국의 입장 변경을 환영하며, 스위스도 농산물 협상의 성공을 위해 가능한 모든

PAGE 2

0188

기여를 할것임.

　2) 일본(발언문 사본 별첨)

　0 최종 단계이 있으므로 협상을 지체없이 재개해야 함.

　0 일본은 국내보조, 국경조치, 수출보조등 브랏셀 각료회의 농산물 비공식 회의 의장 초안에 청급된 3 개 사안(ISSUE)에 대한 토의에 과거나 지금이나 변함없이 참여할 준비가 되어있음(STATEMENT TEXT 에는 HEISTROM 의장이 언급되어 있으나, 실제 발언시에는 " 농산물비공식 회의의장"으로 표현함)

　다만, 중간평가시 기합의된 아래 사항에 대한 특정적인 요소도 교섭대상에 포함되어야 함.

　(1) 식량안보등 비교역적 관심사항

　(2) 생산 조절을 위한 수입규제

　(3) 푼타선언 이후 조치에 대한 CREDIT 부여

　0 서비스, 시장접근 협상은 장시간을 요하므로 1 월중에 시작되어야 함.

　다. DUNKEL 총장의 결어

　0 향후 협상계획과 관련한 본인 제의에 대한 각국의 협조 태도에 감사함.

　0 앞으로의 TNC 수석대표급 비공식 회의는, 1) 본인이 진행할 막후 절충이 잘 진행될 경우에는 진도 보고를 위한 회의, 2) 그렇지 않을 경우에는 교착상태 타개 방안을 검토하기 위한 회의가 될것임. 따라서 어느 경우에도 회의는 소집될것임.

　0 다음 TNC 수석대표급 비공식 회의 시기는 확실히 전망할 수 없으나 빠른 시일내에 소집될 것임.(참고로 오전 아측대표단 면담시 2-3 주일 후로 암시함)

　첨부: (1) 아국 수석대표발언문 1 부

　(2) 일본대표부 발언문 1 부.

　(GVW(F)-0019). 끝

　(대사대리 박영우-장관)

　예고:91.6.30 까지

PAGE 3

<u>Statement by Ambassador Joun-Yung SUN</u>
<u>Chief of the Delegation of the Republic of Korea</u>
<u>at the Meeting of Trade Negotiations Committee</u>
<u>on January 15, 1991</u>

Mr. Chairman,

My delegation wishes to express appreciation
to the Director-General for arranging the TNC informal
meeting which is very useful and timely.

We also support the Director-General's efforts
made thus far aimed at reactivating the Uruguay Round
negotiation process as soon as possible. I hope that the
Director-General continues to have intensive consulta-
tions hereafter to this end.

Mr. Chairman,

This year, the world economy is facing a
number of serious challenges, <u>inter alia</u>, the high price
of oil, a slow-down in economic growth, strong
inflationary pressure. Under these circumstances, we can
not afford to delay the negotiations.
We should do our utmost to salvage the
multilateral trading system by bringing the Uruguay
Round to a successful end. The hour of decision is
approaching fast and it bears down on all of us.
Korea continues to view that the strenthening
of the GATT trading system is essential in expanding
world trade and continuing the growth of world economy.

Mr. Chairman,

For its part, Korea has conducted an overall
review of the status of negotiations and Korea's
position thereon after the Brussels Ministerial Meeting
and came up with the following improvements in an effort
to reactivate the negotiations and to bring them to a
successful conclusion as soon as practicable :

1. Although Korea's most serious difficulties
exist in the area of agricultural trade, Korea is now,
in a position to table a more flexible offer on
agricultural negotiations. We will submit such an offer
in due course depending upon future developments in the
agricultural negotiations.

2. Again in an effort to accelerate progress
in the services negotiations, Korea submitted its
initial offer on trade in services to the Secretariat on
Jan. 14, 1991. It has been made available in document No
MTN.TNC/W/61.

3. Korea is also prepared to have discussions
on the basis of sectoral tariff elimination proposal.

Mr. Chairman,

The aforesaid move on the part of Korea has
been made possible only through a painful domestic
process. We hope that such efforts will be duly
recognized and that other participating countries make
their due share of contributions so that the Uruguay
Round process can move forward toward a successful end
in time.

Thank you.

4-2

0191

Thank you, Mr. Chairman,

Let me begin my brief remarks by saying that my delegation is pleased to be back at the TNC today.

I believe that during the month-long suspension of the negotiations since Brussels each and every negotiating partner has had time to reflect on what has been achieved and what needs to be done to conclude this Round. Negotiations can be successful only when all participants realized that everyone has to make some mutual concessions.

We must resume the final phase of negotiations without further delay. But in doing so, each of us should adopt a positive negotiating position.

Japan has negotiated in good faith for four years; and we will continue to do so in the hope that all other participants will negotiate to bring about the successful conclusion of the Round.

Let me now touch briefly upon our position on negotiations on agriculture in order to ensure that there be no misunderstanding. Japan is and has been prepared to participate in the discussions on issues which were referred to in the paper prepared by Mr. Helström in Brussels: namely, internal support, border measures and export subsidies. However, as my minister pointed out in Brussels, framework for negotiations should include specific reference to some of the crucially important elements which had been already agreed upon at the Mid-term review.

0192

These elements should include:

1) non-trade concerns such as food security;

2) import restrictions to ensure effective production adjustments; and

3) credit to be given for measures implemented since the Punta del Este Declaration which contribute positively to the reform programme.

It is of vital importance that these elements be discussed.

We still have an enormous amount of work before us. For example, services and market-access negotiations would require considerable time and effort before the negotiations can be concluded. It is therefore necessary that negotiations be started at least in these two areas this month.

But we don't believe that good results can be produced just by spending a long _time_ on negotiations. What we must agree on is to resume negotiations as soon as possible so that we can successfully conclude the Uruguay Round within a reasonably short period of time.

There is little time left before we have our collective will tested.

Thank you.

0193

관리
번호 91-14

외 무 부

종 별 :

번 호 : GVW-0088   일 시 : 91 0116 0825

수 신 : 장관(통기),경기원,재무부,농림수산부,상공부,경제수석)

발 신 : 주 제네바 대사대리(선준영대표)

제 목 : UR/TNC 회의(5)

대: WGV-57

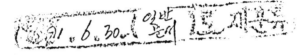

연:GVW-37

　1. 1.15. 오후(15:00) 개최된 TNC 회의를 앞두고 1.14-15 간 아측이 미국, 카나다, EC, 스웨덴 대사 및 던켈 갓트 사무총장을 면담한 결과, 제네바 현지 협상분위기가 브랏셀 각료회의 결렬에 대한 논의를 지양하고 협상진전을 촉진시키기 위한 노력과 이에 입각한 1.15.TNC 회의 운영에 촛점을 두고 있었음.

　2. 상기 제네바 현지 협상 분위기는 1.15. 던켈 사무총장 면담시 언급을 통해 재확인하게 되었음. 특히 던켈 사무총장은 모든 대표들이 과거 이야기는 거론하지 않는데 협력해야 하며, 과거 이야기가 나올경우 의장으로서 발언을 저지할수 밖에 없다고 언급하였음.

　3. 이와같은 상황하에서 아측이 브랏셀 각료회의에 대한 대호 입장을 표명하는 것보다는 UR 협상 진전을 위한 아국의 전향적 입장 재검토 용의 표명에 촛점을 맞추는 것이 바람직하다고 판단, 브랏셀 회의결과에 대한 입장 표명은 생략하였음을 보고함. 이러한 분위기에도 불구하고 아국대표가 브랏셀 회의 상황에대해 거론할 경우, 아측이 실질적으로 전향적인 입장을 취함으로써, 달성하려는소기의 성과를 반감시킬 것으로 예견되었음.

　4. 참고로 회의종료직후 던켈 사무총장(기보고), 스웨덴, 홍콩, 파키스탄대표등이 아국수석대표를 접근, 아국이 UR 진전에 도움이되는 전진적인 입장을 취한데 사의를 표명하였음. 끝.

　(대사대리 박영우-장관)

　예고:91.6.30 까지

통상국	장관	차관	2차보	정와대	경기원	재무부	농수부	상공부

PAGE 1   91.01.16   17:18

7/2

외 무 부

<table>
<tr><td>관리
번호</td><td>91-78</td></tr>
</table>

종 별 :

번 호 : GVW-0092

일 시 : 91 0116 1620

수 신 : 장관(통기), 경기원, 재무부, 농림수산부, 상공부, 경제수석) 사본: 주카나다

발 신 : 주 제네바 대사대리(선준영 수석대표)   대사(중계필)

제 목 : UR/TNC 회의(6)

대: WGV-0057

연: GVW-0088

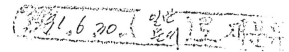

금 1.16(수) 09:450-11:00 표제 회의 선준영 수석대표는 <u>ENDO 일본 대사</u>를 면담하고(아측은 1.15.TNC 회의 직후 면담 요청하였으나, 일측은 1.16 아침을 희망) 대호 UR 협상 진전을 위한 농산물, 서비스, 무세화등 3 개 협상분야에 대한 아국의 전향적 입장 재검토 내용을 설명하고 향후 협상 전망에 관해 협의한 바, 동 요지를 아래 보고함.(추준석 상공부 국제협력관, 오행겸 참사관, 천중인 농무관 및 당관 관계관 배석)

1. 아측 입장 설명

0 서비스, 무세화에 대한 개략적 입장 설명

0 일본과 미국에만 알리는 것임을 전제로 농산물 협상에 대한 아국의 입장 조정방향을 구체적으로 설명

2. 일측 언급사항

가. 아측 입장 설명에 대한 반응

0 양국 외무장관 회담에서 UR 협상과 관련하여 상호 협력하로 하였음을 기쁘게 생각하며, 금번 입장설명등 한국측의 호의에 감사함.

0 UR 협상과 관련한 한국의 전향적 입장을 환영함.

0 농산물 협상에서 한국의 입장 수정 방향이 <u>전반적으로 일본입장과 비슷하</u>다는 감을 받았음.

0 다만, 개인적인 생각이나, BOP 협의결과에 따라 97 년까지는 해당품목을 수입자유화해야 하는 입장과 한국의 국제적 현위치를 감안할때 한국은 선진국과 개도국 사이의 위치에 있으므로 <u>일반 개도국들에 적용될 특별 우대</u>를 확보하는데에는

통상국   장관   차관   2차보   청와대   경기원   재무부   농수부   상공부

PAGE 1

91.01.17   04:59

외신 2과 통제관 DO

0195

어려움이 있을 것임.

나. 농산물 협상에 대한 일본 입장

0 전체 UR 농산물 협상에서 일본에게 유일하게 문제가 되는 것이 쌀임.

0 특히, 미국은 4-5 퍼센트의 최소 시장 접근을 보장하더라도 식량 안보에 전혀 영향을 주지 않으며, 식량안보 문제는 오히려 공급원의 다변화 및 비축을 통해 해결될 수 있다는 강경입장을 견지해 오고 있고, 교역 문제로서가 아닌 일본의 시장개방과 관련한 하나의 상징(SYMBOLISM)적 문제로 취급하고 있음.

0 식량안보와 관련, 일본은 안전보장을 위한 예외규정(갓트 21 조)과 유사한 갓트 규정 신설을 제안한 바 있으나 협상 상대국은 극히 미온적인 태도를 보이고 있음.

0 11 조 2 항(C) 개선과 관련하여 카나다와 공동보조를 취하고 있으나, 카측은 보다 직접적인 생산(PRODUCTION)통제의 강화를 주장하는 반면 일측은 전작 면적(ACRAGE)을 기준으로 한 통제를 주장하는등 양국간에도 의견 차이가 있으며, 특히 케언즈그룹은 일측 입장에 반대하고 있음.

0 현재 수입규제하에 있는 소수품목은 대부분이 국영무역, 11 조 2 항(C)에 근거하고 있는바, 관세화에 대한 약속을 하기에는 시기 상조임.

0 최소 시장접근 개선과 관련 일본으로서는 자유화 이행 초년도 약속 수준에서 시장접근 수준을 일정기간 동안 일정수준으로 증가 시킨후 일단 동결하여 휴식기간을 갖는 것이 바람직하다고 보나, 미측은 시장접근 수준을 항국적으로 계속 증가시켜 궁극적으로는 완전한 시장개방을 전제로 하기 때문에 문제가 있음

다. 향후 협상전망(나까지마 일본 외상의 방미 결과)

0 일본도 농산물 협상의 재개없이는 시장접근등 여타분야에 대한 협상 재개가 어려운 상황임을 인식함.

0 미측은 농산물 협상만 타결된다면 일측 관심분야인 시장접근, 규범제정등 여타 분야에서는 이미 브랏셀 각료회의등에서 상당한 진전이 이루어져 있으므로 동분야에서 신속한 타결을 보는데 별다른 난관이 없을 것으로 보고 있으나 일측으로서는 여타 분야 협상도 많은 문제점이 있다고 보고있음.

0 미측 입장은 협상 재개가 가능하다면 그 시기는 1 월말 또는 2 월초가 될것이며, 농산물 협상에서 2 월말까지는 이행기간, 감축폭등에 관한 구체적 수치에 먼저 합의를 이루고, 그 이후에 특별 품목에 대한 특별 고려를 위한 협상이 가능할 것으로 보고있음. 끝.

PAGE 2

0196

(대사대리 박영우-장관)
예고:91.6.30 까지

외 무 부

종 별 :

번 호 : GVW-0093   일 시 : 91 0116 1700

수 신 : 장관(통기), 경기원, 재무부, 농림수산부, 상공부, 경제수석) 사본: 주카나다

발 신 : 주 제네바 대사대리(선준영 수석대표)   대사(중계필)

제 목 : UR/TNC 회의(7)

　　　연: GVW-92

　　표제회의 아국대표단이 1.14-16 간 주요국 협상대표, 던켈사무총장등 주요인사 면담 및 TNC 회의 참석 결과를 기초로 UR 협상 현황 및 전망, 아국 입장 재검토와 관련한 관찰 및 평가를 아래 보고함.

　　1. UR 협상 현황 및 전망

　　0 전체 UR 협상 재개를 위해서는 농산물 분야에 대한 협상 기초 마련이 선결과제라는 데에 모든 협상 참가국들이 공통된 인식을 갖고 있으며 UR 협상이 조속 타결되어야 한다는 데에도 공감대가 형성되어 있음.

　　0 미.EC 간 농산물 분야에 관한 막후 절충과 던켈 사무총장의 협상타개 노력에 진전이 있을 경우 1 월말 또는 2 월초에 당지에서의 협상재개가 가능할 것이라는 전망이 있음.

　　0 그러나, 페만사태 진전여하, 1.20 EC 집행위 및 EC 회원국간 농업 세미나 논의결과 여하에 따라서는 2 월초에도 실질 협상재개가 어려워질 가능성이 있다는 관측도 있는바, 이는 농산물 분야에서의 협상의 기초 마련이 선행되지 않은 상태에서의 협상 재개는 브랏셀 각료회의 경험에 비추어 협상 타결에 더욱 큰 난관을 초래할 수 있다는 가정에 근거함.

　　2. 아국 입장 재검토와 관련한 관찰 및 평가

　　0 아국이 그간 UR 협상에서 적극적, 협조적인 자세를 견지해 왔음에도 불구하고 브랏셀 각료회의시 농산물 협상 관련 비협조적이었다는 일부 비판적인 시각이 있었음에 비추어 금번 TNC 회의를 통해 농산물분야에서 많은 어려움이 있지만 아국이 전향적 입장 재검토 용의를 분명히 표명함으로써 여타 협상 참가국도 한국이 그간 취해온 전향적 자세를 재확인하게 되었으며, 특히 교착상태에 빠져있는 UR 협상

───────────────────────────────

통상국　장관　차관　2차보　청와대　경기원　재무부　농수부　상공부

PAGE 1   91.01.17   05:02

　　　　　　　　　　　　　　　　　　　외신 2과 통제관 DO

　　　　　　　　　　　　　　　　　　　　0198

진전과 던켈 사무총장의 중재 노력에 많은 도움을 준것으로 평가됨.

0 다만 , 농산물 협상분야에서 아국입장 재검토를 위해 반영이 필요한 이행기간, 감축폭, 최소시장 접근 수준에서의 개도국 우대와 11 조 2 항(C) 개선은 당 대표단이 주요국 협상 대표등을 접촉한 결과, 아국 농업의 어려움은 인정하는 분위기이나 아국의 국제적 위치를 고려할때 전반적 개도국 우대 수준을 확보하는데에는 상당한 어려움이 있을 것으로 감지되었으며 또한 일부 국가들은 11 조 2항(C) 적용 조건의 강화를 주장하고 있음에 비추어 동조항 적용조건의 완화, 개선에도 어려움이 있을 것으로 예견됨.

0 따라서, 개도국 우대 및 11 조 2 항(C) 개선을 계속 주장하되 교섭의 최종단계에서 아측입장 반영이 어려울 경우도 사전 염두에 두고, 여타 방안(예: X 품목의 경우에는 상당 수준의 특별 고려를 주장하되 Y 품목의 경우에는 고려수준완화등)도 강구해 두는 것이 긴요할 것으로 판단됨. 끝.

(대사대리 박영우-장관)

예고:91.6.30 까지

관리 번호	91-79

외 무 부

종 별 : 지급

번 호 : JAW-0204

일 시 : 91 0116 1649

수 신 : 장관(통기), 사본:주제네바대사-본부중계필

발 신 : 주 일 대사(경제)

제 목 : UR 협상 아국입장 재검토

대:WJA-0118, 0119, 0136

1. 당관 김하중 참사관(서형원 서기관 동행)은 1.16. 주재국 외무성 기타지마 국제기관 1 과장(동과 키쿠치 사무관 동석)과 면담코, 대호 지시에 따라 UR 협상 관련 아국입장의 재검토 내용을 설명 하였음.

2. 동 과장은 지난 1.10. 한. 일 외상회담시 한국 외무장관이 약속한 대로 재검토 내용을 사전에 알려준데 대해 매우 감사하게 생각하며 동 내용을 조속히 나까야마 외무대신에게 보고 하겠다고 하면서, 지금까지 한. 일 양국이 UR 성공을 위해 긴밀하게 협력해 온 바와 같이, 앞으로도 계속 제네바, 동경, 서울 채널을 통하여 긴밀히 협의해 나가기 바란다고 하였음.

3. 동 과장은 농산물 분야 OFFER 관련, 쌀 이외의 관세화 제외 품목, 국경조치 및 국내지지 삭감율, 갓트 11 조 2C 의 해당품목에 대해 깊은 관심을 보이고, 쌀의 경우 관세화 및 미니멈억세스를 인정하지 않는 점은 일본과 같으나 쌀에 대한 국내지지 수준 유지 입장은 일본과 다르다고 언급 하였음.

4. 동 과장은 또한 아국 OFFER 의 전제조건중 아국의 개도국 우대 확보입장과 관련, 한국이 개도국으로 인정받을 수 있을 것인지에 대해 조심스러운 의문을 표시 하였음.

5. 한편, 동 과장은 한국의 무세화 협상 참여 방침에도 많은 관심을 보이고, 금후 서비스 및 무세화 협상에 관해서 구체적으로 의견 교환하길 바란다고 하였음. 끝.

(대사 이원경-차관)

예고:91.6.30 까지

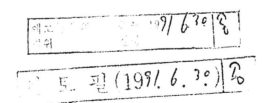

통상국   장관   차관   2차보

PAGE 1

91.01.16   19:35

외신 2과 통제관 DO

0200

외 무 부

종 별 :

번 호 : CNW-0074 　　　　　　　　　　일 시 : 91 0116 1515

수 신 : 장 관(통기,미북,상공부)

발 신 : 주 카 나 다 대사

제 목 : UR 협상

　　하명근 상무관이 1.15. 제네바에서 개최된 TNC 회의 결과에 대한 주재국측 반응 및 전망관련, 외무무역부 MTN BRANCH MR. MIKE GIFFORD(SENIOR COORDINATOR,AGRUCULTURE) 및 MR. KEITH CHRISTIE(DEPUTY COORDIANTOR, PACIFIC RIM)과 협의한바 동인들의 발언 요지를 아래 보고함.

　　1. 아국 입장에 대한 평가

　　0 금번 한국대표의 발언은 그동안 한국측이 견지해온 입장을 변경, 농산물 및 서비스 분야에서 새로운 유연성을 보여주는 것으로 현 교착 상태의 개선에 기여가 될수 있는 것으로 평가됨.

　　0 일본측도 다소 적극적인 자세를 보였으나 한국측 입장 변화를 보다 더 긍정적인 것으로 평가함.

　　2. 향후 협상 전망

　　0 GATT 의 DUNKEL 사무총장은 막후 접촉을 지속, 농산물 분야에서 협상 재개의 기초가 될수 있는 타협안(PLATFORM PAPER)이 이루어지는 경우 다음 회의를 소집할 것으로 보이는바, 1 월말 이전에는 새로운 전기를 기대하기는 어려울것 같음.

　　0 EC 의 ANDRISSEN 부위원장은 1.25.-26 기간중 우루과이 푼타 델 에스테에서 남미지역 CAIRNS 그룹국가(우루과이, 브라질, 아르헨티나, 콜럼비아, 칠레) 및 멕시코와 MTN 관련 협의를 가진후 미국(1.28)과 카나다 (1.29)측 통상 장관과도 양자협의를 가질 예정인데 이 경우 UR 관련 현안 사항이 토의될 것으로 보임.

　　(대사 - 국장)

　　첨부 : 관련 기사 (CNW(F)-0010

　　예고문 : 91.6.30. 까지

통상국　　미주국　　상공부

EMBASSY OF THE REPUBLIC OF KOREA
151 SLATER STREET, 5 TH FLOOR
OTTAWA, CANADA
K1P 5H3
TELEPHONE : (613)232-1715
FACSIMILE : (613)232-0928

FACSIMILE TRANSMISSION

번호 : CNW (F) - 0010   일시 : 910116 1530

수신 : 장 관 (통기 . 미북 . 성공무)

(FAX NO :   )

발신 : 주 카나다 대사

제목 :

(첨부물)

TOTAL NUMBER OF PAGES INCLUDING COVER SHEET : 2

0202

Globe & Mail
(91. 1. 16) B7

Breakthrough seen in GATT stalemate

'Signs of flexibility' stir optimism

BY JOHN ZAROCOSTAS
Special to The Globe and Mail

GENEVA — The Uruguay Round of world trade talks cannot be resumed until an agricultural roadblock is removed, GATT director-general Arthur Dunkel said yesterday.

The head of the General Agreement on Tariffs and Trade said he plans to continue with his consultation efforts aimed at restarting the trade liberalization talks and report back when he has a clearer picture to present.

While no timetable was presented, observers expect some movement by February.

The talks, sponsored by the 101-member GATT, the Geneva-based organization that regulates most world trade, were scheduled to finish last December in Brussels, but instead collapsed because of differences over reductions in farm support between the European Community, the United States and other farm-exporting nations, including Canada.

In a meeting that lasted less than an hour yesterday, Mr. Dunkel told trade officials that in his consultations since the Brussels meeting, he detects that "there is a firm desire to press ahead" with the round.

Signs of flexibility which were missing before the Brussels meeting and at the Brussels meeting itself can now be detected, he said.

While observers took Mr. Dunkel's comments to mean that the EC and the United States might be prepared to move from their previously rigid positions that helped torpedo the talks in Brussels, the GATT head was quick to add a note of caution.

"We must not deceive ourselves," he said. "Good intentions are one thing and real movement is another."

Mr. Dunkel said the key to resuming the talks was establishing a platform from which negotiations on agriculture can proceed.

In Ottawa, Canadian Trade Minister John Crosbie said Mr. Dunkel's quiet diplomacy is the right approach. It was clear from the Brussels meeting that public posturing and ultimatums will not work, he said.

"If there is going to be any progress in reaching some possible settlement of the agricultural issue, it's going to be by consultations behind closed doors," Mr. Crosbie said in an interview. "That's what's going on now."

Mr. Crosbie said he too has seen evidence of flexibility on the part of the main parties in the trade talks. "I certainly see no reason not to be hopeful. There is every indication that people are prepared to move."

The agricultural roadblock is holding up negotiations in other areas of the four-year-old Uruguay Round, including trade in textiles, services and intellectual property.

With files from Madelaine Drohan in Ottawa.

CN 10 - 7/2

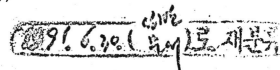

관리		
번호	91-86	

원 본

외 무 부

종 별 :

번 호 : GVW-0099 일 시 : 91 01117 1600

수 신 : 장관(통기,상공부)

발 신 : 주 제네바 대사대리

제 목 : UR/TNC 회의(8)

1. UR/TNC 수석대표급 비공식회의 아국 수석대표 선준영 주체코대사는 TNC 회의 참석 및 주요국 접촉 활동을 마치고 금 1.17(목) 임지 향발함.

2. 추준석 상공부 통상협력관은 1.16(수) 당지 출발하였으며, 본부 통상기구과 송봉헌 사무관은 1.17(목) 당지 출발함. 끝.

(대사대리 박영우-국장)

예고:91.6.30 까지

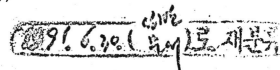

통상국	장관	차관	2차보	상공부

PAGE 1

91.01.18   05:14
외신 2과 통제관 CF
0204

우루과이라운드 무역협상위원회 수석대표급 비공식회의 결과 보고

1991. 1 . 16 .

외 무 부

앙 고 재	통 상 기 구 과	기 안 일 시	담 당	과 장	국 장	차관보	차 관	장 관
			김병주					

심의관 :

0205

1.15. 제네바에서 개최된 우루과이라운드 무역협상위원회(TNC) 수석대표급 비공식회의는 협상의 현황 및 전망을 간략히 점검하고 종료되었는바, 동 회의 결과, 아국대표단의 활동 사항, 아국입장에 대한 주요국 반응, 향후 평가 및 대책을 아래와 같이 보고드립니다.

회의 결과

o 던켈 사무총장이 협상 진전 현황 평가와 향후 협상 계획을 아래와 같이 요약
  - 긴박감을 갖고 협상 재개함이 중요
    . 특히 관건이 되고 있는 농산물 협상에 대한 각국의 융통성 발휘가 긴요
  - 농산물 협상 합의 기초를 마련중이며, 마련되는 대로 즉각 협상 재개 예정
    . 무역협상위원회(TNC) 회의를 상시 소집가능한 상태에 둠

o 아국, 일본, 스위스 대표의 기조 발언

아국대표단 활동

o 기조발언 및 던켈사무총장, 미국, EC, 카나다, 스웨덴등 주요국 대표단 면담을 통해 아국의 전향적 협상 입장 설명 및 이해 촉구

o 기조 발언 요지
  - 농산물 협상 입장의 전향적 재검토 용의 표명
    . 향후 협상 진전 상황에 따라 구체 내용 제시 용의도 표명
  - 서비스 분야 양허 계획서 제출 사실 언급
  - 무세화 협상에의 참여 의사 표명

0206

아국 입장에 대한 주요국 반응

o 미국

  - 한국의 전향적 입장에 유의

  - 협상 재개시 써비스, 시장접근, 관세분야에서 양자간 협상 희망

o 던켈 사무총장 및 기타 주요국

  - 협상 진전을 위해 유익한 조치로 환영

평가 및 향후 협상 전망

o 농산물에 관한 주요국간 합의 기초 부재로 당초 예상대로 단기간의 회의로
  종료

o 2월초순경 무역협상위원회 회의 재소집 전망

  - 단, 실질협상의 재개로 이어질지의 연부는 농산물 분야 막후 절충 성패
    여하에 좌우

  - ~~따라서 차기 회의가 우루과이라운드 협상 성패 여부에 긴요한 회의~~

o 농산물 분야 막후 절충의 진전이 순조로울 경우 던켈 사무총장이 헬스트롬
  문서를 대체할 새로운 문서를 제시할 전망

  - 감축폭, 이행기간에 대한 구체 수치를 명시치 않고, 누락된 일부 요소를
    포함하는등 헬스트롬 문서의 미비점 보완 예상

o 이를 위해 던켈 사무총장이 미국, 이씨, 케언즈 그룹, 일본, 한국등과
  활발한 비공식 접촉 예상

0207

대 책

o 던켈 사무총장 및 미국, 케언즈 그룹등 수출국과의 접촉 강화를 통해 새로운
  문서에 아국 입장 최대한 반영

  - 감축기간, 감축폭에 있어서의 개도국 우대 근거 마련

  - 11조 2항(C)의 적용 요건 완화 개선

  - 필수식량 (쌀)에 대한 예외 근거 마련   끝.

0208

```
┌─────────────────────────────────────────────┐
│  우루과이라운드  貿易協商委員会  首席代表級  │
│                                               │
│       非公式会議  結果  報告                  │
└─────────────────────────────────────────────┘
```

1991. 1. 16

外 務 部

> 1.15 제네바에서 開催된 우루과이라운드 貿易協商
> 委員會(TNC) 首席代表級 非公式會議는 協商의 現況 및
> 展望을 簡略히 点檢하고 終了되었는바, 同 會議 結果,
> 我國 代表團의 活動 事項, 我國立場에 對한 主要國
> 反應, 評價 및 向後 對策을 아래와 같이 報告드립니다

会議 結果

o 던켈 事務總長이 協商 進展 現況 評價와 向後 協商
  計劃을 아래와 같이 要約

  - 緊迫感을 갖고 協商을 再開함이 重要
    . 특히 關鍵이 되고 있는 農産物 協商에 대한
      各國의 融通性 發揮가 緊要

  - 農産物 協商 合意 基礎를 마련중이며, 마련되는
    대로 即刻 協商 再開 豫定
    . 貿易協商委員會(TNC) 會議를 常時 召集
      可能한 狀態에 둠

o 我國, 日本, 스위스 代表의 基調 發言

0210

我国代表団 活動

ㅇ 基調發言 및 던켈 事務總長, 美國, EC, 카나다,
스웨덴等 主要國 代表團 面談을 통해 我國의 前向的
協商 立場 説明 및 理解 促求

ㅇ 基調 發言 要旨

- 農産物 協商 立場의 前向的 再檢討 用意 表明
  . 向後 協商 進展 狀況에 따라 具體 内容
    提示 用意도 表明

- 서비스 分野 양허 計劃書 提出 事實 言及

- 무세화 協商에의 參與 意思 表明

我国 立場에 대한 主要国 反応

ㅇ 美 國

- 韓國의 前向的 立場에 留意

- 協商 再開時 써비스, 市場接近, 關税分野에서
  兩者間 協商 希望

ㅇ 던켈 事務總長 및 其他 主要國

- 協商 進展을 위해 有益한 措置로 歡迎

0211

評価 및 向後 協商 展望

o 農産物에 關한 主要國間 合意 基礎 不在로 當初 豫想
   대로 短期間의 會議로 終了

o 2月初旬頃 貿易協商委員會 會議 再召集 展望

   - 단, 實質協商의 再開로 이어질지의 與否는
     農産物 分野 幕後 折衷 成敗 如何에 左右

o 農産物 分野 幕後 折衷의 進展이 순조로울 경우
   던켈 事務總長이 헬스트롬 文書를 대체할 새로운
   文書를 提示할 展望

   - 減縮幅, 履行期間에 대한 具體 數値를 명시치
     않고, 漏落된 一部 要素를 包含하는등
     헬스트롬 文書의 未備点 補完 豫想

o 이를 위해 던켈 事務總長이 美國, 이씨, 케언즈그룹,
   日本, 我國等과 活發한 非公式 接触 豫想

0212

対策

o 던켈 事務總長 및 美國, 케언즈 그룹등 輸出國과의 接觸 强化를 통해 새로운 文書에 我國 立場 最大限 反映

  - 減縮期間, 減縮幅에 있어서의 開途國 優待 根據 마련

  - 11條 2項(C)의 適用 要件 緩和 改善

  - 必須食糧(쌀)에 대한 例外 根據 마련

- 끝 -

0213

발 신 전 보

번   호 : WAR-0020   910117 1904 FC   종별 :

수   신 : 주   수신처 참조 대사·총영사

발   신 : 장 관 (통기)

제   목 : UR 협상 아국입장 재검토

WAU -0030	WBR -0020
WCN -0067	WCS -0024
WDJ -0088	WMA -0074
WNZ -0016	WTH -0102

1. UR 협상이 실패할 경우 대외 지향적 경제 구조를 갖고 있는 아국 경제에
    미칠 부정적 영향과 90.12. 브랏셀 각료회의 이후 농산물 협상에서 EC,
    일본, 아국이 취한 입장에 대한 미국등 주요 농산물 수출국의 시각 및
    농산물 협상에 대한 기존 아국 Offer의 비현실성등 문제점을 감안, 정부는
    농산물 협상을 위시 서비스, 무세화안에 관한 아국 입장을 전향적으로
    재조정키로 방침을 정하고, 1.15. 제네바 TNC회의 아측 수석대표의 연설을
    통해 아래 요지로 이러한 입장을 공식 표명하였음.

    가. 한국은 농산물 분야에서 심각한 어려움을 겪고 있는 것이 사실이나,
         농산물 협상의 진전을 위해 보다 전향적인 자세에서 기제출한 Offer를
         개선할 예정이며, 향후 농산물 협상의 진전 상황을 보아 수정 Offer를
         제출할 용의가 있음.

    나. 또한 서비스 분야 협상의 진전을 위해 Initial Offer를 1.14(월)자로
         갓트 사무국에 제출하였음.

    다. 브랏셀 각료회의시 밝힌대로 일정 조건하에 분야별 무세화 협상에도
         참여할 용의가 있음.   // 계 속 ...

앙 고 재	91년 1 통 월 기 17 과 일	기안자	과 장	국 장	차 관	장 관	보안통제	외신과통제
		김복주		전결				

0214

2. 귀주재국 정부당국이나 언론으로 부터의 문의등이 있을 경우 상기 내용을
   참고하여 이는 아국의 UR 협상의 성공을 촉진시키기 위한 아국의 추가적
   기여 노력임을 강조하는등 적절히 대응할 것.

3. 1.15. TNC 회의에서는 던켈 갓트 사무총장의 협상 진전 현황 평가 및 향후
   협상 계획에 대한 언급과 아국, 일본, 스위스의 기조연설이 있은후 간략히
   종료되었는바, 협상의 성공을 위하여 입장을 전향적으로 개선한 국가는
   아국뿐으로 회의 종료후 던켈 사무총장, 스웨덴, 홍콩, 파키스탄 대표들이
   아국의 전향적인 입장에 사의를 표명하였으며 한편 미국도 제9차 한. 미 경제
   협의회(1.14-15 개최)시 아국의 전향적 입장 개선에 대하여 사의를 표명
   하였음을 참고하기 바람.   끝.

   수신처 : 주알젠틴, 호주, 브라질, 카나다, 칠레, 인니, 말련, 뉴질랜드,
            태국대사

                              (통상국장 김삼훈)

0215

UR 協商 現況 및 展望

o 작년 12월 브랏셀 閣僚會議 以後 거의 中斷狀態에 있던 UR 協商은 最近
   1.15 제네바에서 TNC 首席代表級 非公式 會議가 開催되었음에도 不拘하고
   특별한 進展을 보이지 않고 있음.

o 1.15. TNC 會議는 農産物에 관한 協商 基礎가 마련되지 못한 狀況에서
   開催되었기 때문에 이제까지의 協商 現況과 앞으로의 展望만을 간략히
   點檢하고 終了하였음.

o 現在 Dunkel 갓트 事務總長을 中心으로 農産物 分野의 協商 基礎 마련을
   위해 努力中이나 아래와 같은 日程에 비추어, 그 結果는 1月末 以後에
   가서나 可視化될 것으로 보임.
   - 1.19. 以後 共同 農業政策 改革 方案에 관한 EC 內部論議 本格化
   - Andriessen EC 執行委 副委員長, 1.24-25간 中南美 强硬 케언즈그룹
     國家 訪問, 1.28. Hills 美貿易代表 面談, 1.29 카나다 訪問 豫定
   - Dunkel 事務總長 1月下旬 ASEAN 및 日本 訪問 豫定

0216

o 現在로서는 1月末 또는 2月 초순경 TNC 會議가 일단 再召集 될 것으로
   豫想되나, 同 會議가 UR 協商의 實質的 再開로 이어질 수 있을지는
   農産物 分野 協商 基礎 마련 與否에 달려 있다고 봄.

o 한편 "페"灣 戰爭도 UR 協商의 進展을 어렵게 만들 수 있는 變數로 作用할
   것이나, 戰爭이 短期間에 終了될 경우 UR 協商을 促進하는 結果를 가져올
   可能性도 排除할 수는 없음.

o 한편 政府는 브랏셀 閣僚會議 以後 可及的 조속히 UR協商이 妥結되는 것이
   國益에 보탬이 된다는 判斷 아래 我國 協商 立場을 再檢討하여 農産物,
   서비스 協商 및 無稅化 問題에 있어서의 我國의 前向的 立場을 1.15
   TNC 會議 및 外交經路등을 통해 表明하였음.

관리
번호 91-92

외 무 부

종 별 :

번 호 : GVW-0133

일 시 : 91 0122 1900

수 신 : 장관(통기,경기원,재무부,농림수산부,상공부) 사본:주카나다 박수길

발 신 : 주제네바 대사대리   대사

제 목 : UR 협상 전망

　　1. 박 공사는 1.22 갓트 사무국 HARTRIDGS 국장을 오찬에 초대 앞으로의 UR협상 전망에 관해 협의한바 (오참사관 동석) 동국장은 걸프전쟁 발발로 인해 UR협상의 기한내 타결이 어려울 것이라는 것이 일반적인 관측이나 갓트 사무국으로서는 기한내 타결 가능성을 배제치 않고 이에 대비하고 있다고 말하고, 내주중에는 공식 회의가 없을 것이며 2.4 주간에 비공식 TNC 회의를 소집할 가능성이있다고 말함.

　　2. 동 국장은 던켈 사무총장이 브랏셀 각료회의 이후 미국 및 EC 측의전향적인 움직임을 염두에 두고 1.15 TNC 회의에서 조심 스러운 낙관론(CAUTIONS OPTIMIS)을 피력한바 있지만 ANDRIESEN EC 대외 문제 담당집행위원이 1.25-26간 푼타델 에스테 방문후 1.28 경 미국을 방문하여 미.이씨간 농산물 분야에서의 타협점이 발견된다면 2월초순부터 협상을 집중하여 기한내 협상 마무리가 불가능한 것은 아니라고 말함.

　　3. 한편 당관이 기타 사무국 관계관 및 주요국가 관계관을 통해 탐문한바로는 던켈 총장은 1.15 TNC 이후 URUGUAY 방문후 호주, 인도네시아를 방문하고미국도 재 방문할것으로 예정 하였으나 걸프 전쟁 발발로 계획을 취소하고 PUNTA DEL ESTE 만 방문할것이라는 관측이 있는바 유동적인 것으로 보임.

　　4. 본건 진전 사항 계속 탐문 추보 하겠음. 끝

　　(대사대리 박영우-국장)

　　예고 91.6.30. 까지

91.6.30. (암버)로 재분류

통상국	장관	차관	2차보	경기원	재무부	농수부	상공부

PAGE 1

91.01.23　　11:54

외신 2과　통제관 BT

0218

외 무 부

종 별 :

번 호 : GVW-0139   일 시 : 91 0123 1530

수 신 : 장 관(봉기/경기원,재무부,농림수산부,상공부)

발 신 : 주 제네바 대사대리

제 목 : UR 협상(전망)

　　걸프 전쟁이 UR 협상에 미치는 영향과 관련하여 1.22.자 당지 SUNS 지의 보도요지를 아래보고함.

　　0 주요국 최고 정책 결정권자들의 관심이 걸프사태에 집중되고 있고, 걸프전쟁결과로서 예상되는 정치, 경제적 여파도 우려되므로, UR협상 재개를 위한 협상 기초 (PLAFORM) 마련이 지연되고 있으며, 이러한 상황은 2월초 까지는 계속될 것으로 보임.

　　0 당초 DUNKEL 총장은 1.15. TNC 직후인 1.17경부터 주요국가 비공식 접촉을 시작하여, 금주부터 협상을 재개할 것을 염두에 두고 있었으나 여의치 못하게 됨.

　　0 앞으로 1.25-26. ANDRIESSEN 집행위원의 중남미케언즈 국가들과의 협의 및 곧이은 미국 및 카나다 방문과, 1.30 푼타델에스테에서 개최되는 UNCTAD UNDP 주최중남미 국가간의 회의등을 통해 보다 구체적인 전망이 가능할 것이라는 것이 일반적인 관측이었음.

　　0 그러나, 당초 1.30 푼타델에스테 회의에 참석할것으로 예상되었던 HILLS 대표, ANDRIESSEN위원 및 브랏셀 각료회의 비공식 협상 그룹사회를 맡았던 일부 각료들의 참석이 어렵게됨으로써 푼타델에스테 회의의 성격이 달라지게 됨.

　　0 농산물 협상과 관련, 갓트 사무국은 HELLSTROM의장안을 수정한 협상기초를 준비하고 있으며, 감축폭, 기간등과 관련한 구체적 수지 포함여부를 주요국과 협의하고 있는바, 당초 미국이 동협상기초를 협의하기 위한 협상팀을 제네바에 파견할 것으로 보도되었으나 아직 도착치 않고있음.

　　0 써비스 협상과 관련, 미국은 EC 를 포함 21개국 (EC 를 1개로 계산)에 양자협상을 제의하였으나, 소수국가만이 긍정적인 반응을보임. EC 는 양자협상 이전에 협상 지침 및 방식을 협의하기 위한 회의를 개최할 것을 주장하였으나 미국은 이에

통상국　　2차보　　경기원　　재무부　　농수부　　상공부

PAGE 1

91.01.24　09:48 WG
외신 1과 통제관

0219

반대함.

0 미국 의회의 신속처리절차에 의한 시한이 가까와지고 있으나, 미행정부에게 동시한이 큰 난관은 아님. 예를들어 미.카나다 무역협정 체결시와 같이 91.3.1 까지 의회에 협상 결과의 골격만 통보하고 구체적 협정 문안은 5.31. 까지 통보할 수도있음.

0 걸프전쟁이 신속 종료되어 BUSH 대통령의 발언권이 강해지면 행정부는 신속처리 절차권한을 2년간 연장할 수도 있음. 그러나 EC 는 협상을 연장하여 앞으로 2년간 계속 압력을 받는것보다는 적정한 (MODEST) 수준의 합의를 원하고 있음.

0 그러나 걸프 전쟁 및 그로인한 중.장기적 경제적 영향은 UR 협상에 중대한 영향을 미칠것임.UR 협상의 진전에 있어서 EC, 일본등 주요교역 상대국에 대한 미국의 압력과 신분야 (지적소유권, 투자, 서비스)에서의 개도국에 대한 미, EC 의 압력이 중요한 역할을 해왔으나, 걸프전쟁을 위요한 서구제국의 단결 및 재정지원 확보와 관련, 미국이 서독, 불란서등 EC 국가나 일본에게 이러한 압력을 행사하기 어려운 실정임.

0 또한, 현재 심각한 경제위기를 겪고 있는 주요 개도국들에게 신분야에서의 양보를 기대하기도 어려운 실정임.

0 앞으로 수주간 농산물 협상에서 기대수준의 하향조정이 이루어질 경우, 신분야에서의 기대수준 조정도 이루어져야 하며, 개도국에 대한 농산물, 지적소유권 분야에서의 융통성 부여, 예외인정등이 수반되어야 할것임.끝.

(대사대리 박영우-국장)

외 무 부

종 별 :

번 호 : GVW-0144   일 시 : 91 0123 1800

수 신 : 장관(통기), 경기원, 재무부, 농림수산부, 상공부) 사본: 주카나다 박수길대

발 신 : 주 제네바 대사대리   사(본부중계필)

제 목 : UR 협상 전망

연:GVW-0133

박공사는 1.23.LINDEN 갓트 사무총장 특별고문과 오찬을 같이하며 UR 협상 전망등에 관해 의견을 교환한바, 동인 발언 요지 아래 보고함(오참사관 동석)

1. 던켈 총장이 UR 협상의 타결 전망에 대해 조심스런 낙관론을 피력한 배경은 브랏셀 각료회의 이후 미국 및 EC 측이 신축적인 입장을 보임에 따라 2 월중 농산물 협상에 대한 협상 기초(3 개 분야에 대한 삭감 원칙 및 미.이씨측이 주장하는 삭감폭의 중간선)에 합의할 가능성이 있으며 이에 따라 여타 협상분야도 타결 가능하다고 보고, 이경우 미의회에 대하여는 3.1. 까지 협상 결과의 골격을 통보토록 하고 기술적인 협상은 5 월말까지 계속 진행 마무리짓는 가능성을염두에 둔 것이었음.

2. 미 행정부가 신속처리절차에 따라 UR 협상결과를 3.1 까지 미의회에 통보토록 되어 있으나, 과거 동경라운드 협상, 미. 카나다 자유무역협정체결시에도 협상결과의 골격을 통보했던 예가 있으므로 UR 협상의 경우도 신축적일 수 있다고 보고있음.(대의회 통보에 앞서 미 업계에 사전 통보해야 하는 문제도 신축성이 있는것으로 본다함).

3. 브랏셀 각료회의 이후(전쟁발발 이전) 당지 USTR 측과의 접촉과정에서 미측은 EC 측이 농산물 협상에서 어느정도 융통성을 발휘 할 수 있을 것이라는 점을 감안, UR 협상의 기한내 타결이 어려울 경우 신속처리 절차의 연장문제에 대해 대체로 낙관하고 있는것으로 보았으며, 걸프 전쟁발발로 인해 미의회가 동 신속처리절차를 연장할 가능성은 더커졌다고 보며, 연장할 경우에는 6 개월 내지1 년 정도가 될것으로 전망할 수 있음. 끝.

(대사대리 박영우-국장)

예고:91.6.30 까지

91. 6.30 (일반)로 재분류

통상국 상공부	장관	차관	1차보	2차보	정와대	경기원	재무부	농수부

	분류번호	보존기간

발 신 전 보

번 호 : WUS-0288   910124 1749 DA   종별 :

수 신 : 주 미, EC, 일본, 우루과이 · 총영사 ~~대사~~ (사본 : 주제네바대사)   WEC -0049   WJA -0340   WGV -0121

발 신 : 장 관 (통 기)

제 목 : UR 협상 전망

1. 1.22자 제네바 Sun지는 1.30(수) 푼타델 에스테에서 개최 예정인 UNCTAD 및 UNDP 주최 중남미 국가간 회의에 당초 참석할 것으로 예상되었던 Hills 미 무역대표, Andriessen EC 집행위 부위원장 및 브랏셀 각료회의 비공식 협상 그룹에서 사회를 맡았던 일부 각료들의 불참으로 인하여 동 회의의 성격이 달라지게 되었다고 보도함.

2. 동지는 또한 농산물 협상과 관련, 갓트 사무국은 Hellstrom 의장안을 수정한 협상 기초를 준비하~~고 있으며~~ 기하여 감축폭, 기간등과 관련한 구체적인 수치의 포함 여부를 주요국과 협의하고 있으며, 또한 서비스 협상과 관련하여 미국이 EC를 포함한 21개국에 양자 협상을 제의하였으나 소수국가만이 긍정적인 반응을 보였다고 보도함 (상세 내용 주제네바대표부 전문 참조)

3. 이와 관련, 주재국 관계당국과 접촉하여 상기 보도 내용의 사실여부 및 보다 구체적인 내용을 파악 보고 바람. 끝.

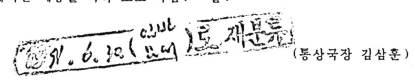

(통상국장 김삼훈)

앙 고 재	91 년 1 월 24 일	통 기 과	기안자 김성주	과 장	국 장 후열	차 관	장 관	보안통제	외신과통제

0222

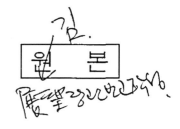

외 무 부

종 별 :

번 호 : GVW-0154 　　　　　　　　　　일 　시 : 91 0124 1800

수 신 : 장 관(봉기, 경기원, 재무부, 농림수산부, 상공부)

발 신 : 주 제네바 대사대리

제 목 : UR/ 협상전망등에 관한 카나다와의 협의

　　당관 박공사는 1.24.카나다 대표부의 WRIGHT공사를 접촉하여 UR 협상 전반 및 양국간협상 진행등에 대하여 의견을 교환하였는바 요지 아래 보고함.

　　1. 차기 TNC 회의등 UR협상진행(카나다 공사 견해)

　　가. DUNKEL 갓트 사무총장은 1.28 주간에 있을 시장접근 및 서비스 양자협상등과 병행하여 1.31-2.1 주요국 대표들을 개별적으로 접촉하여 의견을 조정한후 동 주말에 주요국 대표들과의 비공식 회의를 하고 이어서 2월 4일 또는 5일에 TNC 회의를 소집할 구상을 하고 있는 것으로 보임.

　　나. 동 TNC 회의에서는 브랏셀 회의때와 같이 약 5개 분야로 협상그룹을 나누어 (예: 농산물, 섬유, 시장접근, 서비스, 규범등) 협상을 진행하고 2.22.까지 가시적인 협상 결과를 도출하도록 노력할것임.

　　이경우 농산물 협상그룹은 DUNKEL 총장 자신이 의장을 맡고 새로운 협상 대안을 제시할 가능성이 있으며 나머지 그룹은 적절한 인사에게 의장을 담당토록 할것으로 보임.

　　다. 미국 USTR 은 2.15.경까지 협상 추이를 관찰한 후 낙관적인 전망이 가능한 경우 미국의회에 3.1까지 제출시한을 5월 초순 또는 중순까지 연장할수 있도록 양해를 받도록 노력할 것으로 생각되며 이경우에는 6.1 까지의 'FAST TRACK' 자체의 시한은 변경하지 않는범위에서 처리토록 하려고 할것임.

　　라. 만약 가시적인 협상 결과의 도출이 어렵다고 생각되는 경우에는 미 행정부가 의회에 'FASTTRACK' 시한 연장을 요청할 것으로 보이지만 그렇게되면 새로운 조건의 부과등 UR 협상진행에 새로운 어려움이 야기될 것으로 전망됨.

　　마. 걸프전쟁이 UR 에 영향은 당초에는 큰우려가 있었으나 현재로서는 크지 않을 것이라는것이 일반적 견해로 여겨짐.

통상국　　2차보　　경기원　　재무부　　농수부　　　상공부

2. 한.카 양국간 협상 진행

가. 아측은 브랏셀 회의 이후 변경된 아측의 입장 즉 농산물 협상에서의 입장수정, 서비스 OFFER 제출, 분야별 무관세 제안의 긍정적 검토등에 대하여 설명하였는바 카측은 이와같은 한국의 진전된 입장이 UR 협상에 매우 고무적인 효과를 줄것이라고 평가하였음.

나. 카측은 다음주의 양자협상 과정에서 아측과보다 구체적인 협의를 희망한다고 하면서 특히 분야별 무관세 제안중 한국이 참여할수 있는 구체적 분야에 대하여 많은 관심을 표시하였음.

다. 카측은 다음주에 본국으로 부터 협상대표들이 도착할 것이나 구체적인 일정 및 협상대표단의 구성은 아직 결정되지 않았으며 예상대로 2월 4-5간 TNC 회의가 개최될 경우 현재로서는 단지 샤논대사가 수석대표가 될것으로 보이지만 다른나라의 대표단 구성등을 참고하여 정하게 될것으로 보인다고 함. 한.카간의 양자협상 일정은 양국의 협상대표 파견 일정등이 정하여진 이후에 다시 논의하기로 하였음.

3. 한편 상기 카나다측 접촉후 당지 미국대표부 STOLE 공사를 접촉 탐문한바, 미국측도 2월 4일시작주에 TNC 회의 개최를 예상은 하고 있지만 아직 던켈총장으로부터 이문제에 대해 구체적인 협의를 받은바 없다고 중요한 것은 TNC개최전에 농산물분야에서 실질적인 진전이있어야 한다는 점을 강조하였으며, TNC 회의가 개최될 경우, 미 측 수석대표는 LAVOREL 대사가 될 것으로 예상한다 하였음.끝.

(대사대리 박영우-국장)

PAGE 2

0224

외 무 부

종 별 :

번 호 : URW-0007 일 시 : 91 0124 1840

수 신 : 장관(통과)

발 신 : 주 우루과이 대사

제 목 : UR협상

대:WUR-0012

대호, 당관이 파악한 바에 의하면, 금월중 당지 PUNTA DEL ESTE 에서 아래 2개의 비공식회의가 개최될 예정임을 우선보고함.

①. EC-중남미지역 CAIRNS 그룹 국가간회의(1.25-26)

-협의 예정사항: 주로 농업문제

-참석: EC (ANDRIESSEN EC 집행위 부위원장), 중남미 6 개국(알젠틴, 브라질, 콜롬비아, 칠레, 우루과이, 멕시코)

②. 중남미 국가간 회의(1.30)

-협의예정사항: UR 전반, 분야별 협상대안, 금후 협상일정등

-참석: EC(제네바 주재 EC 대사), UNCTAD, UNDP 등 국제기구 대표

기타: HILLS 미 무역대표등 주요국 각료 초청중이나 참석여부 상금 불확실

(대사-국장) 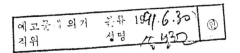 91、6-30까리

예고문 에 의거 1991.6.30
직위 성명

통상국

관리
번호 : 91-102

원 본

종 별 :

번 호 : JAW-0399

일 시 : 91 0126 1927

수 신 : 장관(통기)

발 신 : 주 일 대사(경제)

제 목 : UR 협상전망

대 : WJA-0340

대호관련 당관은 1.25 주재국 외무성 국제기관 1 과 수석사무관 및 농림수산성 국제경제과장과 각각 접촉하였는바, 동인들은 대호 제네바 SUN 지의 보도내용에 대해서는 알지 못한다고 하면서 농산물 및 서비스협상 관련동향에 대해 아래와 같이 언급하였음.

1. 농산물 협상관련, 일본으로서는 갓트사무국으로부터 어떠한 협의도 제의받은바 없으나, DUNKEL 사무총장이 1.28-29 경 미국 및 EC 등과 협의후 2 월초 새로운 PLATFORM 을 내놓을 것으로 예상됨. 새로운 PLATFORM 이 제시되면 이를 기초로 협상이 진행될 것이나, 동 PLATFORM 내용 및 협상전망에 대해서는 예측하기 어려움.

2. 서비스협상 관련, 일본은 미국으로서부터 협상제의를 받았는바, 1.30 제네바에서 미국, 일본을 포함한 수개국간에 회의가 개최될 것으로 전망됨. 끝

(공사 이한춘-국장)

예고:91.6.30. 까지

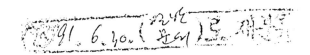

통상국   차관   2차보   아주국

PAGE 1

91.01.26   19:46

외신 2과 통제관 DG

0226

외 무 부

종 별 :

번 호 : USW-0474   일 시 : 91 0128 1852

수 신 : 장 관(통기,통일,경기원)

발 신 : 주 미 대사

제 목 : UR 협상 전망

1. 1.27자 FINANCIAL TIMES 보도에 의하면, KATZ USTR 부대표는 오는 3.1
FASTTRACK AUTHORITY연장 시한까지 UR 농산물 협상을 타결키는 불가능하다고
언급하였으나, UR 타결 여부에 관계없이 미 행정부는 미.멕시코 자유 무역 협정교섭을
위해서라도 동 AUTHORITY 의 연장을 추진할것이라함.

2.상기와 관련, 당관 최영진 참사관이 USTR관계관 (N.ADAMS 부대표보등)에
확인한바, 미 행정부는 FAST TRACK AUTHORITY 연장을 추진할것인지 아직 방침을 결정
하지는 않았으나, USTR 관리들은 대부분 UR 농산물 협상의 3.1 이전 타결 가능성에
대해 회의적 이라함.

첨부: USW(F)-0352

(대사 박동진-국장)

통상국   2차보   통상국   경기원

PAGE 1   91.01.29   09:25 WG

외신 1과 통제관

0227

0228

Bush administration seeks to extend trade talks 'fast track'

by Peter Montagnon, World Trade Editor

THE Bush administration will seek a two-year extension of its fast-track authority to negotiate trade agreements at the end of next month, regardless of what happens in the stalled Uruguay Round of multilateral trade talks.

It would be needed to negotiate the planned US trade agreement with Mexico, even if the Uruguay Round remains stalled because of the differences between Brussels and Washington on farm subsidies, officials said yesterday.

By granting fast-track authority to the administration, Congress abandons its right to amend any trade agreements that are submitted for ratification.

Speaking to reporters late on Thursday, Mrs Carla Hills, US trade representative, said the administration now regarded the extension of the present authority, which expires on March 1, as a procedural matter unrelated to the round.

The authority is generic and, under the current trade act, an extension would automatically be for two years. The administration need not specify the purpose for which an extension is needed, a spokeswoman said.

However, it regards it as politically imperative to do so. Thus the administration will cite the Mexico talks in requesting an extension, but

the additional objective of completing the Uruguay Round will only be mentioned if there is substantial progress within the next month.

This is to avoid the risk of the request being rejected out of hand, which would scupper the Mexico deal as well as any lingering prospects for the round.

Mrs Hills said she still hoped the Uruguay Round could be completed this year. The

Mexico deal is also expected to take less than two years.

News agency reports from Washington also quoted Mr Julius Katz, her deputy, as saying that it was now too late for a Uruguay Round agreement on farm reform by the March 1 deadline. But a change of heart by the EC could increase the chance of fast-track being extended for the Uruguay Round as well as Mexico.

● The Confederation of Brit-

ish Industry said it was joining 16 other business organisations in Europe, Canada, the US and Japan in a plea to governments to revive the round.

Failure would endanger international business relationships and the prospects for world growth. "It would lead to a dramatic increase in business uncertainty, the threat of discriminatory arrangements, [and] a multiplicity of trade conflicts," a statement said.

외 무 부

종 별 :

번 호 : URW-0009   일 시 : 91 0128 1320

수 신 : 장관(봉기)

발 신 : 주우루과이 대사

제 목 : UR 협상

작 주말(1.25-26) 당지 PUNTA DEL ESTE 에서 개최된 EC- 중남미 CAIRNS 국가간
회의 관련 보도된 내용 아래 보고함.

1. 참석

- EC: FRANS ANDRIESSEM

- 중남미: 알젠틴(외상)

브라질(봉상장관)

콜롬비아(농무장관)

칠레(농무장관), 멕시코(GATT대사), 우루과이(농축산장관)

-우루과이: GROS 외상, TNC 의장자격으로 참가

2. 회의진행: EC, 참가 각국간 양자회의후 전체회의

3. 회의결과

가. 회의후 GROS 외상 기자회견 요지

-회의는 유익하였으나 상호의견 교환을 위한 비공식회의 였던 만큼 금후
협상진전관련 지나친 기대는 금물임.

-참가국 모두 UR 협상의 실패는 막아야하며,이를위해 각 협상대상국들의
각분야에서의 입장완화(양보)및 UR 의목표 제한이 필요하다는데 의견 일치

-금후 협상 재개시 가장 기본적인 분야

-농산물, 서비스, 섬유, 열대산물, 시장접근, 분쟁해결   방식및   관세장벽-에
치중,주력함이 바람직하다는데 의견 일치

나. ANDRIESSEN EC 집행위 부위원장 회견요지

- UR 협상의 실패가 세계경제에 미칠 영향에 비추어 동협상의 성공적 타결을
위해각 당사국들의 양보 및 이를 통한 각당사국들이 모두 수용할수있는 협상기초가

통상국   2차보

PAGE 1   91.01.29   02:41 DQ

외신 1과 통제관

0229

UR(우루과이라운드) 협상 동향 및 TNC(무역협상위원회) 회의, 1991. 전4권(V.1 1월) 235

최대한 조속히 마련되어야 함.

-중남미 국가들에게 EC 제국간에 협의되고있는 <u>EC 의 새로운 농업정책을 설명</u>하였음. 동정책은 EC 농업생산 감축,수입쿼타 증대,국경조치 완화등을 통해 세계 농산물교역에 큰영향을 미치게 될것임.

4.기타

- ANDRIESSEN 부위원장은 동회의 후 미국및 카나다를 방문,양국 통상관계 각료들과 회합 할 예정

- <u>GROS 외상은 2월초 방미, HILLS 통상대표와 회합예정이며,2.17경 제네바 방문,DUNKELL GATT 총장과 금후 협상 추진 일정 협의예정,</u>

(대사-국장)

PAGE 2

0230

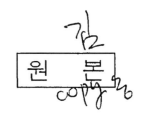

외 무 부

종 별 :

번 호 : GVW-0179　　　　　　　　　　일 시 : 91 0128 1430

수 신 : 장관(봉기, 경기원, 재무부, 농림수산부, 상공부)

발 신 : 주 제네바대사대리

제 목 : UR 협상(전망)

　　1. 1.28.자 FINANCIAL TIMES 지 보도에 의하면 1.25-26간 푼타델 에스터에서 개최된 ANDRISSEN EC대외 담당 집행위원과 알젠틴, 브라질, 콜롬비아, 칠레, 멕시코, 우루과이등 6개 중남미 국가관리들과의 회합에서 참석자들은 UR 협상이 재개될수 있다는 신중한 낙관론에 동조한다 (THREE ARE GROUNDS FOR CAUTIOUS OPTIMISM) 고언급하였다 함.

　　2. 참석자들은 또한 당초의 목표를 하향조정 함으로써 UR 협사을 구제해야 하며, 협상의 초점은 농산물, 써비스, 섬유, 열대산품, 시장접근등 5개 핵심분야에집중되어야 하며, 5개 분야에서 모두 진전이 이루어져야 협상이 성공할수 있다는데의견을 같이 하였다 함.

　　3. 그러나, 농산물 분야에서는 깊은 의견차이가 존재한 바, ANDRIESSEN 위원은농업보조, 생3%, 수출의 감축을 내용으로 하는 EC 의 공동농업정책 개혁 계획을 설명한데 대해 중남미 국가들은 미온적인 반응을 보였다함.

　　끝.

　　(대사대리 박영우-국장)

통상국　　2차보　　........　　경기원　　재무부　　농수부　　상공부

PAGE 1　　　　　　　　　　　　　　　　　　　91.01.29　　06:33 DA

　　　　　　　　　　　　　　　　　　　　　　외신 1과 통제관

　　　　　　　　　　　　　　　　　　　　　　　　　0231

외 무 부

종 별 :

번 호 : GVW-0199   일 시 : 91 0129 2030

수 신 : 장 관(봉외, 경기원, 재무부, 농림수산부, 상공부)

발 신 : 주 제네바 대사대리   사본:주 카나다 박수길 대사(직송필)

제 목 : UR/ 개도국 비공식 그룹 회의

1. 금 1.29(목)RICUPERO 의장 주재의 표제회의가 개최되어 DUNKEL 사무총장 (고위급 TNC 의장 자격)으로부터 UR 협상 현황에 관한 설명을 청취하였는바 DUNKEL 의장의 주요 언급사항아래 보고함 (박공사,오참사관,민서기관 참석)

가. 브랏셀회의까지는 협상을 진척시키기 위한 방안으로 협상의 시한 (DEADLINE) 을 정하여 진행하여 왔으나 결과적으로 동 시한들을 지키지 못하였는바, 지금부터는 시한을 설정하지 않고 조용한 가운데 협상재개를 위한 노력을 기울이고자 하며, 따라서 차기 TNC 개최 일자도 미리정하지 않고 실질적인 진전이 있을때 개최할생각임.

나. UR 협상 재개를 위해서는 농산물 분야협상의 돌파구가 마련되어야 할 것이므로 현재농산물 분야의 합의 기초 (PLATFORM) 를 만드는데 최대역점을 두고 있으며 이를 위해 주요국과의 개별접촉 및 필요시 수개국과의 합동협의등을 가질 생각이며 우선 2-3일내 핵심주요국들과의 고위급 협의를 갖고 동 PLATFORM의 내용을 협의할 계획임. 동 PLATFORM 은 합의의 결과 (AGREED PLATFORM) 가 아니라 모든 참여국에 의해 거부되지 않고 (NOT REJECTED) 향후 실질 협상의 기초가 될 PLATFORM 이 되어야 하므로결코 쉬운 작업은 아닐 것임.

다. 전체 UR 협상 과정의 재개시기에 대해서는 현재로서는 말하기 어려우며, 농산물 분야 협상에서 진척이 이루어 지면 여타 분야의 협상도 따라서 진행이 될것임.

라. 2월중순 ESPIEL 각료급 TNC 의장이 수일간 제네바를 방문할 예정이나, 이는 동 의장의 희망으로 이루어지는 것이며 동 방문에 지나친 기대나 희망을 갖지 않기를 바람. (모록코대사가 동시기에 TNC 개최 가능성 여부를 질문한데 대한 답변)

2. DUNKEL 의장은 UR 협상 전망에 관하여 현재반 여건에 비추어 UR 협상이 또다시 브랏셀회의 전철을 밟을 수는 없으므로 지극히 조심스럽게 협의를 진행시키겠다는 뜻을 강조하고 모든 회원국의 협조를 당부하였음.

통상국   장관   차관   2차보   경기원   재무부   농수부   상공부

PAGE 1   91.01.30   10:24 WW

외신 1과 통제관

0232

3. 던켈총장의 이상 발언에 비추어 당초예상되던 2월초 TNC 개최는 어려울 것으로 보이며, 추후 개최시기는 금주에 시작할 던켈총장의 상기 주요국들과의 협의결과에 좌우될 것으로 관측됨.끝.

　　(대사대리 박영우-장관)

長 官 報 告 事 項

題 目 : UR 協商 動向

　　膠着狀態에 빠진 UR協商의 再開를 위한 幕後努力 및 協商의 實質的 再開
展望과 관련, 最近 公館報告 및 外紙 報道內容등을 綜合, 아래와 같이 報告
합니다.

---

1. EC의 共同 農業政策 改革論議 推進 現況 및 展望

　가. 推進 現況

　　　o 1.20 執行委 세미나 및 1.21-22 農業理事會에서 MacSharry 委員長의
　　　　改革案을 論議

　　　o 2.4 農業理事會를 再開, 論議 繼續 豫定

　나. MacSharry 改革案 要旨

　　　o 價格支持 減縮

　　　o 上記 減縮으로 發生하는 農民所得 減少를 直接所得支持로 補塡
　　　　- 耕作規模에 따라 차등 補塡 (小農優待)

　다. 論議 展望

　　　o 英國, 덴마크, 화란은 大農 희생을 이유로 反對, 스페인, 폴루칼,
　　　　그리스등은 歡迎, 불란서는 政府수뇌급에서 결정될 事案이라는 이유로
　　　　立場을 留保, 난항 豫想

0234

○ 단, EC自體事情 (CAP豫算이 EC 總豫算의 60% 이상 占함으로써 현
  制度 維持 能力에 限界點 到達)上, MacSharry 改革案을 일부 緩和
  조정후 最終 合意 可能하다는 조심스런 낙관론 대두
  - 合意 可能 時期는 EC 내부 政策決定 過程上 豫測 困難

2. 主要國間 折衷 努力 展開

가. EC의 主要國 接觸 努力

○ EC-中南美 케언즈 國家間 會議 開催 (1.25-26, 푼타 델 에스테)
  - Andriessen EC 執行委 副委員長 및 알젠틴, 브라질, 콜롬비아,
    칠레,우루과이, 멕시코 代表 參席
○ Andriessen 副委員長, Hills 美貿易代表面談 (1.28) 및 카나다
  訪問(1.29) 豫定
○ 현재 論議中인 CAP 改革案을 토대로한 輸出國들과의 意見 調整 形態가
  될 것으로 豫想

나. 中南美 國家間 自體 意見 調整

○ 中南美 國家間 會議 開催 豫定 (1.30. 푼타 델 에스테)
  - EC 및 UNCTAD, UNDP 代表도 參席
○ 상기 EC와의 協議 結果에 따른 中南美 Cairns 國家內部 立場 協議 目的
○ Hills 美 貿易代表, Andriessen 副委員長, Hellstrom 스웨덴 農務
  長官등 主要人士가 招請되었으나 參席與否 不透明
  - 上記人士들의 參席 可能 경우, 主要國間 協議 可能視

다. Davos 會議時 主要國 接觸 可能

○ 2.1-3 豫定 Davos 會議에, Hills 代表등 主要國 閣僚參加時 協議 可能視

2

0235

라．　美．EC間　協議

　　o 2.17-18간 EC代表團이 Washington을 訪問, Hellstorm Paper 修正을 위한
　　　協商 開催 豫定 (Nancy Adams 美 貿易副代表補)

3. GATT 事務局의 協商 再開 努力

o Dunkel事務總長이 1.28 週間 主要國 個別接觸을 통해 意見 調整後, 동 週末
　(2.1-2) 主要國 非公式會議를 거쳐, 2.4-5 TNC 非公式會議 再召集을 構想하고
　있는 것으로 관측
　- 당초 1月下旬 ASEAN 및 日本訪問 計劃은 취소

o 상기 TNC 會議 開催時 약 5개 分野로 나누어 實質 協商을 進行하되, 農産物은
　Dunkel 자신이 주재 예상
　- GATT 事務局이 Hellstrom 案의 修正案(platform)을 準備中이라는 언론보도
　　(1.22자 Sun지)
　- EC의 農産物 3개 分野에 대한 削減 原則同意 및 美. EC 兩側이 主張하는
　　削減幅의 中間線 妥結 展望 (Linden 갓트 事務總長 特別 顧問 意見)

o 동 TNC會議 를 통해 2.22 까지 可視的 協商 結果 導出 努力

4. 美國의 FAST TRACK Mandate 延長 可能性

o 3.1 時限이 伸縮的이라는 說이 대두
　- 과거 동경라운드 및 美-카 FTA시, 協商 結果의 骨格만 통보했던 例에
　　따라 美議會에 3.1까지 協商結果의 骨格만 通報하고 技術的인 協商은
　　5월말까지 마무리가 가능하다는 見解 (Linden 갓트 事務總長 特別 顧問)
　- 行政府 官吏를 인용한 美國言論報道도 美側의 伸縮的 立場시사

3

0236

o Gulf 戰爭으로 인해 延長可能性이 더욱 커졌다는 것이 支配的 觀測

o 단, 延長期間에 대해서는 意見 不一致
   - 2月中旬까지 관망후 希望的 骨格이 나올 경우 6.1. 時限의 範圍內에서
      提出時限만 5月中旬까지 延長 可能 (카나다 공사)
   - 6개월-1년 延長도 可能 (Linden 고문)
   - 걸프 戰爭의 迅速 終結로 Bush 大統領 發言權 强化時 2년 延長도 可能
      (Sun 지)

5. 綜合 判斷

o EC 內部 意見 調整이 2月中旬까지 可能하리라는 希望的 관측도 있으나, 현재
   로서는 2月時限內 妥結은 어려울 것으로 豫想

o Dunkel 總長主導 platform 마련 努力도 단순한 표현 修正에 그치게 될
   可能性 不無
   - 이경우 核心爭點은 未解決 狀態로 尙存

o 2月中旬까지 EC內部意見 調整 및 美.EC協商이 순조롭게 進行될 경우,
   全體的 骨格만 美議會에 報告하고 提出時限을 다소 延長하는 데는 큰 問題
   없을 것으로 豫想

o 2月中旬까지 可視的 結果가 없어도 美國으로서는 對議會 延長要請을 할 것으로
   보이나, 美議會의 反應은 Gulf 戰爭推移와 이에 따른 Bush 大統領의 影響力
   與否에 左右   끝.

4

0237

報 告 畢

1991. 1 . 28.
通 商 局
通 商 機 構 課 (3)

長 官 報 告 事 項

題 目 : UR 協商 動向

> 膠着狀態에 빠진 UR協商의 再開를 위한 幕後努力 및 協商의 實質的 再開
> 展望과 관련, 最近 公館報告 및 外紙 報道內容등을 綜合, 아래와 같이 報告
> 합니다.

1. EC의 共同 農業政策 改革論議 推進 現況 및 展望

가. 推進 現況

○ 1.20 執行委 세미나 및 1.21-22 農業理事會에서 MacSharry 委員長의
改革案을 論議

○ 2.4 農業理事會를 再開, 論議 繼續 豫定

나. MacSharry 改革案 要旨

○ 價格支持 減縮

○ 上記 減縮으로 發生하는 農民所得 減少를 直接所得支持로 補塡

- 耕作規模에 따라 차등 補塡 (小農優待)

다. 論議 展望

○ 英國, 덴마크, 화란은 大農 희생을 이유로 反對, 스페인, 폴투칼,
그리스등은 歡迎, 불란서는 政府수뇌급에서 결정될 事案이라는 이유로
立場을 留保, 난항 豫想

0238

○ 단, EC自體事情 (CAP豫算이 EC 總豫算의 60% 이상 占함으로써 현 制度 維持 能力에 限界點 到達)上, MacSharry 改革案을 일부 緩和 조정후 最終 合意 可能하다는 조심스런 낙관론 대두
   - 合意 可能 時期는 EC 내부 政策決定 過程上 豫測 困難

2. 主要國間 折衷 努力 展開

가. EC의 主要國 接觸 努力

○ EC-中南美 케언즈 國家間 會議 開催 (1.25-26, 푼타 델 에스테)
   - Andriessen EC 執行委 副委員長 및 알젠틴, 브라질, 콜롬비아, 칠레,우루과이, 멕시코 代表 參席
○ Andriessen 副委員長, Hills 美貿易代表面談 (1.28)및 카나다 訪問(1.29) 豫定
○ 현재 論議中인 CAP 改革案을 토대로한 輸出國들과의 意見 調整 形態가 될 것으로 豫想

나. 中南美 國家間 自體 意見 調整
○ 中南美 國家間 會議 開催 豫定 (1.30. 푼타 델 에스테)
   - EC 및 UNCTAD, UNDP 代表도 參席
○ 상기 EC와의 協議 結果에 따른 中南美 Cairns 國家內部 立場 協議 目的
○ Hills 美 貿易代表, Andriessen 副委員長, Hellstrom 스웨덴 農務 長官등 主要人士가 招請되었으나 參席與否 不透明
   - 上記人士들의 參席 可能 경우, 主要國間 協議 可能視

다. Davos 會議時 主要國 接觸 可能
○ 2.1-3 豫定 Davos 會議에, Hills 代表등 主要國 閣僚參加時 協議 可能視

2

0239

라. 美.EC間 協議

　　○ 2.17-18간 EC代表團이 Washington을 訪問, Hellstorm Paper 修正을 위한
　　　協商 開催 豫定 (Nancy Adams 美 貿易副代表補)

3. GATT 事務局의 協商 再開 努力

　　○ Dunkel事務總長이 1.28 週間 主要國 個別接觸을 통해 意見 調整後, 동 週末
　　　(2.1-2) 主要國 非公式會議를 거쳐, 2.4-5 TNC 非公式會議 再召集을 構想하고
　　　있는 것으로 관측
　　　- 당초 1月下旬 ASEAN 및 日本訪問 計劃은 취소

　　○ 상기 TNC 會議 開催時 약 5개 分野로 나누어 實質 協商을 進行하되, 農産物은
　　　Dunkel 자신이 주재 예상
　　　- GATT 事務局이 Hellstrom 案의 修正案(platform)을 準備中이라는 언론보도
　　　　(1.22자 Sun지)
　　　- EC의 農産物 3개 分野에 대한 削減 原則同意 및 美.EC 兩側이 主張하는
　　　　削減幅의 中間線 妥結 展望 (Linden 갓트 事務總長 特別 顧問 意見)

　　○ 동 TNC會議 를 통해 2.22 까지 可視的 協商 結果 導出 努力

4. 美國의 FAST TRACK Mandate 延長 可能性

　　○ 3.1 時限이 伸縮的이라는 說이 대두
　　　- 과거 동경라운드 및 美-카 FTA시, 協商 結果의 骨格만 통보했던 例에
　　　　따라 美議會에 3.1까지 協商結果의 骨格만 通報하고 技術的인 協商은
　　　　5월말까지 마무리가 가능하다는 見解 (Linden 갓트 事務總長 特別 顧問)
　　　- 行政府 官吏를 인용한 美國言論報道도 美側의 伸縮的 立場시사

3

0240

○ Gulf 戰爭으로 인해 延長可能性이 더욱 커졌다는 것이 支配的 觀測

○ 단, 延長期間에 대해서는 意見 不一致
  - 2月中旬까지 관망후 希望的 骨格이 나올 경우 6.1. 時限의 範圍內에서
    提出時限만 5月中旬까지 延長 可能 (카나다 공사)
  - 6개월-1년 延長도 可能 (Linden 고문)
  - 걸프 戰爭의 迅速 終結로 Bush 大統領 發言權 强化時 2년 延長도 可能
    (Sun 지)

5. 綜合 判斷

○ EC 內部 意見 調整이 2月中旬까지 可能하리라는 希望的 관측도 있으나, 현재
  로서는 2月時限內 妥結은 어려울 것으로 豫想

○ Dunkel 總長主導 platform 마련 努力도 단순한 표현 修正에 그치게 될
  可能性 不無
  - 이경우 核心爭點은 未解決 狀態로 尙存

○ 2月中旬까지 EC內部意見 調整 및 美.EC協商이 순조롭게 進行될 경우,
  全體的 骨格만 美議會에 報告하고 提出時限을 다소 延長하는 데는 큰 問題
  없을 것으로 豫想

○ 2月中旬까지 可視的 結果가 없어도 美國으로서는 對議會 延長要請을 할 것으로
  보이나, 美議會의 反應은 Gulf 戰爭推移와 이에 따른 Bush·大統領의 影響力
  與否에 左右   끝.

- 4 -

0241

정 리 보 존 문 서 목 록

기록물종류	일반공문서철	등록번호	2019080092	등록일자	2019-08-13
분류번호	764.51	국가코드		보존기간	영구
명 칭	UR(우루과이라운드) 협상 동향 및 TNC(무역협상위원회) 회의, 1991. 전4권				
생 산 과	통상기구과	생산년도	1991~1991	담당그룹	
권 차 명	V.2 2-8월				

내용목차	* 1.15. TNC 수석대표급 비공식 회의
	  - 수석대표(선준영 주제네코대사) 연설을 통해 농산물 협상 입장 전향적 재검토 용의 표명
	2.26. TNC 실무급 공식 회의
	  - Dunkel 의장, UR 협상 재개 및 시한 연장 제의 성명 발표
	4.25. TNC 수석대표급 회의
	  - 협상구조 재조정(7개그룹) 및 각 협상그룹 의장 선임
	9.20. 그린룸 회의
	  - Dunkel 총장, 10월 말~11월 초 마지막 Consensus paper 작성 일정 제시
	11.7. TNC 회의
	  - 11.11.부터 미결쟁점에 대한 합의 도출을 위해 집중 협상 추진 계획 발표
	12.20. Dunkel 총장 UR 최종 협정 초안 TNC에 제시				

0001

관리
번호 91-122

외 무 부

종 별 :

번 호 : CNW-0161   일 시 : 91 0204 1930

수 신 : 장 관(통일, 상공부)

발 신 : 주 카나다 대사

제 목 : UR 협상 전망

　　하명근 상무관이 주재국 외무무역부 JOHN KLASSEN(SENIOR COORDINATOR, MTNBRANCH)와 표제건 관련 협의한바, 동인 발언요지 아래 보고함.

　　1. KATZ USTR 부대표는 2.1. 제네바에서 미국 행정부는 3.1. 까지로 되어있는 FAST TRACK 시한을 2 년간 연장토록 의회에 요청할 것이라고 밝혔음. 동 연장이유로는 현 시한내에 미국의회를 만족시킬만한 수준의 협상결과(특히 농산물 분야)를 거양하기는 거의 불가능하다는 판단에 따라 차라리 협상시한을 연장, 농산물 분야에 있어 EC 등 국가로부터 상당한 양보를 받아내고 타 분야에 있어서도 미국이 의도하는 성과를 거두도록 노력하는것이 보다 바람직 하다는 결론에 도달하였음을 들고 있음.

　　2. 현재로서는 막후 접촉 결과 가시적인 성과가 없는 것으로 평가되고 있어 차기회의 소집 시기를 예측하기는 어려우나 DUNKEL 사무총장이 다음주내 한국등 국가와 접촉기회를 확대할 것으로 보이며, 이 경우 2 월중 또는 3 월초에 비공식 회의 개최 가능성이 있는 것으로 보임. 끝

　　(대사 - 국장)

　　예고문 : 91.6.30. 까지

예고문에 의거 분류 1991 6 30
지위   성명

통상국   장관   차관   1차보   2차보   상공부

PAGE 1   91.02.05   13:34
                                                외신 2과 통제관 BW
                                                        0002

관리
번호 91-118

외 무 부

종   별 :

번   호 : GVW-0236   일   시 : 91 0204 1800

수   신 : 장관(통가,경기원,재무,농수,상공) 사본:주카나다대사-필

발   신 : 주 제네바 대사대리

제   목 : UR 협상(전망)

연: GVW-0222

1. 연호 지난 주말 DUNKEL 총장의 주요국가 개별 접촉 결과와 향후 협상전망관련, 당관이 2.4(월) 갓트 사무국 LUCQ 농업국장 및 스위스, 북구, ASEAN 대표부 관계관을 접촉 탐문한 바를 아래 보고함.

O 연호 보고와 같이 DUNKEL 총장의 주요국가 개별 접촉을 통한 농산물 협상 PLATFORM 마련 노력은 별 성과없이 끝났으며, 당초 각국과의 협의가 2.3(일) 까지도 계속될 것 것이라는 관측이 있었으나 각국의 본국대표들은 대체로 2.2(토) 당지를 떠난 것으로 알려짐.

O 다만, 특기 사항으로는 금번 협의기간중 미측이 의회에 FAST-TRACK 절차의 연장을 요청할 뜻을 DUNKEL 총장에게 시사하였고, 이로써 FAST-TRACK 연장 요청 시한의 마지막까지 EC 의 양보를 기다리겠다는 종전의 태도를 바꾸게 된 점을 들 수 있음.

이러한 미국의 태도 변경을 가져온 배경에는 1) EC 에 대한 더이상 양보를 기대하기 어렵고 공동농업정책(CAP)의 개혁 작업이 EC 내부에서 진행되고 있으므로 EC 에게 시간적인 여유를 주는 것이 바람직하다는 판단이 작용하였다는 것이 대체적인 관측임.

O 미국 행정부가 의회에 FAST-TRACK 절차 시한의 연장을 신청할 경우, 의회가 어떤 결정을 내릴 것인가가 앞으로의 UR 협상의 향방을 결정하게 될것이며, 대체로 미의회가 연장에 동의할 것으로 보고 있음.

O 금후 협상 전망과 관련, 지금까지 DUNKEL 총장이 농산물 협상 PLATFORM 마련을 추진한 주요 목적이 내면적으로는 미국 의회에 대한 행정부의 입장 강화를 위한 것으로도 인식되고 있었던바, 상기와 같이 미국이 스스로 FAST-TRACK 절차 시한

통상국	장관	차관	1차보	2차보	청와대	안기부	경기원	재무부
농수부	상공부							

91.02.05   05:43

외신 2과 통제관 CF

0003

연장을 추진하고 있으므로 DUNKEL 총장으로서는 협상 PLATFORM 마련 필요성이 줄어들었고, 충분한 사전 준비 없이는 성급히 협상 시한 설정을 피하겠다는 것이 DUNKEL 총장의 입장이므로, 당분간 구체적인 협상시한 없이 현재의 상태가 지속될 것이라는 것이 일반적 전망임. ⊗

    0 그러나 2.5(화) 오후로 계획된 EFTA 국가와 협의를 비롯한 DUNKEL 총장의 회원국들과의 협의는 계속될 것이나 다만 그경우에도 농산물 협상 교착상태 타결을 위한 실질문제 협의 보다는 협상의 재개절차, 협상구조(협상분야의 분류, 분야별 협상 전개 방식등)등을 위주로 한 협의가 될 것이며, 따라서 향후 상당기간(일부 관측은 3-4 주) 동안 제네바에서의 UR 협상은 저조할 것으로 관측되고있음.

    0 금후 DUNKEL 총장과 주요국과의 협의내용이 절차 문제 위주가 되더라도 절차 문제 자체도 중요성이 있으므로 2 월 중순쯤 TNC 회의를 DUNKEL 총장이 소집하게 되지 않겠는가 하는 관측도 있으나 가급적 충분한 준비없이는 시한설정을 피하겠다는 DUNKEL 총장의 종전 입장에 비추어 2 월중순 TNC 개최 여부는 아직 불확실함.

    2. UR 협상 현황 검토를 위해 2.8(금) 11:30 개도국 비공식 회의가 DUNKEL 총장이 참석한 가운데 개최될 예정이며, 동 기회에 DUNKEL 총장으로 부터 지난 주말의 주요국 개별 협의 결과등 협상 현황에 대한 설명이 있을 것으로 예상됨. 끝.

    (대사대리 박영우-장관)

    예고:91.6.30 까지

외 무 부

종 별 :

번 호 : GVW-0269   일   시 : 91 0208 1940

수 신 : 장 관(통기) 경기원, 재무부, 농림수산부, 상공부, 경제수석,

발 신 : 주 제네바 대사대리   사본:주카나다대사(직송필)

제 목 : UR/ 개도국 비공식 그룹회의

2.8(금) RICUPERO 의장 주재의 표제회의가 개최되어, DUNKEL 사무총장으로부터 동 총장이 TNC 고위급 의장 자격으로 UR 협상 재개를 위해 지난 10일간 진행한 협의의 결과와 향후 협상 진행에 관한 구상을 청취하였는바, 요지아래 보고함. (박공사, 오참사관, 민서기관 참석)

1. DUNKEL 총장 언급요지

- UR 협상의 타결을 위해서는 농산물 협상이 관건이라는 인식하에 지난 10일간 주요국과의 협의를 통해 농산물 분야의 협상기초 (PLATFORM)를 마련하기 위한 노력을 기울였으나 필요한 합의를 이루지 못하였으며, 이제 새로운 접근방법의 필요성을 느끼고 있음.

- 농산물 협상 타개를 위해서는 시장접근, 국내보조, 수출보조금, 농산물관련 규범, 위생검역 규제등 5가지 분야에서 구체적인 약속 (SPECIFIC COMMITMENTS) 이 있어야 한다는데 컨센서스가 있으므로 동 구체적 약속의 필요성에 관한 짧은 STATMENT (상기 PLATFORM 대신)를 발표하고, 이를 토대로 우선 농산물 분야에서 관세화, 보조금분류 (녹색 BOX, 황색 BOX), 보조금 총량 측정장치 (AMS) 등과 같은기술적 문제를 다루기 위한 협상을 재개하고자 함.

- 앞으로도 종전과 같이 15개 분야로 나누어 진행하던 협상 방식을 지양하고 우선 농산물분야부터 중요분야를 선정하여 TNC 의장인 자신이 (필요시 사무국 간부나 대표의 도움을 받도록함) 시한을 정하지 않은 상태에서 각분야 협상일자를 달리하여 집중적인 협상을 실시하고 구체적인 성과가 도출된 연후 TNC 를 열어 이를 TAKE NOTE 하도록 할 생각임.

- 동 구상에 대하여 앞으로 며칠간 주요국들과 협의를 가질 예정인바, 동 구상이 조속히 착수될수 있도록 각국의 협조를 구함.

통상국   장관   2차보   청와대   경기원   재무부   농수부   상공부

PAGE 1   91.02.09   09:18 WG

외신 1과 통제관

0005

2. DUNKEL 총장의 상기 발언에 대해 자마이카가 STATMENT 의 발표시기에 대해 문의하고, 페루가 STATEMENT 내용으로 개도국 관심사항인 개도국 우대문제가 언급되지 않은데 대해 문의한바, 던켈총장은 STATEMENT 발표시기는 좀더 협의가 필요하므로 지금 당장 정하여 말하기는 어려우며 개도국 우대문제와 여타 수개국의 관심사항인 식량안보 (FOOD SECURITY) 문제등 푼타델 에스테 각료선언과 중간평가시 합의된 사항들을 STATEMNT 상의 다섯가지 요송에 대한 논의과정에서 다루어질 것이라고 답변함.

3. 이어 브라질은 브럿셀 회의 이래 상황의 변화가 없고 가까운 장래에 농산물분야협상에서 새로운 요소가 나타날 징후가 없는 상황에서 협상재개의 필요성이 있는지 의문을 표시한바, DUNKEL 총장은 미국의 FAST TRACKAUTHORITY 시한의 임박, 이씨내 공동농업정책 (CAP) 의 개혁 추진 움직임, 걸프전 발발등 국제정세 변화, 농산물 5개분야에 대한 구체적 약속이 있어야 된다는데 대한 컨센서스의 형성등의 상황 변화가 있다고 언급하고, 협상을 재개하는 것과 협상을 진행하는 것에는 분명한 차이가 있으며 현재 자신의 목적은 협상대표들이 수정된 입장을 가지고 협상 테이블로 되돌아오게 하는것이 라고 답변함.

4. 상기 DUNKEL 총장 발언내용과 관련 당관이 추가 탐문한바에 의하면 던켈총장은 다음주중에 STATMENT 내용에 대해 미국, 이씨, 일본, 카나다, 호주 (케언즈그룹), 라틴 아메리카국가들 (케언즈그룹내 대다수 국가는 이씨가 CAP의 개혁을 진지하게 다루고 있으므로 던켈총장의 상기 협상 재개 메카니즘을 수용하여 협상을 계속하련 자세인데 반하여 일부 라틴아메리카 국가들은 동 구상에 다소 이견이 있다 함)등 주요국들과의 협의를 실시하고 협의가 순조로움 경우 2.18주간 쯤에 농산물 협상에 적극참여해온 30여개 주요국가간의 농산물 협상개최를 시도할 것이며, 일단 농산물 협상의 재개가 이루 어지면 써비스등 여타 분야의 협상도 뒤따라 진행토록 한다는 구상을 하고 있는 것으로 보임.끝.

(대사대리 박영우-장관)

관리
번호 91-133

외 무 부

종 별 :

번 호 : CNW-0195   일 시 : 91 0211 1100

수 신 : 장 관(통기,미북,상공부)

발 신 : 주 카 나 다 대사

제 목 : 외무무역부 차관등 예방

1. 본직은 2.11. 이임 인사차 CAMBELL 통상차관을 예방하였으며, 동 예방시일시귀국중인 주 제네바 SHANNON 대사도 동석, UR 협상 전망등과 관련 의견 교환이 있었는바, 동 요지 아래 보고함.(하명근 상무관 배석)

O SHANNON 대사는 현 UR 협상 현황 관련 DUNKEL 사무총장이 그동안 막후 접촉결과 PLATFORM PAPER 를 제시할수 있는 주순의 가시적인 성과를 거두지 못하고있는 것으로 보인다고 하면서 이에 따라 TNC 회의 개최 시기도 현재로서는 불투명하나 3 월초 이전까지는 불가능할 것으로 예측하였음.

O 향후 협상 전망과 관련하여 SHANNON 대사는 앞으로 적어도 1 년 정도의 추가 협상 기간이 소요될 것이라고 전망하였음. 동 대사는 이에 대한 배경으로 현 FAST TRACK 시한내에 만족할만한 수준의 농산물 협상 성과를 거두기는 불가능하다고 판단하고 있는 미국 행정부는 현재 EC 내에서 협의가 진행중인 CAP(공동농업정책)의 수정등을 통한 실질적인 양보를 받아내기 위하여 의회에 FAST TRACK시한을 연장할 것이 거의 확실시 되며, 이 경우에도 미 의회의 입장을 예측하기가 어려울 뿐 아니라 EC 측의 CAP 조정에도 상당 기간이 소요될 것이라고 설명하였음. 카나다로서는 현 시한내 협상 타결을 1 차적으로 희망하고 있으나, 미국, EC 기타 CAIRNS 그룹 국가들은 협상 연장 불가피론을 현실적으로 받아들이고있는 것으로 보인다고 하였음.

O 또한 SHANNON 대사는 관계국들은 한국의 입장 변화에 크게 고무되었다고 말하고 일본의 경우에도 12 월 브랏셀 회의시 HELLSTROM 농산물 그룹 위원장의 중재안을 거부하였으나, 그후 비공식적으로 쌀문제에 있어 약간의 양보가 가능한것처럼 비추었다고 함.

O 본직이 농산물을 제외한 타 분야 협상전망에 관해 문의한데 대하여 동 대사는 농산물 다음으로 서비스 분야가 난제가 될 것으로 보이고 기타 이슈는 큰 어려움이

통상국   장관   차관   1차보   2차보   미주국   청와대   안기부   상공부

PAGE 1   91.02.13   07:48

외신 2과   통제관 BW

0007

없을 것으로 본다고 하였음.

ㅇ MTN 이 북미 삼국간에 추진중에 있는 자유 무역협정체결 문제에 미치는 영향 관련, CAMPBELL 차관은 카나다로서는 MTN 의 성공적 타결이 대외 통상정책의 최우선 과제이나 이와 함께 지역적인 차원에서의 무역 자유화도 계속 추진해 나갈 계획이며, 양자가 큰 마찰없이 병행될 수 있을 것이라고 하였음.

2. 한편, 본직은 2.11.(월) 외무부 CHRETIEN 제 2 차관과 MCCLOSKEY 아. 태 담당 차관보를 이임 인사차 각각 예방, 재임중의 제반 협조와 지원에 사의를 표한바, 동인들은 본직 재임중에 한. 카 관계가 가일층 발전되었다고 만족을 표하고 후임 대사와도 긴밀한 협조를 유지할 것이라고 다짐하였음. 끝

(대사 - 국장)

예고문 : 91.12.31. 까지

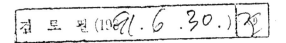

검 토 필 (1991. 6 .30.)

원 본

외 무 부

종 별 :

번 호 : ECW-0165   일 시 : 91 0214 1730

수 신 : 장관 (봉기, 경기원, 재무부, 농수산부, 상공부)(주제네바대사-직송필)

발 신 : 주 EC 대사

제 목 : 갓트/UR 협상등 협의   일반문서로 재분류(1991.12.31.)

2.14. 당관 김광동 참사관과 이관용농무관은 EC 집행위 DE PASCALE 갓트 총괄과장및 GUTH 농산물담당관을 오찬에초대, 표제관련 협의한바 하기 보고함

1. UR 협상 추진동향

O DE PASCALE 과장은 UR 협상관련, DUNKEL 갓트 사무총장이 동 협상의 조속한 재개를위해 농산물분야를 포함한 STATEMENT 형식의 PAPER 를 준비중인 것으로알고 있다고 함. 한편 동인은 미국등 협상국들은 EC/CAP 개혁작업이 UR 농산물협상의 일환으로 추진되고 있는것으로 이해하고 있는것은 곤란하다고 말하고, GULF 전쟁으로 인해 미의회가 행정부에 부여한 FAST TRACK 시한인 3.1. 이전에 UR 협상 타결이 현실적으로 불가능해짐에 따라 법적으로는 2 년 연장이 될것으로 보이나 미국의 선거일정등을 감안할때 실질적으로 협상을 진행할수 있는 기간은 최대한 1 년여에 불과함을 유의할 필요가 있다고 강조함

O 동인은 미국이 현재 UR 협상을 적극적으로 추진하고 있지 못한것은 GULF전쟁 이외에도 썬비스, 지적소유권 분야에서 자국입장을 정립하지 못하였을 뿐아니라 농산물 분야에서도 낙농제품, 땅콩, 설탕등 일부품목에 있어서 확고한입장을 정립하고 있지 못한데 기인하고 있는것으로 알고 있다함

O 한편, GUTH 담당관은 현재 미.EC 간에 농산물협상 관련하여 상금 양자간공식, 비공식 협의를 한바 없으나, 향후 이러한 협의가 있게 되는 경우에는 그결과를 당관에 알려주겠다고 말함

4. 지적소유권 문제

O 동 과장은 지적소유권 문제에대한 아측입장에 변화가 없으므로 EC 로서는크게 실망하고 있으며 동문제를 갓트에 제소하는 방안을 검토중이라고 말함

O 김참사관은 갓트가 동문제를 취급할수 있는지에 대하여 의문을 제기하고, 현재

통상국	장관	차관	2차보	경기원	재무부	농수부	상공부

PAGE 1   91.02.15   06:06
                                       외신 2과 통제관 DG

0009

진행중인 UR 협상의 결과를 보아 원만하게 해결되기를 희망한다고 말한바, 동과장은
이 문제는 GATT 의 법적 관할권 문제가 아니고 GATT 의 기본정신인MFN 원칙에 관한
문제이며 EC 가 차별대우를 받고 있다는데 대한 자존심 문제라고 언급함. 끝

　　(대사 권동만-국장)

　　예고: 91.12.31. 까지

검 토 필 (1991. 6 .30.)

외 무 부

종 별 :

번 호 : FRW-0562

일 시 : 91 0214 1650

수 신 : 장관(봉기,봉이)

발 신 : 주 불 대사

제 목 : 우루과이 라운드 협상재개

연:FRW-2298,2317

대:WFR-2317

1. 당관 조참사관은 2.13. 최근 EC 공동 농업정책 개혁 문제 관련, 주재국 경제 재무성 대외경제 총국 FRANCOIE SALIOU 대외 농업정책 담당과장 면담한바, UR 관련 동인 언급내용 아래 보고함.

가. 미국이 UR 협상 제분야에서 GLOBAL APPROACH 에 의한 공정한 타결을 외면하고, 마치 농업보조금 문제에 관한 EC 의 양보가 협상의 관건인양 주장하는 것은 미국의 협상 전략임. 불란서는 현단계에서 협상재개를 위한 EC 가 농업보조금을 추가로 양보할수 없다는 입장을 견지할 것임.

나. 미국의 FAST TRACK 법안 연장 여부는 자국 내부문제로서 이를 위해 EC 의 가시적 양보를 요구할수는 없으며 미국의 필요에 의해서라도 동 법안의 기간은 연장될 것으로 봄.

다. EC 가 먼저 양보할수 없는 사유는 미측 요구가 비현실적이며 비호혜적이라는 점도 있지만, 과거 미국과의 협상 경험에 비추어 1 차 양보를 통해 협상이 재개되면 틀림없이 제 2, 제 3 의 양보를 끊임없이 요구할 것이기 때문임.

라. EC 는 엄청난 예산이 소요되는 공동 농업정책(CAP)을 자체 필요상 개혁코자 추진중인바, 이를 위해서는 수개월 또는 수년이 걸릴수도 있으므로 현재의 CAP 개혁 논의를 UR 협상과 연결짓는 것은 바람직하지 않음.

마. 한편, 90.2.4. EC 농업장관 회담에서 협의된 EC 집행위의 CAP 개혁안은 농업의 효율성 원칙에 역행하고 EC 의 재정적 부담을 가중시키는 내용이었으므로 불란서를 비롯한 영국, 화란등 주요국가가 반대하였음.

0 EC 집행위안은 현재의 "농산물 가격보장 제도"를 "대농민 직접 소득지원 제도"로

통상국   장관   차관   2차보   구주국   통상국

전환코자 하는 내용임에 반해, 불측은 "농산물 가격체제의 점진적 인하"를 주장하며 독자적 개혁안을 구상하고 있음.

바. 한편 3.4 개최될 차기 농업장관 회의에서는 금년도 CAP 의 각종 가격수준(PRICE PACKAGE) 결정이 주요 협의대상이나 CAP 개혁안도 재협의 될것으로 보임.

2. 관찰사항

0 현단계에서 EC 의 추가 양보와 관계없이 미국의 FAST TRACK 법안은 연장될 가능성이 크며 또한 EC 가 조급히 양보할 경우 추후 계속 수세적 입장에 몰릴우려가 있으므로, EC 측은 당분간 강경입장을 고수함으로써 향후 본격적 협상에 대비할 입지강화를 도모하는 것으로 보임.끝.

(대사 노영찬-국장)

예고:91.12.31. 까지

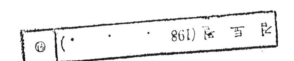

長官報告事項

1991. 2. 19.
通 商 局
通商機構課(6)

題 目 : UR 協商 再開 展望

UR 協商 再開와 關聯한 던켈 갓트 事務總長의 努力 및 最近 美國 言論
報道 內容을 綜合, 그 展望을 아래와 같이 要約 報告합니다.

---

1. 2.13(금) Andriessen 副委員長, Hills 貿易代表가 提案한 農産物 協商 要素別
   具體的 約束에 대한 政治的 受諾 拒否

   o 美側, Fast-track 時限 延長을 念頭에 두고 EC에 대하여 農産物協商 要素別
     具體的인 言質 및 Rebalancing, 補整因子等에 대한 追加 讓步 要求

   o EC側, 美行政府는 EC의 追加 讓步와 상관없이 Fast-track 時限 延長 要請을
     할 可能性이 크다고 보고 强硬 立場을 고수, 向後 協商에서 立地 强化 圖謀

2. Dunkel 事務總長은 上記 美.EC 對立에 비추어, 모든 國家가 受諾할 수 있는
   緩和된 內容의 協商 再開를 위한 Statement를 準備, 아래 日程으로 會議 再開
   努力 推進中

   o 2.19-20 主要 國家와 協議

   o 2.20 農産物 協商그룹 會議 召集, 성명 發表

1

0013

o   2.23-25 서비스, 纖維, TRIPS等 餘他 主要分野들도 分野別 會議를 召集

o   2.26경 TNC 會議 召集, 協商 再開 宣言

3.   上記 日程대로 推進時 美 行政府는 Fast-track 時限 延長 要請 展望

o   2.4(月) Bolten USTR 諮問官, Fast-track 時限 延長 要請 豫定임을 言及

o   2.14(木) 通商政策 및 協商 諮問委員會(ACTPN), 議會 提出用 UR 協商 評價
     報告書案 論議

o   Hills 貿易代表, 對議會 接觸 강화중

4.   協商 展望

o   美國의 Fast-track 時限 延長 問題가 確定되면(法定時限 今年 5月末까지임)
     本格的인 協商 再開 豫想

o   UR 協商은 本格 協商 開始後 4-6個月 以內에 完結되어야 할 것이라는 展望
     - 美 大統領 選擧의 해인 來年까지 協商을 遲延할 境遇 選擧 爭點化할
       危險.   끝.

2

0014

7ㅗ

관리 번호	91-151

외 무 부

종 별 :

번 호 : GVW-0341　　　　　　　　　일 시 : 91 0221 1900

수 신 : 장관(통기), 경기원, 재무부, 농림수산부, 상공부, 특허청)(사본:박수길대사)

발 신 : 주 제네바 대사대리

제 목 : UR/협상(TNC 회의)

　　연: GVW-0322

　　1. DUNKEL 갓트 사무총장은 TNC 실무급 공식 회의가 2.26(화) 11:00 개최됨을 통고해온바 동 통고문 별첨 보고함.

　　2. 한편, 당초 2.22(금) 16:00 개최예정이던 분쟁해결 및 최종 의정서 관련비공식 협의가 동일 12:00 으로 변경되었음. 끝

　　첨부: GVW(F)-0074)

　　(대사대(192) 박영우-장관)

　　예고: 91.6.30. 까지

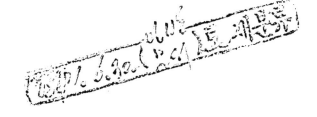

통상국 특허청	장관	차관	1차보	2차보	경기원	재무부	농수부	상공부
	통상국(박수길대사)							

PAGE 1　　　　　　　　　　　　　　　　　　　　91.02.22　06:29

　　　　　　　　　　　　　　　　　　　　외신 2과 통제관 CE

* TO: PARTICIPANTS IN THE URUGUAY ROUND MULTILATERAL TRADE
*   NEGOTIATIONS COMMITTEE

* FROM: ARTHUR DUNKEL
*   CHAIRMAN
*   TRADE NEGOTIATIONS COMMITTEE AT OFFICIALS LEVEL

* SUBJECT: URUGUAY ROUND: TRADE NEGOTIATIONS COMMITTEE

* 1. THE NEXT MEETING OF THE TRADE NEGOTIATIONS COMMITTEE AT OFFICIAL
* LEVEL WILL BE HELD IN THE CENTRE WILLIAM RAPPARD AT 11 A.M. ON 26
* FEBRUARY 1991. AT THIS MEETING, I SHALL REPORT ON THE CONSULTATIONS I
* HAVE CONDUCTED IN MY CAPACITY AS CHAIRMAN OF THE COMMITTEE AT
* OFFICIAL LEVEL IN ORDER TO RESTART THE NEGOTIATIONS IN ALL THE AREAS
* IN WHICH DIFFERENCES REMAIN OUTSTANDING, IN ACCORDANCE WITH THE
* MANDATE GIVEN TO ME AT THE MINISTERIAL MEETING HELD IN BRUSSELS ON
* 3-7 DECEMBER 1990 (MTN.TNC/18(MIN), PAGES 9-10).

* 2. GOVERNMENTS PARTICIPATING IN THE MULTILATERAL TRADE NEGOTIATIONS
* AND WISHING TO BE REPRESENTED AT THIS MEETING ARE INVITED TO INFORM
* ME OF THE NAMES OF THEIR REPRESENTATIVES AS SOON AS POSSIBLE.
*   A. DUNKEL

0016

외 무 부

종 별 :

번 호 : ECW-0192

일 시 : 91 0222 1800

수 신 : 장관(봉기),경기원,재무부,농림수산부,상공부, 주제네바대사-직송필)

발 신 : 주 EC 대사

제 목 : 갓트/UR 농산물 협상

2.22. 당관 이관용농무관은 BISARRE EC 농업총국 UR 협상 담당과장을 오찬에 초대, 표제협상 EC 입장 전반에 대하여 협의한바 요지 하기 보고함

1. 표제협상 EC 기본입장 변화여부

0 2.20. DUNKEL 갓트 사무총장 주최로 개최된 GREEN ROOM 협의시 표제협상 추진방법과 관련하여 EC 가 국내보조, 수출보조및 국경 제한조치별로 분리하여 감축공약 여부를 협상키로 한 배경에 대하여 동인은 EC 가 이러한 제의를 묵시적으로 받아드린 것은 1) UR 협상의 결렬을 방지하기 위해 필요하다는 DUNKEL 총장의 특별요청을 고려하고, 2) 당초 EC 입장은 OVERALL REDUCTION 을 협상한다는 취지도 결국에는 전반적인 감축실적을 국내보조, 수출보조및 국경제한조치로 분리하여 계량화 할수 있다는 전제하에 제안된 것이므로 세가지 ISSUE 를 분리 협상하는 것이 EC 의 입장을 크게 변화한 것은 아니며, 3) EC 이사회가 협상자에게 부여한 MANDATE 를 크게 일탈한 것은 아니라고 말함. 또한 EC 는 15 개 협상분야 전반에 걸친 균형있는 OVERALL PACKAGE 마련이 UR 협상타결의 전제인점에서는 변화된 것이 없으므로 농산물 협상추진 방법에 있어서 FLEXIBLE 한 입장을 취하는것은 UR 협상의 지속을위해 바람직한 것이라고 말함

2. CAP 개혁과 UR 협상

0 갓트사무국 또는 미국 케언즈그룹등은 UR 협상 타결여부를 EC/CAP 개혁작업과 연결시켜 고려하고 있고, EC 내의 일부인사들도 그러한 생각을 하고 있는것은 사실이며, 또한 CAP 개혁작업이 UR 협상과 무관하다고는 말할수 없으나, 1) CAP 개혁작업은 91/92 EC 농산물 가격결정이 완료되는 4-5 월 이후 본격화될 것이라는 점, 2) 동 개혁 관련한 각 회원국간의 합의가 어느 시점에서 이루어질 것인지에 대해 예측할수 없다는 점 및, 3) 각 회원국들의 경우, 동 개혁작업을 UR 협상이라는

봉상국   2차보   경기원   재무부   농수부   상공부

대외적인 사안에 기속하기를 꺼려한다는 점등을 고려할때, CAP 개혁과 UR 협상을 연계시키는 것은 착오가능성이 높다고 말함

0 한편, 이농무관은 CAP 개혁 제안에서 제시하고 있는 소득 직접보조, 환경보전을 위한 조치및 생산감축등 주요내용은 UR 농산물협상에서 논의되고 있는 사안들을 수용하려는 의도로 보이며, 또한 직접 소득보조정책은 생산성 향상이라는 CAP 기본원칙과 조화시키기 어려운 것이 아니냐는 질문에 대하여 동인은 그러한 개혁제안들은 EC 농업 내부문제인 공급과잉과 재정부담을 감소시키면서 저개발지역의 균형개발이라는 목표를 달성하기 위한 방안으로 이해할 필요가 있을것이라고 답변함

3. UR 농산물 협상의 MANDATE 문제

이농무관은 지난 2 월초 개최된 EC 농업이사회에서는 EC 가 브랏셀 TNC 회의시 제의한 MINIMUM MARKET ACCESS, 수출쿼타및 REBALANCING 문제들에 대해 공식 MANDATE 가 아님을 확인한 반면, EC 일반이사회및 ANDRIESSEN 부위원장이 동 제의는 유효하다는 입장을 견지하고 있는데 대해 문의한바, 동인은 특히 불란서, 아일랜드가 동 제의를 공식화하기를 거부하고 있는것은 사실이나, 동 제의는 협상전략의 일환이며, 공식제안이라고 할수 없으나, 아직도 ON THE TABLE 상태에 있는것으로 이해하면 될것이라고 말함. 동 사안은 향후 협상, 특히 OVERALL PACKAGE 마련여부에 따라 공식제안 확인여부가 결정될 것이라고 말함

4. 향후 농산물 협상일정

단기적으로 3.1. 동 협상 TECHNICAL MEETING 이 개최되며, 그이후 미국의 FAST TRACK 연장여부등 결과에따라 매월 1 회정도 회의가 개최될 것이나 본격적인 협상은 금년 9 월이후 추진될 것이며 UR 협상의 성공적 종결여부는 미대통령 선거실시 이후인 92 상반기 협상결과를 보아야 할것으로 본다고 말함

5. 갓트 제 11 조 협상여부

0 동인은 카나다가 제의한 갓트 제 11 조 개정관련한 협상에 대하여 EC 는 긍정적으로 참여하고 있으며 특히 카나다는 낙농제품분야 보호를 위해 동 조항의 실효성 확보는 매우 중요한 사안이라고 말하고, 다만 동조항의 실효성 확보를 위해서는 계획생산과 초과생산분에 대한 강력한 봉제가 전제이나 이를 어떻게 제도화하느냐는 검토해봐야 할것이라고 말함

0 미국의 경우도 농산물 WAIVER 적용 중단등과 관련하여 볼때 동 조항의 실효성 확보에 대한 이해는 있을것이나 신중을 기할것 이라고 말함. 끝

PAGE 2

0018

(대사 권동만-국장)

0019

외 무 부

종 별 :

번 호 : ECW-0182   일 시 : 91 0221 1630

수 신 : 장관 (봉기,경기원,재무,농수산,상공부,제네바대사-직송필)

발 신 : 주 EC 대사

제 목 : 갓트 /UR 협상

1. 2.20. ANDRIESSEN EC 집행위 부위원장은 표제관련한 유럽의회에서의 토의과정에서 EC는 표제협상의 성공적 타결을 위해 타협할 준비가 되어 있으나, 일부 협상 대상국들의 경우는이러한 준비조차 되어있지 아니하다고 비난하면서 기존 EC 입장인 협상전반에 걸친 PACKAGE 마련의 필요성을 강조함. 동인은 EC 는 이미 협상타결을 위해 FLEXIBLE 한 입장을 제시한바 있으므로 표제협상 성공여부는 미국측의태도변화에 달려 있으며, 그러한 태도변화는 미의회에서 FAST-TRACK 연장여부를 논의하는 과정에서 미국의 구체적인 입장이 제시될 것으로 기대한다고 말하고, 그러나 표제협상 관련한 미국의 입장은 분야별로 제시 되어서는 안될 것이며, 협상전반에 관한 입장변화를 보여야 할 것이라고 함. 한편, DE CLERCQ 유럽의회 의원은 토의도중CAP 개혁이 표제협상 진전에 기여할수 있을 것이라고 말한바, 이에대해 대부분의 의원들은 CAP 개혁작업은 표제 협상과는 무관하며 EC내부 개혁작업 임을 지적함.

2. 동 유럽의회 토의를 마치면서 ANDRIESSEN 부위원장은 1) 표제협상은 매우 어려운 상황에 있으며, 2) 15개 협상분야 전반에 걸쳐 어떤 진전이 있어야 함을 재확인하고, 3) 농산물 분야의 중요성이 지나치게 과장되는 것에 대해서 반대하며, 4)CAP 개혁은 필요하며, 그 필요성은 EC 내부 이해관계와 직결되는 것이므로 협상대상국들이 동 개혁작업을 협상과 연결 시켜서는 안될 것이라 말하고, 5) 브랏셀 TNC회의시 EC 가 농산 물 협상에서 제의한사항은 유효하다고 보고함. 끝

(대사 권동만-국장)

통상국   경기원   재무부   농수부   상공부

PAGE 1   91.02.22   06:56 DA
                                                    외신 1과 통제관
                                                           0020

외 무 부

종 별 :

번 호 : GVW-0349   일 시 : 91 0222 1850

수 신 : 장 관(통기, 경기원, 재무부, 농림수산부, 상공부, 특허청) (사본:박수길대사)

발 신 : 주 제네바 대사대리

제 목 : UR 협상 일정

1. 지난 2.20 부터 재개된 UR협상 각 그룹별 비공식 협의를 통해 던켈사무 총장이 제시한 UR 협상 일정은 아래와 같음.

2.25(월) : 시장접근 비공식 협의

2.26(화) : 고위급 TNC 공식 회의

2.27(수) : 농산물 비공식 협의 (3.1. 로 변경예정)

3.5(화) : 섬유 비공식 협의

3.8(금) : 써비스 비공식 협의

3.14(목) : 규범제정 비공식 협의

3.18(월) : TRIMS, TRIPS 비공식 협의

3.20(수) : 분쟁해결, 최종 의정서 비공식 협의

3. 그러나 던켈 사무총장은 2.22(금) TRIMS 및 TRIPS 비공식 협의시 농산물 협상을 위시 상기분야별 UR 협상 일정이 일부 조정될 가능성이있다고 언급하고 조정된 일정을 2.26 TNC회의시 밝히겠다고 언급하였는바, 참고 바람. 끝

(대사대리 박영우-국장)

통상국   2차보   XXX(대사)   경기원   재무부   농수부   상공부   특허청

PAGE 1   91.02.23   09:51 WG

                                             외신 1과 통제관

                                                        0021

AIRGRA_ **AÉROGRAMME**

GATT/AIR/3156   21 FEBRUARY 1991

SUBJECT: URUGUAY ROUND: TRADE NEGOTIATIONS COMMITTEE

1. THE NEXT MEETING OF THE TRADE NEGOTIATIONS COMMITTEE AT OFFICIAL LEVEL
WILL BE HELD IN THE CENTRE WILLIAM RAPPARD AT 11 A.M. ON 26 FEBRUARY 1991.
AT THIS MEETING, I SHALL REPORT ON THE CONSULTATIONS I HAVE CONDUCTED IN MY
CAPACITY AS CHAIRMAN OF THE COMMITTEE AT OFFICIAL LEVEL IN ORDER TO RESTART
THE NEGOTIATIONS IN ALL THE AREAS IN WHICH DIFFERENCES REMAIN OUTSTANDING,
IN ACCORDANCE WITH THE MANDATE GIVEN TO ME AT THE MINISTERIAL MEETING HELD
IN BRUSSELS ON 3-7 DECEMBER 1990 (MTN.TNC/18(MIN), PAGES 9-10).

2. GOVERNMENTS PARTICIPATING IN THE MULTILATERAL TRADE NEGOTIATIONS AND
WISHING TO BE REPRESENTED AT THIS MEETING ARE INVITED TO INFORM ME OF THE
NAMES OF THEIR REPRESENTATIVES AS SOON AS POSSIBLE.

A. DUNKEL

OBJET: NEGOCIATIONS D'URUGUAY: COMITE DES NEGOCIATIONS COMMERCIALES

1. LE COMITE DES NEGOCIATIONS COMMERCIALES TIENDRA SA PROCHAINE REUNION
A L'ECHELON DES HAUTS FONCTIONNAIRES LE 26 FEVRIER 1991 A 11 HEURES AU
CENTRE WILLIAM RAPPARD. A CETTE REUNION, JE RENDRAI COMPTE DES CONSUL-
TATIONS QUE J'AI MENEES EN MA QUALITE DE PRESIDENT DU COMITE A L'ECHELON
DES HAUTS FONCTIONNAIRES AFIN DE RELANCER LES NEGOCIATIONS DANS TOUS LES
DOMAINES DANS LESQUELS DES DIVERGENCES SUBSISTENT, CONFORMEMENT AU MANDAT
QUI M'A ETE CONFIE A LA REUNION MINISTERIELLE TENUE A BRUXELLES DU 3 AU
7 DECEMBRE 1990 (MTN.TNC/18(MIN), PAGES 11 ET 12).

2. LES GOUVERNEMENTS PARTICIPANT AUX NEGOCIATIONS COMMERCIALES MULTI-
LATERALES QUI DESIRENT ETRE REPRESENTES A CETTE REUNION SONT PRIES DE ME
COMMUNIQUER DES QUE POSSIBLE LES NOMS DE LEURS REPRESENTANTS.

A. DUNKEL

ASUNTO: RONDA URUGUAY: COMITE DE NEGOCIACIONES COMERCIALES

1. LA PROXIMA REUNION DEL COMITE DE NEGOCIACIONES COMERCIALES A NIVEL DE
DELEGACIONES SE CELEBRARA EN EL CENTRO WILLIAM RAPPARD A LAS 11 H EL 26 DE
FEBRERO DE 1991. EN ESTA REUNION INFORMARE SOBRE LAS CONSULTAS QUE HE
CELEBRADO EN MI CALIDAD DE PRESIDENTE DEL COMITE A NIVEL DE DELEGACIONES A
FIN DE REANUDAR LAS NEGOCIACIONES EN TODAS LAS ESFERAS EN QUE SIGUE
HABIENDO DIVERGENCIAS, DE CONFORMIDAD CON EL MANDATO QUE ME FUE ENCOMENDADO
EN LA REUNION MINISTERIAL CELEBRADA EN BRUSELAS DEL 3 AL 7 DE DICIEMBRE DE
1990 (MTN.TNC/18(MIN), PAGINAS 11 Y 12).

2. RUEGO A LOS GOBIERNOS PARTICIPANTES EN LAS NEGOCIACIONES COMERCIALES
MULTILATERALES QUE DESEEN ESTAR REPRESENTADOS EN ESTA REUNION QUE ME
COMUNIQUEN LO ANTES POSIBLE LOS NOMBRES DE SUS REPRESENTANTES.

A. DUNKEL

91-0237

SENT BY: Director-General, GATT, Tel. address: GATT GENEVA   0022
ENVOYÉ PAR: Directeur général, GATT, Adresse télégraphique: GATT GENÈVE

270   우루과이라운드 협상 동향 및 무역협상위원회 회의 1

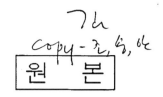

외 무 부

종 별 :

번 호 : GVW-0368　　　　　　　　　　일 시 : 91 0226 1800

수 신 : 장 관(통기, 경기원, 재무부, 농림수산부, 상공부, 특허청)

발 신 : 주 제네바 대사　　　　　　　　사본:주 EC 대사(직송필)

제 목 : UR/TNC 고위급 공식 회의

　　2.26(화) 11:00 개최된 TNC (무역협상위원회)고위급 회의는 DUNKEL 의장이 UR 협상의재개 및 시한 연장을 제의하는 성명 (STATEMENT)을 발표하고 각국이 발언없이 동 성명 내용을 수락함으로써 15분만에 간단히 종료됨 (본직, 박공사 및 당관 관계관 참석)

　　1. DUNKEL 의장 성명요지

　　가. UR 협상 재개

　　- 브랏셀 각료회의시 부여받은 임무에 따라 집중적인 협의를 실시하였으며, 그결과 이제 UR협상을 다시 궤도에 올려 놓는데 필요한 모든 요소가 갖추어졌다는 결론에 이름.

　　- 그간의 협의결과에 따라 MTN.TNC/W/69문서 (별첨)로 향후 작업 계획 (PROGRAMME OF WORK)을 작성, 제의함. 동 계획은 (1) 모든 미합의분야의 협상 재개를 위한 기초 (BASIS) 와 (2)곧 재개되는 협상 (3.1.농산물 분야에 대해서부터 실시되는 협상을 지칭)을 통해 진전이 가능한 각분야의 협상의제 (PROPOSED WORK AGENDA) 등 두가지 사항을 주 내용으로 하고 있음.

　　나. 협상기한 연장

　　- UR 협상이 푼타 각료회의시 협상 종결 시한도 준수하지 못함이 분명하여 졌으므로 구체적인 일자는 정함이 없이 가능한 ~~PAGWL~~한 종결을 목표로 협상을 계속키로 할것을 제의함.

　　다. 푼타 델 에스테 각료선언 및 중간평가 합의관련사항

　　- 푼타 선언은 계속하여 모든 협상의 기초가 될것이며 중간평가 결정사항도 효력을 유지함. 따라서 GNG,GNS 및 감시기구의 지위에 변동이 없음.

　　- 향후 협상의제 및 협상 구조 문제에 대해서는 협상 참가국들과 협의를 실시해

통상국　　장관　　차관　　2차보　　경기원　　재무부　　농수부　　상공부　　특허청

나가도록하겠음.

  - 모든 참가국들은 개도국 우대 반영 정도에 관하여 효과적인 평가를 실시해야할 필요성에 유념함.

  - 갓트 기능 강화와 관련한 중간평화 결정사항 (갓트 정책 결정과정에의 각료급참여증대, 세계 경제정책 수립상의 일관성제고)은 UR 협상 시한 연장에도 불구하고불변이며, 푼타 선언상의 SS/RB 공약, 분쟁해결절차 개선 및 무역정책 검토 기구(TRIM) 설립에 관한 중간평가 결정사항도 협상 종료시까지 계속 유효함.

  - 농산물 및 섬유에 대한 중간평가 결정문에는 협상이 1990년 종결될 것이라는 구체적인 언급내용이 포함되어 있는바, UR 협상 계속이라는 새로운 합의에 따라 동 언급 내용을 수정할것을 제의함.

  라. TNC 는 언제라도 단시일내 봉보로 소집할 수있는 상태로 해 두겠음.

  2. 관찰 및 평가

  가. 금번 TNC 공식회의를 통해 그동안 사실상중단 상태에 있던 UR 협상이 재개 되었고 브랏셀 각료회의 결과 91년 초까지 종결키로 한 UR 협상 기한이 특정 시한을 명시하지 않은채공식 연장되었음.

  나. UR 협상 공식 재개와 아울러 3.1(금) 부터 농산물을 필두로 한 분야별 협상이 재개될 예정으로 있으나 당지에서의 일반적인 관측은 미국 행정부의 신속처리절차 협상권한 (FASTTRACK AUTHORITY) 기한 연장에 대한 의회의 승인여부가 확정될때 까지는 협상의 실질적 진전을 기대하기 어려울 것이라는 전망임 (DUNKEL총장의향후 작업 계획도 정치적 결정을 요하는 사항을 제외한 기술적 차원의 실무협상에 중점이 두어질 것임을 언급)

  다. 향후 UR 협상에서는 EC 가 공동농업정책 (CAP) 개혁 추진과 관련농산물 협상에서 어느정도 신축성을 보이게될거인가와 미국이 UR 협상에서 기대하는 수준을 어느정도 재조정 하느냐가 주요 변수로 작용하게 될것으로 보임.

  첨부 1) DUNKEL 사무총장 STATMENT

  2) PROGRAMME OF WORK(MIN.TNC/W/69).

  (GVW(F)-0082). 끝

  (대사 박수길-장관)

DRAFT

25.2.91

17.10

GVW-0082 1022618
GVW-318

<u>Trade Negotiations Committee</u>

<u>MEETING AT OFFICIAL LEVEL OF 26 FEBRUARY 1991</u>

<u>Note for the Chairman</u>

1.   As GATT/AIR/3156 states, I have convened this meeting in order to
report on the consultations that I have conducted in the period since the
Brussels meeting of the Committee at Ministerial Level in December last
year.

2.   My consultations have been held in accordance with the mandate given
to me by Minister Gros Espiel at the end of that meeting. In his
concluding statement (reproduced in the note on the meeting
(MTN.TNC/18(MIN)), he said that my aim should be to achieve agreements in
all areas of the negotiating programme in which differences remain
outstanding. He said that, during this phase, I might convene the TNC at
any time at short notice. You received the notice calling this meeting
only a few days ago and I would like to thank all of you for your
understanding and cooperation. I take this as evidence of your desire to
get the negotiations back on track without delay.

3.   The consultations which I have held since Brussels have indeed been
intensive and have taken many forms: multilateral, plurilateral and
bilateral; in Geneva and elsewhere. I have been in close touch with
Minister Gros Espiel during this period. I have met many of you on
numerous occasions. If I have not met all of you as often as I would have
liked, it is only because I have found that there are not enough hours in
each day and not enough days in each week for me to do so.

0025

- 2 -

4.   This meeting is being held today because my consultations have led me to conclude that I have now at hand all the elements necessary to enable us to put the negotiations back on track. The main elements of my proposed programme of work are now being circulated to you in MTN.TNC/W/69. I do not intend to read out this text to you as its essence is simple. It provides for two main things:

-   a basis for restarting the negotiations in all areas in which differences remain outstanding, and

-   a proposed work agenda in each of the negotiating areas which could be developed in further consultations which will be started very shortly.

5.   There are a number of other points that I would like to make as a part of this plan.

6.   First, while in my mind this goes without saying, I must stress that the Punta del Este Declaration remains the basis for all our work in the Uruguay Round and that decisions taken at the Mid-Term Review, also retain their validity. This means, for instance, that the GNG, the GNS and the surveillance mechanism remain in place and retain their status.

7.   Second, I shall be consulting with participants not only on the proposed agenda for further work but also on the way in which that work will be organized.

8.   Third, all participants will be mindful of the requirement that an effective evaluation be conducted of the extent to which the objectives relating to differential and more favourable treatment for developing countries are being attained.

0026

- 3 -

9.   Fourth, I also need to recall that at the Punta del Este meeting,
which was held in September 1986, the Ministers agreed that "the
multilateral trade negotiations will be concluded within four years" i.e.,
before the end of 1990. At the conclusion of the Brussels Ministerial
Meeting all members of the TNC concurred with a proposal by
Minister Gros Espiel that consultations be pursued until "the beginning of
1991". It is now clear that the expectation that the negotiations would be
concluded by the beginning of 1991 has not been met. I therefore propose
that the TNC agree to continue the negotiations with the aim of concluding
them as soon as possible. You will note that I am not suggesting that the
TNC fix a date for the conclusion of the negotiations, as experience has
taught us that fixing target dates is not always helpful. In other words,
we should allow the target date to emerge in the process of negotiation.

10.   I would like to make a number of consequential points. The Mid-Term
decisions on Greater Ministerial Involvement in GATT and on Increasing the
Contribution of GATT towards achieving Greater Coherence in Global Economic
Policy Making are not limited in time and therefore remain unchanged by the
continuation of the negotiations beyond 1990. The Standstill and Rollback
commitments in the Punta del Este Declaration and the Mid-Term decisions on
Improved Dispute Settlement Procedures and on the establishment of the TPRM
remain valid until the end of the negotiations.

11.   I would also like to point out that in the Mid-Term decisions on
Agriculture and on Textiles and Clothing there are some specific references
to the negotiations being concluded in 1990. I suggest that these
references stand modified in accordance with the new agreement on the
continuation of the negotiations.

0027

- 4 -

12. Can I take it that the Committee agrees with the statement that I have just made?

It is _agreed_.

10. Before adjourning this meeting, I would only add that the Committee should remain on call at short notice.

If this is _agreed_, the meeting is adjourned.

0028

MULTILATERAL TRADE
NEGOTIATIONS
THE URUGUAY ROUND

RESTRICTED
MTN.TNC/W/69
26 February 1991
Special Distribution

Trade Negotiations Committee

PROGRAMME OF WORK

Proposal by the Chairman at Official Level

This note should be read in conjunction with the introductory remarks of the Chairman at official level at the meeting of the Trade Negotiations Committee on 26 February 1991, to be issued in the note on that meeting (MTN.TNC/19).

1.   In his closing remarks at the Brussels Ministerial Meeting, Minister Gros Espiell requested me to pursue intensive consultations with the specific objective of achieving agreements in all the areas of the negotiating programme in which differences remain outstanding. These consultations will, he said, be based on document MTN.TNC/W/35/Rev.1, dated 3 December 1990, including the cover page which refers to the Surveillance Body and the communications which various participants sent to Brussels. He added that I would also take into account the considerable amount of work carried out at the Brussels meeting, although it did not commit any delegation.

AGRICULTURE

2.   With respect to agriculture, my consultations confirm that participants agree to conduct negotiations to achieve specific binding commitments on each of the following areas: domestic support; market access; export competition; and to reach an agreement on sanitary and phytosanitary issues; and that technical work will begin immediately to facilitate these negotiations.

3.   To assure progress in achieving the results I have just described, I can also confirm that participants are committed to pursuing consultations, as necessary, at senior policy-making levels to address outstanding aspects of the negotiation requiring such guidance.

4.   All participants are committed to achieving reform of world agriculture trade through the framework approach set forth in the results on agriculture adopted by the Trade Negotiations Committee at its mid-term review as contained in document MTN/TNC/11.

GATT SECRETARIAT
UR-91-0016

0029

5. I therefore propose as a tentative agenda for consultations, the following technical issues:

(a) In the area of domestic support: a means of determining the policies that shall be excluded from the reduction commitment, the role and definition of an Aggregate Measurement of Support and equivalent commitments, a means of taking account of high levels of inflation faced by some participants, and the reinforcement of GATT rules and disciplines.

(b) In the area of market access: the modality and scope of tariffication, the modalities of a possible special safeguard for agriculture, the scope and modalities of implementation of a minimum access commitment, the treatment of existing tariffs, and the reinforcement of GATT rules and disciplines.

(c) In the area of export competition: a definition of export subsidies to be subject to the terms of the final agreement including the development of means to avoid the circumvention of commitments while maintaining adequate levels of food aid, and the reinforcement of GATT rules and disciplines.

(d) In the area of sanitary and phytosanitary measures, there is also scope for further refinement of a number of technical provisions and procedures.

(e) In each of these areas the particular concerns of developing countries, of net food importing developing countries, and those relating to food security will be examined.

TEXTILES AND CLOTHING

6. While much intensive work was done in Brussels, it is my understanding that the issues to be resolved in the area of textiles and clothing are essentially among those set out on page 239 of W/35/Rev.1 and in the text in the following pages of that document; that further work is to proceed within the framework established for the negotiations up to the end of the Brussels Meeting; that the work carried out at Brussels should be taken into account as appropriate.

7. Participants must now consider what work can usefully be undertaken at the present stage, recognizing, as I believe they must, that they need to begin by focusing on technical work in the first instance.

8. I suggest, therefore, that consultations should be held with a view to restarting work by reviewing the situation in the negotiations in this sector, so as to provide delegations with an opportunity to comment on the basis on which further work is to proceed on any technical aspects in relation to outstanding issues (e.g. annexes to the draft agreement), so that their results could be brought, at the appropriate time, into the process of substantive negotiations.

0030

SERVICES

9.   While much intensive work was done in Brussels it is my understanding
that the issues to be settled in the area of services remain, in general,
those set out on pages 328 to 382 of W/35/Rev.1.

10.   I suggest that participants now make arrangements to restart
negotiations on services. When doing so, I suggest that they ask
themselves what can usefully be done at the present stage. In this
respect, it would appear that there is agreement among participants to
undertake work in three specific areas: the framework, initial commitments
and sectoral annexes. My own suggestion is that consultations be held
during which participants should first be given an opportunity (a) to take
stock of the situation by assessing where we are in the negotiations on
initial commitments, the framework text and on the annexes and (b) to
explain how they see further developments in this work in terms of
priorities and interrelationships.

11.   I suggest that participants should also identify technical work that
can be done in the coming weeks in each of the three main elements of the
negotiations on services - commitments, framework and annexes. Such
technical work might relate for example to the clarification and evaluation
of offers and to the establishment of appropriate negotiating procedures,
to further examination of arrangements and agreements of a general
character for which exceptions from m.f.n. provisions might be sought, and
to specific modalities for the application of m.f.n. in particular sectors.

RULE-MAKING

12.   This heading deals with a number of negotiating areas, in particular:
subsidies and countervailing duties, anti-dumping, safeguards, preshipment
inspection, rules of origin, technical barriers to trade, import licensing
procedures, customs valuation, government procurement and a number of
specific GATT Articles. Issues in some of these areas are closely related
to the main political problems facing the negotiations and in such cases
political and technical questions overlap.

(a)   Subsidies and countervailing duties

13.   Pages 83 to 134 of MTN.TNC/W/35/Rev.1 contain a text on subsidies and
countervailing duties and a commentary on that text which refers
specifically to a number of communications from delegations. The issues
that remain to be dealt with in this area are set out in that document.

14.   I suggest that consultations be held during which participants should
be invited to comment on the basis for their discussions and negotiations
in this area, and on the way in which we should proceed. I would note that
the commentary on page 83 of W/35/Rev.1 states that, while the text in that
document requires a number of drafting changes, these can be done once

0031

MTN.TNC/W/69
Page 4

major political problems have been resolved. Until major political
decisions are taken, I suggest that participants should focus on technical
work. One example of an area on which technical work might be done is in
the area of special and differential treatment for developing countries
(Article 27 and Annex VIII of the draft on pages 118, 119, 133 and 134 of
W/35/Rev.1).

(b) Anti-dumping

15. Participants will recall that MTN.TNC/W/35/Rev.1 does not contain a
text on anti-dumping and this is therefore one area in which there is no
basis for negotiations. The commentary on page 43 of that document merely
listed out some (but not all) of the points on which basic differences
continue to exist and stated that political decisions were needed to
overcome these basic differences.

16. As in the discussions on other areas, I suggest that technical work
should be restarted on anti-dumping and that participants first be given
the opportunity of commenting on the basis of the discussions and
negotiations in this area and on the way in which they should be tackled.

17. Participants will also, however, wish to identify those specific
issues in this area which can usefully be discussed in the near future. In
doing so, I expect that they will be taking up work carried out in
Brussels.

(c) Safeguards

18. MTN.TNC/W/35/Rev.1 contains a detailed text on safeguards, which will
be found on pages 183 to 192 of that document. The commentary on that text
sets out the main points in that text that remained to be settled.

19. When consultations are held participants should be given an
opportunity of commenting on where they stand now in the safeguards
negotiations and where they should go from here, taking due account of work
done in Brussels, as appropriate.

20. They will also consider whether there is any technical work we might
usefully start on in this area. My own assessment of the situation is that
negotiations are now faced with a number of major issues requiring
substantive decisions and that, in this area, it is therefore unlikely that
they will identify areas on which technical work is required or would be
useful at the present stage.

(d) Preshipment Inspection

21. The text on preshipment inspection is reproduced on pages 31 to 42 of
MTN.TNC/W/35/Rev.1. The commentary on page 30 of the document drew
attention to the main decision that needed to be taken at the Brussels
Meeting.

0032

22. Substantial work appears to have been done in Brussels on this point.

23. When consultations are held participants should determine how far the progress made in Brussels should be confirmed. The legal form of the text will have to be examined but I suggest that this should be done, in this and in other areas, only at a later stage when discussions and negotiations on the Final Act are further advanced. Consultations have been going on between the International Chamber of Commerce and the International Federation of Inspection Agencies on whom we would be relying for the implementation of an important part of an agreement. In this area I suggest that a way be found of keeping them informed of any developments in the Uruguay Round which would affect their plans and that participants respond to the suggestions that ICC and IFIA have already made in this regard.

(e) Rules of Origin

24. The text on rules of origin is reproduced on pages 13 to 29 of MTN.TNC/W/35/Rev.1. The commentary on page 12 of the document drew attention to the issues on which an overall compromise needed to be found.

25. Here again, considerable work seems to have been done in Brussels. Participants should determine how far the progress made in Brussels should be confirmed.

26. The document recalls that the legal form of the text will have to be examined but I suggest that this be done, in this and other areas, only at a later stage when discussions and negotiations on the Final Act are further advanced.

(f) Technical barriers to trade

27. Pages 45 to 69 of W/35/Rev.1 contain the draft text of a new agreement on technical barriers to trade. The commentary on page 44 of W/35/Rev.1 drew attention to the questions which remained to be settled with respect to this text.

28. In Brussels substantial progress was made on the new text for Article 1.5 concerning the relationship of the Agreement to the Decision on Sanitary and Phytosanitary regulations and on the text on Consultation and Dispute Settlement Procedures (Article 14 and Annex 2). This remains dependent, however, on an agreement on the issue relating to the second level obligations (i.e. obligations on provinces, states and municipalities).

29. I therefore suggest that participants should first focus on the second level obligation issue. Further discussions may also be necessary on the proposal by one delegation for clarification of Article 2.2 (provisions relating to unnecessary obstacles to trade).

0033

MTN.TNC/W/69
Page 6

(g) Import licensing procedures

30. Pages 73 to 82 of W/35/Rev.1 contain the text of a new draft agreement
on import licensing procedures which was agreed on an *ad referendum* basis
prior to the Brussels Meeting. I understand that one delegation maintains
a reservation on this text made prior to the Brussels Meeting and reflected
on page 72 of W/35/Rev.1, pending agreement that a GATT Working Party be
established to develop rules in the area of export licensing procedures in
the post-Uruguay Round period.

31. Since the text was agreed on an *ad referendum* basis prior to the
Brussels Meeting, subject to this one reservation, it would appear that no
further technical work may be needed in this area unless the request for
the establishment of a Working Party on export restrictions raises
technical questions which can be clarified at the present stage.

(h) Customs valuation

32. Pages 135 to 137 of W/35/Rev.1 contain the texts of two draft
recommendations from the CONTRACTING PARTIES to the Committee on Customs
Valuation, and of an accompanying understanding which were accepted on an
ad referendum basis prior to the Brussels Meeting. It would therefore
appear that no further technical work is needed in the framework of the
Round with respect to these texts.

(i) Government procurement

33. Page 138 of W/35/Rev.1 contains the text of an agreement on accession
to the Government Procurement Code. This text, which was the result of
consultations held prior to the Brussels Meeting, was accepted on an
ad referendum basis in Brussels.

34. However, delegations should, of course, be given an opportunity for
offering comments on this text which takes the form of a recommendation
from the CONTRACTING PARTIES to the Committee on Government Procurement.
However, it seems to me that further technical work is unlikely to be
required in this area.

(j) GATT Articles

35. The state of the work on GATT Articles is precisely as set out in
MTN.TNC/W/35/Rev.1. That document described, for each of the Articles
which had been the subject of work in the Negotiating Group, the status of
the draft agreement, where such a draft existed, and in the case of the
balance of payments provisions the position reached in the discussions. It
will be remembered that agreement had been reached *ad referendum* on
Articles II:1(b), XVII and XXVIII; certain participants had maintained
reservations on the draft decisions on Articles XXIV and XXXV; and it was
understood that final decisions on Article XXV:5 and the Protocol of
Provisional Application could only be taken in the light of results in
other areas of the negotiations. On the Balance of Payments provisions it
had not been decided whether or not to engage in negotiations.

0034

36. Delegations will be given an opportunity to express their views on the way in which we should work in the GATT Articles area. My suggestion is that a start be made by discussing Article XXXV and maybe Article XXIV.

TRADE-RELATED INVESTMENT MEASURES AND TRADE-RELATED ASPECTS OF INTELLECTUAL PROPERTY RIGHTS

(a) Trade-Related Investment Measures

37. Unlike in most other areas of the negotiations, it did not prove possible to transmit a draft text of an agreement on TRIMs to Ministers in Brussels. The commentary on TRIMs on page 238 of MTN.TNC/W/35/Rev.1 simply enumerates the points on which basic divergences of view exist. These are: coverage; level of discipline; developing countries and restrictive business practices.

38. When consultations are held in this area, I suggest that delegations be given an opportunity to comment on the present status of negotiations on TRIMs. They should also try to identify technical work that can usefully be done in this area at the present stage of the negotiations.

39. On this latter point, I suggest that agreement could be assisted by discussions of a technical nature, building as appropriate on work already undertaken as reflected in the draft texts referred to in the commentary on page 238 of W/35/Rev.1. Technical discussions to elaborate a workable "effects test" would, for example, be a useful contribution in the level of discipline area.

(b) Trade-Related Aspects of Intellectual Property Rights

40. The text sent forward to Brussels in TNC/W/35/Rev.1 listed on pages 194-195 the outstanding issues on which decisions were required in the TRIPs negotiations. These issues remain unsettled, and the basis for future work is the draft text as contained in that document.

41. When work restarts on TRIPs, I suggest that delegations be given an opportunity to consider the present state of the negotiations in this area, taking into account the work done in Brussels, and to identify any areas in which technical work could usefully be undertaken at this stage.

DISPUTE SETTLEMENT AND FINAL ACT

(a) Dispute settlement

42. MTN.TNC/W/35/Rev.1 contains a detailed text on Dispute Settlement. This will be found on pages 289 to 305 of that document. A commentary on the text identified the three main outstanding issues.

0035

MTN.TNC/W/69
Page 8

43. Participants in consultations should be given an opportunity to
comment on the present situation in the negotiations on dispute settlement
and to identify work that can usefully be done in the phase of the
negotiations that is just beginning.

44. It is my judgment that a number of the issues in this area will only
be solved when governments are ready to take the political decisions
necessary to bring the Uruguay Round to a successful conclusion. I would,
however, suggest that there are areas in which technical discussions would
be useful at the present stage: for example, the provisions concerning the
maximum length of dispute settlement proceedings, and the procedures for
dealing with non-violation complaints.

(b) Final Act

45. The Draft Final Act will be found on pages 2 to 5 of
MTN.TNC/W/35/Rev.1.

46. The two main issues in this area are, in my view, whether the
instruments resulting from the Uruguay Round should or should not be
accepted as a single undertaking; and the form of the decision to be taken
in respect of a new organizational structure to be implemented after the
conclusion of the Round.

47. I suggest that delegations are likely to wish to concentrate on other
areas of the negotiations before turning to consideration of the Final Act.

(c) FOGS text on Greater Coherence

48. The FOGS texts on Institutional Reinforcement of the GATT and Greater
Coherence in Global Economic Policy Making will be found on pages 323
to 325 of MTN.TNC/W/35/Rev.1. An inspection of these texts shows that a
number of issues remain to be settled.

49. These issues seem to me to require political decisions that are
unlikely to be forthcoming until the final decisions on the Uruguay Round
are taken. There does not appear to be scope for technical discussions on
them at the present stage.

MARKET ACCESS

50. It was proposed that the results of the market access negotiations are
to be annexed to the Uruguay Round (1990) Protocol to the GATT, the draft
text of which will be found on pages 7 to 11 of MTN.TNC/W/35/Rev.1. The
commentary which precedes this text makes it clear that this protocol will
incorporate the results of the negotiations in a number of areas, including
natural resource-based products and tropical products. This commentary
also expressed the hope that the bilateral market access negotiations would
be completed by the end of the Brussels Ministerial Meeting.

0036

51. This hope was not realized. Consultations were held on the text of the draft Protocol in W/35/Rev.1. These revealed that two points in the Protocol remained to be settled. These are:

(a) reference to the application of Article XXVIII in cases of modification or withdrawal of non-tariff concessions; and

(b) period of implementation of tariff concessions.

52. Much remains to be done in the market access negotiations but some major political decisions will be required before these are brought to a successful conclusion. It is, nevertheless, my assessment that a lot of technical work still needs to be done.

53. I suggest that:

(a) participants should pursue their bilateral and plurilateral negotiations as vigorously as they can in the present circumstances;

(b) transparency should be achieved by further informal meetings of all participants in the access negotiations as well as meetings of the TNC, as appropriate;

(c) participants review:

(i) the status of bilateral and plurilateral market access negotiations: under this item, delegations should be invited to give oral reports on their bilateral and plurilateral negotiations on market access which they have been holding before, at and since Brussels; it will be recalled that a total of 50 MTN participants have submitted proposals on tariffs and tropical products.

(ii) proposals and offers currently on the table, including in tropical products and NRBPs: this item would provide for the continuation of the process of review and assessment of existing proposals and offers, a process which took place prior to Brussels, separately in the tariff and the tropical products groups. New proposals have been received or existing ones modified (mostly improved) since the process was discontinued in the two groups mentioned above. For these reviews, the secretariat would prepare up-to-date analytical background papers, and

0037

MTN.TNC/W/69
Page 10

    (d)   further technical work would also relate to two points left open
        in the Market Access Protocol, i.e. reference to the application
        of Article XXVIII in cases of modification or withdrawal of
        non-tariff concessions; and period of implementation of tariff
        concessions (most delegations favoured five annual cuts,
        beginning 1 January 1992, some other delegations requested a
        longer period).

0038

<u>우루과이라운드/貿易協商委員會 高位級 公式 會議 結果</u>

1991. 2. 27.

外 務 部

1991. 2. 26. (화) 제네바에서 開催된 貿易協商委員會
高位級 公式 會議에서 우루과이라운드 協商을 再開하기로
合意한바, 同 結果를 아래 報告 드립니다.

---

1. 會議 槪要

　o 던켈 갓트 事務總長, 貿易協商委員會 高位級 議長
　　資格으로 우루과이라운드 協商 再開 및 時限 延長을
　　提議하는 聲明 發表

　o 각 參加國은 發言없이 同 聲明 內容을 受諾

2. 던켈 議長의 聲明 要旨

　o 브랏셀 閣僚會議 以後 集中的인 協議를 통하여,
　　이제 우루과이라운드 協商을 再開할 準備가 갖추어
　　졌다는 結論에 到達

0039

o 具體的인 時限을 정하지 않고 可能한 조속한 終結을
目標로 協商을 繼續 할것을 提議

o 貿易協商委員會는 隨時 召集 豫定

3. 評價 및 展望

(評 價)

o 금번 貿易協商委員會를 통하여 우루과이라운드 協商
公式 再開

o 우루과이라운드 協商 終了 時限을 明示하지 않은채
延長

(展 望)

o 美 行政府는 우루과이라운드 協商 再開를 基礎로
91.3.1 以前 美 議會에 迅速處理節次 時限 延長을
要請할 것으로 豫想

o 協商의 公式 再開와 함께 分野別 協商이 再開될
豫定이나, 協商의 실질적인 進展은 美 行政府의
迅速處理節次 期限 延長 要請에 대한 美 議會의
承認 與否가 決定되는 4-5월경이 될 것으로 보임

0040

4. 對　策

　o 우루과이 라운드 協商의 成功的 妥結을 위하여 關係
　　部處間 緊密히 協調하는 가운데 繼續 協商에 積極
　　參加 豫定.　　　　　　끝.

0041

우루과이라운드/貿易協商委員會 高位級 公式 會議 結果

1991. 2. 27.
外 務 部

> 1991.2.26.(화) 제네바에서 개최된 貿易協商委員會 高位級 公式 會議 結果를 아래 報告 드립니다.
> /에서 우루과이라운드 協商을 재개하기로 합의하니, 동 /

1. 會議 槪要

○ 던켈 갓트 事務總長, 貿易協商委員會 高位級 議長 資格으로 우루과이라운드 協商 재개 및 時限 延長을 제의하는 聲明 發表

○ 각 參加國은 發言없이 동 聲明 內容을 수락

2. 던켈 議長의 聲明 要旨

○ 브랏셀 閣僚會議 以後 集中的인 협의를 통하여, 이제 우루과이라운드 협상을 再開할 준비가 갖추어졌다는 結論에 到達

○ 구체적인 時限을 정하지 않고 可能한 조속한 終結을 目標로 協商을 繼續 할것을 提議

○ 貿易協商委員會는 隨時 召集 豫定

공람	통상기구과	기년2월일	담 당	과 장	심의관	국 장	차관보	차 관	장 관
			김봉주	川代	利				份

0042

3. 評價 및 展望

(評　價)

o 금번 貿易協商委員會를 통하여 우루과이라운드 協商 公式 再開

o 우루과이라운드 協商 終了 時限을 명시하지 않은채 延長

(展　望)

o 美 行政府는 우루과이라운드 協商 再開를 基礎로 91.3.1 以前
美 議會에 迅速處理節次 시한 연장을 요청할 것으로 예상

o 協商의 공식 再開와 함께 分野別 協定이 再開될 豫定이나,
協商의 실질적인 進展은 美 行政府의 迅速處理節次 기한 延長
要請에 대한 美 議會의 承認~~이~~ ~~豫想~~되는 4-5월경이~~까지는~~ ~~期待~~
~~困難視~~ 어부가결後 될 것으로 보임

4. 對　策

o ~~당국은~~ 우루과이 라운드 協商의 성공적 妥結을 위하여 앞으로도
協商에 적극 參加 豫定.　　　　끝.
관계부처는
긴밀히 협조하는 기본
자세 견지

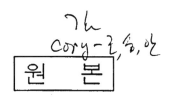

외 무 부

종   별 :

번   호 : GVW-0375   일   시 : 91 0227 1530

수   신 : 장 관(통기)경기원, 재무부, 농림수산부, 상공부, 특허청)

발   신 : 주 제네바 대사

제   목 : UR/ 주요국 비공식 협의 일정

　　　연: GVW-0349

　　　UR 협상 재개에 따라 갓트 사무국이 통보하여 온주요국 비공식 협의 (TNC 고위급 의장 주재)일정은 아래와 같음.

- 3.1.(금) 11:00 농산물
- 3.5.(화) 15:00 섬유
- 3.8.(금) 10:00 써비스
- 3.14.(목) 15:00(필요시 3.15 오전 계속) 규범 제정
- 3.18.(월) 15:00 TRIMS, TRIPS
- 3.20.(수) 10:00 분쟁해결, 최종의정서
- 3.21.(목) 10:00 시장접근.끝

　　(대사 박수길-국장)

통상국　　2차보　　경기원　　재무부　　농수부　　상공부　　특허청

외 무 부

종   별 :

번   호 : GVW-0384   일   시 : 91 0228 1810

수   신 : 장 관(봉기, 경기원, 재무부, 농림수산부, 상공부, 특허청)

발   신 : 주 제네바 대사

제   목 : UR 협상(평화그룹협의)

　　금 2.26(화) 호주 주최로 평화그룹 대사급 월레오찬 협의가 개최되어 향후 협상 전망과 대처방안등에 대해 의견을 교환한바 주요내용 아래 보고함.

　　1. 우루과이대사는 TNC 회의결과 UR 협상이 공식 재개되고 협상기한이 연장되었으며, 미국의 신속처리절차 권한 기한 연장 가능성과 관련, 중도, 온건 입장을 견지하고 있는 평화그룹의 이름으로 UR 협상의 성공적인 타결을 지지하는 성명을 적절한 시기에 발표할 것을 제의함.

　　2. 동 제의에 대해 각국이 동의하였고 동성명에는 대체로 아래와 같은 내용이 포함되어야할것이라는 의견이 많았으며 발표시기는 금년 7월경으로 잠정 합의하였음.

　　- UR 협상 재개환영 및 UR 협상의 조속한 시일내 타결 희망

　　- UR 협상의 성공적 타결로 세계무역 질서를 개편, 모든 나라가 공헌하고 혜택받도록 함.

　　- UR 협상 실패시 예견되는 보호주의, 지역주의, 쌍무주의등으로 인한 세계교역에의 부정적 여파 우려 표명

　　3. 향후 UR 협상 전망에 대하여는 현 단계에서 예단키 어렵다는 것이 일반적인 관측이었으나 우루과이 대사는 미국으로서는 꼭 92년 선거이전에 UR 을 타결시켜야 할 필요가 반듯이 있다고는 보여지지 않는다고 전제하고 오히려 EC 측이 급하게된 상황인바, EC 로서는 중부유럽문제 해결에 심혈을 기울여야 할 처지에 있기 때문에 UR문제를 조속히 (빠르면 금년내) 매듭짓기를 희망할 것으로 본다고 언급함.

　　4. 다음 오찬 협의는 파키스탄 주최로 4.25. 개최예정임.끝.

　　(대사 박수길-국장)

통상국　　2차보　　경기원　　재무부　　농수부　　상공부　　특허청

PAGE 1   91.03.01   11:06 WG

　　　　　　　　　　　　　　　　　　　　　　　　　　외신 1과 통제관

0045

외 무 부

종 별 :

번 호 : GVW-0402   일 시 : 91 0305 1100

수 신 : 장관(통기, 경기원, 재무부, 농림수산부, 상공부, 특허청)

발 신 : 주 제네바 대사

제 목 : 갓트 사무총장 예방

본직은 금 3.4(월) 17:00 던켈 사무총장을 신임 예방하였는바(오참사관 배석) UR 협상 전망 및 아국의 UR 협상 참여와 관련한 동인 언급 내용을 아래 보고함.

1. UR 협상 전망

- 걸프전 종전과 더불어 많은 사람들이 새로운 질서에 관해 언급하고 있는바, UR 협상도 하나의 요소라고 봄.

- UR 협상의 진전을 위해서는 각국의 입장 변화가 있어야 하는바, 다소 시간이 소요될 것(2-3 개월)으로 보고 있음.

- 가장 중요한점은 농산물 협상에 관한 EC 측 입장 변화인바, 지금까지의 EC 측 입장도 매우 완강하였음에도 불구하고 최근 특히 불란서 농민들은 불란서 정부의 입장이 미흡하다고 규탄하고 있는 실정임.

- 현재로서는 UR 협상의 종료 시기를 예견키 어려움. UR 협상이 장기간 연장된 경우 협상의 MOMENTUM 을 상실할 우려가 있기 때문에 협상 시기를 앞당기기위한 PRESSURE 가 필요함.

- 이런점을 감안 자신으로서는 내주중 런던을 방문하고 있어서 브랏셀, 워싱턴도 방문하여 UR 협상 추진 문제를 협의할 예정임.

- 현재 아세안, 일본등으로 부터도 방문 초청을 받고 있는바, 이들 국가는 금년 6월 이후 늦으면 가을경 방문할것을 고려중인바, 그 기회에 한국 방문도 희망하고 있음.

2. 아국의 UR 협상 참여

(본직은 아국 정부로서는 농산물 분야에서 상당한 어려움을 겪고 있지만 다자간 무역 체제의 중요성을 충분히 인식, UR 협상의 성공을 위해 전향적인 협상 자세를 견지할 것이라고 하였음)

통상국   1차보   2차보   경기원   재무부   농수부   상공부   특허청

91.03.06   05:35
외신 2과 통제관 CA
0046

- 여러 난관을 거치면서도 한국 경제가 놀라운 발전을 계속하고 있는데 경의를 표하며, 이러한 발전이 자유무역 체제에 힘입은바 크다는 점에서 한국도 시장개방을 하지 않을수 없다고 봄 (PRICE IS TO OPEN UP YOUR MARKET).

　　- 한국이 경제발전에 상응하는 시장개방을 통하여 더욱 발전하고 국제사회에서 일본보다 좋은 이미지를 유지할수있기를 바람. 끝

　　(대사 박수길-국장)

　　예고 91.6.30. 까지

PAGE 2

원 본

외 무 부

종 별 :

번 호 : UKW-0639
일 시 : 91 0310 1400

수 신 : 장관(봉이),사본:경기원,상공부장관)

발 신 : 주영대사

제 목 : 우루과이 라운드 협상 세미나

1. 당지 왕립 국제문제연구소 (RIIA)가 주관한 우루과이 라운드 협상에 관한 세미나에서 주재국 LILLEY 상공부장관은 동 협상이 금년 여름,늦어도 금년말 까지는 타결이 되어야 한다고 주장하였으나 DUNKEL 가트 사무총장은 과거의 경험으로 보아 현단계에서 시한을 정하는 것이 반드시 도움이 되지는 않는다고 보며, 향후 협상과정에서 가능한 시한이 자연스럽게 제기될것이라는 견해를 피력하였음.

2. 동 협상 성패의 최대 관건인 농업문제 협상전망에 관하여 세미나 발표자 및 참석자들의 반응은 현재 EC가 공동 농업정책(CAP)수정안을 마련중이므로 동 수정안이성안되면 우루과이라운드 협상의 조기타결이 가능할 것이라는 견해와 CAP 수정안은우루과이 라운드 협상과는 별개이며 수정안 자체가 90.12월 브랏셀 각료회의시 EC안과 크게 다를게 없으므로 미국과 EC간에 이견차이가 좁혀지지 아니하여 조기타결이어려울 것이라는 견해가 엇갈렸는 바,EC회원국의 정부관계자 의견은 후자쪽이 우세한듯한 느낌을 받았음.

3. 3.7-8간 개최된 동 세미나에는 DUNKEL 가트 사무총장, RUGGIERO 이태리 봉상장관, 아국의 한승수의원등 각국 정부,학계,언론계 대표140여명이 참석하였는 바, 동세미나 상세 내용은 파편 송부하겠음. 끝

(대사대리 최근배-국장)

통상국   2차보   경기원   상공부

외　무　부

종　별 :

번　호 : GVW-0443　　　　　　　　　　　　　일　시 : 91 0312 1030

수　신 : 장관(통기)

발　신 : 주제네바대사

제　목 : 갓트이사회,총회의장 예방

　　본직은　3.11(월)　신임　인사차　ANELL　갓트이사회의장(스웨덴대사)　및
RICUPERO총회의장(브라질대사)을　예방하고　UR　협상전망등에　관해　의견　교환하였는바,
동 의장언급 요지는 아래와 같음.(민서기관 배석)

　　1. ANELL 이사회 의장

　　가. UR 협상에 대한 한국 입장

　　- 한국은　UR　협상의　순조로운　개시　및　진행을위해　적극적으로　협조해온　국가로
인식되어왔으며,　브랏셀　각료회의시　UR　협상의　진전에　부정적인　역할을　하였다는　일부
주장은　잘못된　것임.　한국은　1.15.　TNC　회의시　보다　전향적인　방향으로의　입장을
조정을　표명함으로써　협상을　촉진시키는데　더욱　고무적인　역할을　함.

　　- 한국이　UR　협상에서　당면하고　있는　어려움은　한국이　국제　경쟁에　있어　이미
선진국(INDUSTRALIZED COUNTRY) 수준에　있어　그수준에　상응하는　의무를　부담해야
하며더 이상 개도국으로서의 수혜를 기대할 수 없다는데에있다고 봄.

　　나. UR 협상전망

　　- 갓트가　노동권이나　환경문제를　다루지　못하고있는　점이나　현재　이사회의
분쟁처리　상황을볼때　갓트가　수행하고　있는　역할에　근본적인의문을　갖게되는바,　특히
분쟁처리의　경우　미국,이씨,일본,카나다등　주요　무역국들이　관련분야의　UR　협상
결과가도출되기　전에는　패널보고서　채택이나　권고　이행에　동의할　수없다는　입장을
취하고있거나,　각국이　분쟁해결에　상호주의를　요구함으로써　주요　분쟁이서로　완전히
맞물려　있는(LOCKED)　상태에있어,　만약　UR　협상이　실패하게　될　경우　갓트체제는
심각한 위기에 직면하게 될것임.

　　- 그럼에도　불구하고　UR 협상이 금년내 타결될 전망은 그다지 밝지 않음.　UR　협상
을　연내에　종결시키기　위해서는　지금과　같이　시한을　정하지않은　상태에서

──
통상국　　2차보　　　정문국　　　상공부

PAGE 1　　　　　　　　　　　　　　　　　　　　91.03.13　　00:45 BX

　　　　　　　　　　　　　　　　　　　　　　외신 1과　통제관

　　　　　　　　　　　　　　　　　　　　　　　　　　0049

협상하는것보다는 완전 성공이든 완전 결렬이든 금년말로 확고한 시한을 정하여 추진해 나가지 않으면 안될 것으로봄.

- 미국은 브랏셀 각료회의시 UR 협상 결렬의 책임을 이씨측에 전가시키는데 성공 하였으나 92년 대봉령 선거를 앞두고 현실적인 고려를 하여야하며, 이씨는 연내 타결을 바라는 역내회원국들의 희망을 실현시키기 위해 공동농업정책의 개혁을 가능한한 속히 국제적인 자유화문제와 연계시켜야 할것임.

2. RICUPERO 총회의장

가. UR 협상 전망

- 미국 의회가 행정부의 신속처리 협상권(FASTTRACK AUTHORITY) 연장을 거부할가능성은 크지않으나 의회는 최종순간에야 연장 여부에 대한결정을 내리게 될것이며행정부로서는 섬유등국내 업계와의 관계에서 미묘한 분야의 협상을 진전시킴으로써연장 반대 세력을 증대시키는 잘못을 벌이지 않을 것이므로 UR 협상은 5월말까지 실질적인 진전을 이루기 어려울 것임.

- 미국의 신속처리 협상권이 2년 연장되고 91.7월 실질협상이 개시되어 9월부터본격적인 협상이 진행된다 하더라라도 미국이 협상 결과를 국내적으로 처리하는데 1년은 소요될것이므로 UR협상은 91.12월말 또는 늦어도 92년 3월까지는 종결되지 않으면 안될 것임.

나. UR 협상에서의 한-브라질 협조문제

- 한국과 브라질은 반덤핑, 보조금,상계관세등많은 분야에서 이해가 일치하고 있으며 농산물분야의 경우에도 브라질의 주요 표적이 한국과는 무관한 수출보조금에 있 어 직접적으로 이해가 대립되는 관계에 있지 않으므로 여러 분야에서서로 힘을 합하여 공동으로 대처해 나갈 수 있을것임.

다. 브라질은 3.12. 이사회에서 자국산 신발에 대한 미국의 최혜국 대우 부여 거부와 관련 패널설치를 요청할 예정으로, 한국측이 지지를 발언해주기를 희망함.끝.

(대사 박수길-국장)

長官報告事項

報告畢

1991. 3. 13.
通商局
通商機構課(12)

題目 : Fast-track 時限 延長 關聯 動向

3.12(火) Hills 貿易代表는 美 下院 税入委 聽聞會에 出席하여 UR 協商의
成功的 終結 및 美.멕시코 自由貿易協定 締結 推進을 위해 Fast-track
時限 延長이 必須的임을 强調한 바, 同 代表의 證言 要旨 및 展望을
아래 報告 드립니다.

1. 證言 要旨

가. Fast-track 時限 延長 申請의 背景

  ○ 協商 相對國이 갖고 있는 同一 水準의 對外交涉權을 大統領에게
    賦與, 協商 結果의 美國 國內 施行 可能 與否에 대한 協商 相對의
    疑懼心 拂拭 必要
    - 合議事項의 國內的 施行 保障없이는 美國의 協商力 低下 招來

  ○ 議會와의 緊密한 協議는 繼續 維持

나. Fast-track 時限 延長 必要性

  ○ 交易 相對國의 市場 開放과 貿易 擴大는 美國의 持續的 經濟成長에 緊要
    - 90年의 境遇 輸出部門의 美 經濟成長에 대한 寄與度는 88%

0051

o 成功的 UR 協商 妥結에 必須的

 - 브랏셀 閣僚會議時 協商 中斷을 招來했던 國家들이 農産物
   分野에서 具體的 減縮 約束 意思를 갖고 協商에 復歸, 成功的
   UR 協商 終結 展望

 - 農産物, 서비스, 知的所有權等 主要協商 分野에 대한 多者
   規範 定立은 美國의 輸出 伸張과 世界交易 擴大에 重要

o 美.멕시코 自由貿易協定 締結은 地域 安定과 繁榮에 緊要

 - 同 協定 締結이 멕시코에게 一方的 利益만 招來할 것이라는 憂慮는
   杞憂에 不過

   . 지난 수십년간 對 멕시코 貿易 黑字 및 對 멕시코 投資를 통한
     美國內 雇傭 增大 實現

 - 長期的으로 美洲地域 自由貿易地帶 創設 推進에 寄與

2. 展 望

o 一部 議員들이 Fast-track 時限 延長을 UR 協商에만 適用하고 美.멕시코
   自由貿易協定 締結에는 適用 反對 入場을 취하고 있는등 反對 勢力이
   적지 않으나, 議會 承認이 最終的으로 있을 것으로 豫想.   끝.

0052

최근의 UR 협상 현황 및 전망

1. 현 황

○ 농산물 분야에 대한 미.EC간 타협이 큰 진전을 이루지 못했음에도 불구,
Dunkel 갓트 사무총장은 2.20-25간 7개 협상 분야(※)별 주요국(아국등 33개국)
협의를 개최, 2.26 TNC 회의에서 협상 현황과 기초에 대한 statement(※※)
채택 및 협상 재개 필요성에 대한 consensus 도출

※ 7개 협상 분야 : ①농산물, ②섬유, ③서비스, ④분쟁해결. 최종의정서,
⑤TRIM. TRIPS, ⑥시장 접근(관세, 비관세, 천연자원,
열대산품), ⑦규범제정(세이프가드, 반덤핑, 보조금,
갓트조문, 선적전 검사, 원산지 규정등)

※※ 농산물 분야 statement 요지
- 협상 참가국은 시장접근, 국내보조, 수출경쟁 3개 협상 요소에 대한
구체적이고 구속력 있는 약속(Specific binding commitment)과 위생
및 검역 규제에 대한 합의 도출을 위해 협상하는데 동의
- 상기 협상 촉진을 위한 기술적 작업(technical work) 즉각 개시 및
필요시 고위정책 결정 당국자간 협의 병행
- 89.4. 제네바 TNC 중간 평가 합의사항에 기초한 농산물 교역 개혁 추구
- 차기 협의시 논의될 4개 협상 요소(국내보조, 시장접근, 수출경쟁,
위생 및 검역 규제)별 기술적 사항에 대한 잠정 의제 제의
- 개도국 관심사항 및 식량 안보 관련사항은 동 협상 요소별 논의시 검토

○ Dunkel 사무총장, 2.26 TNC 회의에서 상기 협의 결과를 기초로 협상 재개
공식 선언
- 3월중 7개 협상 분야별 2차 주요국 협의 개최 예정

○ 미 행정부, 상기 진전을 바탕으로 Fast-track 시한 연장을 3.1 의회에 요청

0053

2. 전 망

o 분야별 협상 재개에도 불구, 본격 협상 시기는 미국의 Fast-track 시한 연장
 문제가 확정(법정 시한 : 5월말)된 연후인 6월이후가 될 것으로 전망

o UR 협상 종결 시기에 대한 두가지 전망 가능
 - 내년이 미 대통령 선거의 해이므로 본격 협상 개시후 4-6개월내 종결되어야
  할 것이라는 전망
 - CAP 개혁 방안에 대한 EC의 내부 협의에 1년 이상 소요될 것이므로 협상이
  장기화 될 것이라는 전망

o 전체 UR 협상 타결의 관건은 농산물 분야 타결에 있고 동 분야 타결을 위해서는
 미.EC간 타협이 필수적인바, EC의 CAP 개혁 방향에 대한 내부 합의 도출에
 난항이 예상되므로 양측간 타협 가능 여부는 전망 불투명.   끝.

0054

외 무 부

종 별 :

번 호 : GVW-0464 일 시 : 91 0314 1030

수 신 : 장관(봉기, 경기원, 재무부, 농림수산부, 상공부, 특허청)

발 신 : 주 제네바 대사

제 목 : 미국, EC 대사 예방(UR 협상 전망)

본직은 3.13(수) 부임인사차 YERKA 미국 갓트담당대사(USTR 사무소)와 TRAN EC대사 를 예방한 자리에서 UR 협상 전망등에 관해 의견을 교환한바, 미, EC 대사 언급 요지 아래 보고함.(민서기관 배석)

1. YERKA 미국대사

가. 90 년말 시한 준수가 불가능했던것 처럼 UR협상이 92년에 까지 연장되게 될가능성을 배제할수 없기는 하나, 현시점에서 어느국가도 협상이 금년말 이후로까지 연장되는 것을 원치않을 것임.

나. 경제정책상 큰 실책이 없는한 부쉬대통령의 인기 지속으로 내년 대통령 선거는 비교적 쉬운 선거가 될 것으로 예상되며, 따라서 동선거가 UR 협상에 있어서 미국 입장에 큰부담으로 작용하는 것은 아니지만, UR 협상이 내년까지 계속될 경우 협상의 MOMENTUM 을 잃게 될 위험성이 있고 또한 92년중 협상결과에 대한 국내 입법절차를 끝내려면 금년말까지는 협상이 종결되지 않으면 안될것이라는 점을 감안, 미국으로서도 91년내 협상종결을 위해 많은 노력을 기울이고 있음.

다. 미국의 신속처리 협상권 연장 여부가 결정되는 5월말까지는 실질적인 면에서의 협상 진전이 사실상 어려울 것이나 우선 기술적인 작업을 어느정도 진척시키고 6,7월 실질 협상체 들어가 9,10,11월 본격적인 협상을 실시한다면 금년내 협상 종결은가능하리라고 봄.

라. EC 의 공동 농업정책(CAP) 개혁은 예산 사정등 자체 필요성에 의해 추진되는것으로서 동 개혁은 불가피하게 이루어질 수밖에 없는 것이며, 반드시 최종적인 개혁결과가 나와야만 UR 농산물 협상 타결이 가능한 것은 아니며 금년에는 (?) 우선 농산물가격 결정문제만 해결하고 그후 후속조치가 뒤따라도 될것임.

마. 써비스 협상에 있어서도 많은 도전이 있고 미국의 입장에서도 기본통신, 해운

통상국   2차보   경기원   재무부   농수부   상공부   특허청

PAGE 1   91.03.14   22:15 DN

0055

등 일부분야는 국내정치적으로 매우 민감한 것은 사실이나 모든협상 참가국이 확고한 의지만 갖는다면 금년 내협상 종결이 가능하리라고 봄.

　　2. TRAN EC 대사

　　가. UR 협상은 금년말 또는 늦어도 내년 3월까지는 종결되어야 하며, 그렇지 않을 경우 협상이 완전 실패하는 (LOST) 것으로 간주해야할 것인바, 최근 미국- EC 간에 협상 종결 목표시한(TARGET DATE) 문제에 대한 협의가 시작됨.

　　나. EC 의 공동 농업정책 개혁은 18-24개월이 소요될 것으로 예상되는 만큼 일시에 모든 개혁을 하려는 것이 아니라 벽돌을 하나씩 쌓아 나가듯 순차적인 개혁을 추진해 나가는것으로 이해하여야 함.

　　다. 협상 과정에서 EC 가 때에 따라 강경하거나 유연한 입장을 취하여 왔으나, 기본적으로 미국과 이씨는 협상을 진행시켜야 할 공동의 책임이있으며, 이러한 점에서 앞으로 EC 는 보다 적극적인 자세로 협상에 임하게 될 것임.

　　라. 써비스 분야 협상에서 미국은 당초 야심적인 목표를 추구하여 왔으나 현재 미국이 제시하고 있는 OFFER 는 매우 낮은 수준임. 끝

　　(대사 박수길-국장)

외 무 부

종 별 :

번 호 : GVW-0484   일 시 : 91 0315 1800

수 신 : 장관(통기, 경기원, 재무부, 농림수산부, 상공부, 특허청)

발 신 : 주 제네바 대사

제 목 : UR 협상 전망

　　박공사는 3.14(목) HUSSAIN 갓트 사무총장보좌관과 면담, UR 협상전망에 관한 견해를 청취한바 요지 아래 보고함. (민서기관배석)

　　1. 협상 시한 설정문제

　　가. UR 협상이 재개된 후 EC 는 시한 설정이 없으면 협상의 진전을 이루기 어렵다는 이유로 금년말 또는 늦어도 내년 3월 협상 종료시한으로 정해야 한다고 주장하고 있음 (시한을 정하여 MINI-PACKAGE 만이라도 협의할 것을 희망)

　　나. 그러나 미국 및 중남미 국가들은 협상의 실질적 진전이 이루어지지 않는 상황에서는 협상시한을 설정할수 없다는 입장이며, DUNKEL사무총장도 시한 설정의 폐단에 비추어 실질적인 협상의 진전이 있기 전에는 시한 설정을 강요하지 않는다는 입장을 견지하고 있어, 상금시한 설정 문제에 대해서는 켄센서스가 없음.

　　2. 향후 협상 전망

　　가. 미국의 신속처리 협상 권한 연장 여부가 결정되는 91.5월말까지는 기술적 작업과 함께 주요국 수도에서의 정치적 협의도 동시에 진행하는 양면접근 (TWO TRACK APPROACH) 을 추구하며, 그과정에서 협상 종결 시한이 자동적으로 떠오르게 될것임.

　　나. 신속처리 협상권한이 연장된후 6월 OECD각료회의와 늦어도 7월 G-7 정상회담에서는 시한 문제에 대한 합의가 이루어질 것으로 보지만 선진국의 결정을 개도국에 강요한다는 인상을 피하기 위하여 G-7 회의 이전 (6월쯤)제네바에서 개도국을 포함 주요국간에 시한문제에 대한 대체적인 켄센서스를 이룰것으로 보임.

　　다. 한편 지금부터 미의회의 신속처리 협상권한 연장여부 결정 시한인 5월말까지의 기간중에도 특히 시간이 많이 소요되는 써비스, 지적 재산권등분야의 기술적 차원의 작업을 상당한 정도진척시킴으로서 추후 본격화될 실질협상을 용이하게 하기 위한 기초를 다지게 될것임.

통상국　　2차보　　경기원　　재무부　　농수부　　상공부　　특허청

91.03.16　　10:11 WG

외신 1과 통제관

라. 이상의 스케줄에 따라 협상을 진행할 경우, 9월부터 집중적으로 협상을 진행하면 종료시한 (금년말 또는 늦어도 내년초)까지 협상을 끝낼수 있을 것으로 생각하며, 그렇지 않고 92년이후로 넘어가게 되면 UR 협상은 사실상 실패한다고 보아야 할것임.

마. UR 협상결과에 대하여 지금까지는 농산물분야 협상만 타결되면 여타 분야 협상은 쉽게 진전될 것이라는 것이 일반적인 관측이었으나, 서비스 협상의 경우, 미국은 업계의 로비로 인해기존의 입장이 변경되었으므로 비록 농산물분야에서 합의가 이루어지는 경우에도 써비스분야에서 첨예한 입장 대립이 계속될 것으로 예상되며, 지적 재산권 협상도 초기에 남북문제로 인식되어, 미국, EC 가 개도국에 대해 공동압력을 가하던 것과는 달리 지금은 오히려 미-이씨간의 대립이 크기 때문에 실질 협상타결 까지에는 극복해야 할 난관이 아직도 많다고 생각됨. 끝

(대사 박수길-국장)

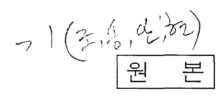

외 무 부

종 별 :

번 호 : GVW-0509

일 시 : 91 0319 1750

수 신 : 장 관(봉기, 경기원, 재무부, 농림수산부, 상공부, 특허청)

발 신 : 주 제네바 대사

제 목 : UR/ 협상 비공식 협의 일정

연: GVW-0375

연호 일정이후 계속되는 DUNKEL 사무총장 (TNC 고위급 의장) 주재 비공식협의 일정은 아래와 같음.

- 3.20(수): 분쟁해결.최종의정서
- 3.21(목): 시장접근
- 3.25(월)-26(화): 규범제정
- 3.26(화): 향후 협상 계획
- 4.8(월)-12(금): 써비스
- 4.15(월)- 19(금): 농산물. 끝

(대사 박수길-국장)

통상국   2차보   경기원   재무부   농수부   상공부   특허청

PAGE 1

13018

기 안 용 지

분류기호 문서번호	통기 20644-	(전화: 720 - 2188)	시 행 상 특별취급	
보존기간	영구. 준영구 10. 5. 3. 1.	장 관		
수 신 처 보존기간				
시행일자	1991. 3.23.			

보조기관	국 장	전 결	협조기관		문 서 통 제
	심의관				1991. 3. 2
	과 장				
기안책임자		김 봉 주			발 송 인

경 유 수 신 참 조	수신처 참조	발신명의	발송 1991. 3 25 외무부
제 목	UR 협상 분야별 아국입장		

1. 2.26. 공식 재개된 UR 협상은 91.3월중 7개분야별 협의를 완료하였고, 3.26(화) 향후 협상 계획 관련 협의를 거쳐 4.8(월) 써비스 관련 협의를 시작으로 다음단계의 협의가 개최될 예정입니다.

2. 다음 단계의 협의에서도 대부분의 경우 주로 협상구조 또는 기술적 사항이 주로 협의될 전망이나, 이러한 협의도 앞으로 있을 실질 문제에 관한 협상에 영향을 미칠 것이므로 아국도 /계속/

0060

동 협의과정에 적극 참여해야 할 것으로 사료되는바, 귀부(청)의

소관사항과 관련하여 다음단계의 협의에서 아국대표단이 개진해야할

사항을 ~~군속히 통보~~ 하여 주시기 바랍니다.   끝.

분야별 협의개리 4월 이전까지 현지대표에 훈령시달기 가능하도록 당부에 통보

수신처 :   경제기획원, 재무부, 농림수산부, 상공부장관, 특허청장

원 본

외 무 부

종 별 :

번 호 : GVW-0571   일 시 : 91 0327 0930

수 신 : 장 관(통기,경기원,재무부,농림수산부,상공부,특허청,경제수석)

발 신 : 주 제네바 대사

제 목 : UR/주요국 수석 대표급 비공식 협의(그린룸협의)

　　　3.26(화) 15:00 DUNKEL 사무총장 주재의 주요국 수석대표급 비공식 협의가 개최되어 15개그룹으로 구성된 기존의 UR 협상 구조 (STRUCTURE) 를 공식적으로 8개 그룹으로 새로 구성하고 각 그룹의장을 선정하여 협상을 가속화시키기로 결정하였는바, 요지 아래 보고함.

　　　1. 향후 협상 구조 문제에 대한 던켈 총장 제안

　　　가. 던켈 총장은 지난 2.26 TNC 공식 회의에서 UR 협상이 재개된후 일련의 분야별 비공식협의를 실시하여 본 바, 기존의 15개 그룹을 통한협상은 효율면에서나 자신의 일정면에서나 도저히 불가능하다는 판단을 하게 되었으며, 효율적인 협상 구조를 새로 만들어 협상을 보다 촉진해야할것이라는 결론에 이르렀다고 말하고, 향후 협상구조를 아래 8개 그룹으로 재구성 할 것을 제의함.

　　　　- 시장접근(MARKET ACCESS)

　　　　- 섬유

　　　　- 농산물

　　　　- 규범제정 (RULE MAKING) (세이프가드, 반덤핑, 보조금, 상계관세, B.O.P 조항등 정치적결정을 요하는 중요한 사항을 염두에 둠)

　　　　- 무역관련투자(TRIMS), 지적재산권(TRIPS)

　　　　- 분쟁해결, 갓트기능

　　　　- 써비스

　　　　- 감시기구

　　　나. 던켈 총장은 이어 상기 각 그룹의 의장선정문제에 관하여 RICUPERO 총회의장 (브라질대사)이 자신과 긴밀한 협조하에 협상 참가국들과 광범위한 협의를 실시하고 2-3 주 내에 그 결과를알려 줄것을 요청함.

통상국 특허청	장관	차관	2차보	정와대	경기원	재무부	농수부	상공부

PAGE 1

91.03.28   10:13 WG

외신 1과 통제관

0062

다. 던켈 총장은 의장 선정 협의가 종료되는대로 TNC 회의를 소집하여 새로운 협상구조 및 그룹별 의장에 대한 승인을 받도록하겠는바, 현 시점에서 협상 참가국들이 자신의협상 구조안을 승인해 주어야만 소기의 목적을달성할수 있을 것으로 확신한다고 말하고 각국의 협조를 요청하.

2. 던켈 총장의 상기 제안에 대해 대다수 국가가좋은 방안이라는 긍정적 반응을 보여 동방안대로 추진해 나가기로 결정함.

3. 상기 던켈 총장의 구상은 UR 협상의 금년내 종료를 위해 협상을 가속화 시키고자하는 목적 이외에도 미국 행정부의 신속 처리협상권한 (FAST TRACK AUTHORITY) 연장 문제를 염두에 두고 현지 협상팀으로서도 최대의 노력을 다하고 있다는 성의를 미 의회측에 표시하기 위한 목적도 있는 것으로 관측됨. 끝

(대사 박수길-장관)

PAGE 2

0063

김.건

외 무 부

종 별 :

번 호 : JAW-1820   일 시 : 91 0328 1200

수 신 : 장관(통기),통이,통일,경일,아일)

발 신 : 주일대사(경제)

제 목 : 미 국무성 차관 인터뷰

미 국무성 맥코르맥 차관은 3.27. 워싱턴에서'닛께이'신문과 인터뷰를 갖고, 우루과이 라운드,일.미 통상문제등에 관해 언급 하였는바,요지를 하기 보고함.(닛께이 3.28.자 조간)

1.우루과이 라운드

0 92년의 미국 대통령 선거시기가 되면 국내의철강, 섬유업계등으로 부터 요구가분출되어 미행정부의 교섭의 손발이 묶여 버리게 되며,이로인해 외국과의 우루과이라운드 협상 관련한 정치적 알력이 증대될 것임.

0 이를 피하기 위해서는, 우루과이 라운드 협상을 금년중 종결시키기 않으면 안되 는바, 이에 있어서일본의 협력이 불가결함.(일본의 책임은 극히중함)

- 쌀시장 개방 문제 관련, 일본 정부가 쉽사리 결단을 내리지 못하고 있으나, 우루과이 라운드를 성공시키는데 있어서의 일본의 책임의 막중함을 생각할때 이러한일본의 비도는유감.

2.우루과이 라운드 이후의 신라운드

0 90년대 후반에 새로운 라운드를 재창하고 싶음.

0 새로운 라운드는 보조금, 투자, 독점 금지법의 문제등을 협의대상으로 하는것으로서, 각국간 공성한 경쟁을 가능케 하는 규칙(RULE) 을 작성함이 목적

3.일.미 통상문제

가.일.미 반도체 협정

0 91.7.월말의 동 협정 갱신과 관련, 지난번 갱신시와 마찬가지로 의회의 정치적 압력에 시달리면서 교섭을 질질 끄는 사태만은 피하고 싶음.

나.범용 커퓨터 시장

0 일본의 범용 컴퓨터 시장은 다소 폐쇄적임

통상국   2차보   아주국   경제국   경제국   통상국   통상국   상공부

0 미국산 범용 컴퓨터는 충분한 경쟁력을 보유하여 민간 부문에서는 상당한 시장 점유율을 보유하고 있음에도 불구하고, 정부조달 부문에서는 점유율이 10프로에불과함.

4. 걸프전쟁 지원(개인적 견해)

0 일 정부는 상당한 역할을 한 것으로 평가

0 일본의 90억불 지원 약속은 종전후 엥화가 약세가 되어 달라 기준으로는 수억불 이 부족하게되었는바, 이를 보전할 것인가는 양국 각료수준에서 논할 문제임.

0 일본이 걸프전쟁 지원금 지불을 위해서는 회계년도 도중에 예산을 변경해야만했기때문에 지원금 지불이 늦어진 것은 이해할 수 있음.끝.

(공사 이한춘-국장)

판리 번호	91-220

외 무 부

종 별 :

번 호 : GVW-0581　　　　　　　　　　　　일 시 : 91 0327 1930

수 신 : 장관(통기, 경기원, 재무부, 농림수산부, 상공부, 특허청, 경제수석)

발 신 : 주 제네바 대사

제 목 : UR 협상 전망 평가 (PART 1)　　　검 토 필(1991.6.30.)

1. 본직은 부임이래 DUNKEL 사무총장, ANELL GATT 이사회 의장, RICUPERO 총회의장, 일본, 카나다, 인도등 GATT 협상의 주역들과 광범하게 접촉, 공식 또는 비공식으로 면담한바, 이를 기초로한 UR 협상전망을 다음과 같이 보고함.

가. 작년 12 월 브랏셀 각료회의에서 확인한바와 같이 농업문제가 UR 협상을 인질화(HOSTAGE)하고 있어 농업문제의 해결이 UR 협상 성공의 관건이 되고 있는바 아래 요인들은 농산물 협상 타결의 긍정적 요소로 평가 될수 있음.

(1) 비록 현단계에서는 기술적 사항에 관한 토의이기는 하나 2.26 이래 재개된 비공식 협의과정에서 EC, 미국이 상호 대결적 자세를 현저히 완화하고 보다진지한 타결의 자세를 보이고 있으며, 또한 농산물 협상 재개를 위해 DUNKEL 사무총장이 발표한 STATEMENT 속에는 식량 수입국의 입장을 반영한 식량안보개념의 도입되고 있다는 점.

(2) 현재 EC 농업정책이 표보적인 비능률적 제도로서 인위적으로 계속 지탱할 수 없고 늦더라도 1,2 년 안에는 획기적인 개혁을 시도하지 않을 수 없다는 점 .

(3) EC COMMISSION 이 92 년 EC 단일 시장 구성과 함께 전면 개편하므로 협상 타결을 현행 체제하에서 서둘 필요성을 느낀다는 점.

(4) 미국 또한 막대한 농업 지원이 누증하는 재정 적자의 중요한 요인의 하나가 되고있어 농업의 구조 조정이 불가피하고 긴박하다는 점.

(5) 미국으로서도 UR 문제가 선거의 쟁점으로 등장하기를 바라고 있지 않고또는 92 년 대통령 선거 이전에 협사의 조기 종결을 바라고 있다는 점등.

나. 다른 한편, 여타 분야에서도 DUNKEL 총장 주재하에 비공식 협의가 진행되고 있는 가운데 아직도 많은 이견이 있기는 하나(특히 써비스, 무역 관련투자 분야등), 지금부터 6 월까지 기술적 차원의 작업을 진척시키면서 미국의 FAST TRACK AUTHORITY

통상국 상공부	장관 특허청	차관	1차보	2차보	청와대	경기원	재무부	농수부

PAGE 1　　　　일반문서로 재분류(199 . 12. 31.)　　　91.03.28　　07:35

외신 2과　통제관 BW

0066

연장후 농산물 협사에 돌파구가 마련되면 이들 여타 분야의 현안문제들도 각국의 정치적 의지와 협상의 MOMENTUM 그리고 "GIVE AND TAKE" 의 맥락에서 충분히 타결될 수 있는 사항들로 평가되고 있음. 또 과거 4 여년간 UR 협상을 주도해온 주역들과 참가국들간에도 그동안 부자한 정력과 시간에 비추어 협상을 성공시켜야 한다는데 대하여 상당한 CONSENSUS 가 이루어 졌다고 관측됨.

다. FAST TRACK AUTHORITY 연장 문제에 대해서는 미국-멕시코간 자유무역 협정에 반대하는 노동조합, 환경단체등과 UR 협상에 반대하는 섬유업계등이 제휴하여 강력한 로비활동을 전개하고 있어 현금 의회내에 연장 반대세력이 점증하고있다는 견해도 있으나, 걸프전쟁의 승리로 인하여 상양된 부쉬 행정부의 영향력, 제네바에서의 UR 협상의 재개를 통한 GATT 의 대미 행정부 지원 메세지등에 비추어 FAST TRACK AUTHORITY 의 연장은 거의 기정사실로 받아 들여지고 있음. 다만 동 연장이 확정되기 전까지에는 당지에서의 협상도 소위 "기술적" 인 사항에 관한 협의에 국한시키려는 경향이 강하나, 일단 연장이 확정된후에는 협상의 속도가 빨라지면서 급속한 진전이 이루어질 수도 있음.

(GVW-0582 (PART 2)로 계속됨)

```
관리
번호  91-221
```

외 무 부

종 별 :

번 호 : GVW-0582   일 시 : 91 0327 1930

수 신 : 장관(봉기), 경기원, 재무부, 농림수산부, 상공부, 특허청, 경제수석)

발 신 : 주 제네바 대사

제 목 : UR 협상 전망 평가

검 토 필(1991. 6 .30.)

라. UR 협상 종결 시한에 관하여는 시한(DEADLINE)을 설정했던 브랏셀 각료회의의 실패에 비추어 DUNKEL 총장은 시한의 설정은 협상최 진전 과정에서 자연적으로 도출되도록 하겠다는 공식적인 입장을 표명하였으나, 많은 국가들은 FASTTRACK AUTHORITY 연장후 협상 종결 목표시한(TARGET DATE)을 일단 정하지 않을수 없을 것이라고 예견하고 있는바, 지배적인 견해는 시한을 금년말 또는 늦더라도 92 년 2,3 월까지로 정하여 동 기한내에 UR 협상을 타결해야 한다는 것임.(7월 런던개최 예정인 G-7 정상회의에서도 UR 협상의 금년내 타결에 대한 집단적입장 표명이 있을 것으로 예견)

마. 당지 일부 관측은 농산물협상에 관하여 이미 EC 와 미국간에 기산년도(BASE YEAR) 및 감축폭(퍼센트)에 관하여 상당한 정도의 묵시적인 양해(IMPLIED UNDDRSTANDING)가 성립되어 있으며 따라서 농산물 협상의 타결 전망이 11 월까지는 뚜렷해 질것으로 보고 있음. 다만 EC 는 미국의 압력의 굴복했다는 인상을 피하기 위하여 금년 11 월까지는 자진하여 공동 농업정책(CAP)의 기본 개혁 방향을 설정, UR 협상 타결에 적극 부응할 것으로 예견하고 있음.

2. 이상 제반 요인에 비추어 볼때, EC 와 미국은 UR 협상을 금년내 또는 늦더라도 내년 2 월 또는 3 월까지 타결하는데 공봉적인 이해 관계를 갖고 있고 또여타 많은 참가국들도 강화된 다자무역체제를 봉하여 잃는 것 보다 얻는 것이 압도적으로 많다는데 어느정도의 캔센서스를 갖고 있으므로 기대치를 크게 높이지 않는 한 UR 협상 타결전망에 대해서는 조심스러운 낙관(CAUTIOUS OPTIMISM)이가능하다고 관측됨. 다만 이러한 낙관에도 불구하고 특히 걸프전 승리후 미국이 써비스등 분야에서 과거의 기본합의에서 오히려 후퇴의 징후를 보이고 있다는점, EC 의 CAP 개혁이 1,2 년내에 완료될 수 없을 가능성도 많다는 점, 많은 개도국들이 소위 "신분야"에서 너무 많은

통상국 상공부	장관 특허청	차관	1차보	2차보	정와대	경기원	재무부	농수부

PAGE 1   일반분시로 재분류(1991. 12. 31.)   91.03.28   08:07

외신 2과 통제관 CA

0068

양보를 요구받고 있는 대신 "전통분야"에서 얻는 것이 많지 않다는 점, 기타 아직도 분야별로 협상을 요하는 실질적인 미결문제가 많다는 점등을 들어 협상이 미국 대통령 선거후 FAST TRACK AUTHORITY 가 만료될 싯점인 1993 년 2 월까지 계속될 것이라는 비관적인 견해도 없지 않음.

3. 아국으로서는 일단 6 월부터 UR 협상이 신속하게 진행되어 금년내 또는 내년 2 월까지 종결될 것이라는 전제하에, 경우에 따라서는 중소 개도국의 이익을 고려치 않은채 EC, 미국, 케언즈 그룹, 일본등 주역들(MAJOR PLAYER) 간에 중요한 거래가 이루어 질수도 있을 것이라는 점을 감안, 이에 대비하여 중요 분야별 명확한 입장 정립과 함께 최종 양보선을 반영하는 FALL BACK POSITION 도 미리 마련함으로써 모든 사태에 효율적으로 대처할 수 있도록 함이 필요하다고 사료됨. 끝

(대사 박수길-장관)

예고:91.12.31. 까지

기 안 용 지

분류기호 문서번호	통기 20644- 457	(전화 : 720 - 2188)	시 행 상 특별취급		
보존기간	영구. 준영구 10. 5. 3. 1.	장		관	
수 신 처 보존기간					
시행일자	1991. 4. 2.				

보조
기관

	국 장	전 결
	심의관	
	과 장	
기안책임자	조 현	

협조기관

문 서 통 제
검 토
1991. 4. 03
장 지 돈

발 송 인
반 승
1991. 4. 03
외 무 부

경 유 수 신 참 조	경제기획원장관(사본 : 참조) 대조실장	발 명 의	

제 목	UR 협상 대책

예규문에 의거 재분류 (91.12.31.)   인
직위   조 현

연 : GVW-0581, 0582, 통기 20644-13018

1. 주 제네바 대사는 지난 2.24 부임이래 Dunkel 사무총장,

Anell 갓트이사회 의장, Ricupero 총회 의장 및 일본, 카나다, 인도

협상 대표등 갓트 협상의 주역들과 광범위하게 접촉, 이를 기초로한

UR 협상 전망을 보고하여 온 바 있습니다.

/뒷면 계속/

0070

2. 동 보고에 의하면 UR 협상은 금년 6월경부터 신속하게

진행되어 금년말 또는 92년 2-3월경까지 종결될 가능성이 크며,

경우에 따라서는 중소 개도국의 이익을 고려치 않은채 EC, 미국,

케언즈그룹, 일본등 협상주역(major player)간에 주요한 <del>타결과</del> 절충이

이루어 질<del>수도 있을 것으로 예측되는바</del>, 이에 대비하여 주요 분야별

명확한 아국 입장 정립과 함께 최종 <del>양보선을 반영한 상황 변동사</del>

<del>전략</del> 입장(fall back position)도 미리 마련할 수 있도록 검토하여

주시기 바랍니다.

첨   부 : 주 제네바 대사 보고 전문 2매.   끝.

사   본 : 재무부장관, 농림수산부장관, 상공부장관,

          대통령비서실 경제수석비서관

외 무 부

종 별 :

번 호 : JAW-1935   일 시 : 91 0403 1134

수 신 : 장 관(봉기),봉이,경일,아일,농림수산부)

발 신 : 주 일 대사(경제)

제 목 : 우루과이 라운드 교섭기한 문제

　　　연: JAW-1820

　　　일본을 방문중인 '게르하르트 아벨' OECD무역국장은 4.2(화) 기자회견을 갖고 표제문제에 관해 언급 하였는바, 동인의 발언요지를 다음 보고함.

　　　1. 금번 OECD 각료이사회 (6.4-5, 파리)에서 채택될 공동성명에서 우루과이 라운드 교섭기한을 91년말로 명시하게 될 전망임.

　　　0 미 통상대표부 (URTR) 측이 우루과이 라운드를 91년말 까지 종결시킨다는 방침을 표명한바있음.

　　　0 구주공동체 (EC) 가맹국등 구주제국도 '긴급성'을 이해하고 있음.

　　　0 또한, 금번 방일시 일본정부도 연내 타결에 전향적임이 확인 되었음.

　　　2. 물론, 이와같은 교섭기한 명시는 미 의회가일괄 심의 절차 (FAST TRACK) 의 연장을 승인함이 전제로 되어 있기는 하지만, 미 의회의 승인이 5월말경 있을 경우, 바로 직후의 OECD각료이사회에서 명확한 교섭기한을 제시하는것은 정치적으로도 의의가 큼.끝.

　　　(공사 이한춘-국장)

통상국　　2차보　　아주국　　경제국　　통상국　　농수부

PAGE 1

관리번호	91-273

외　무　부

종　별 :

번　호 : GVW-0665　　　　　　　　　　일　시 : 91 0411 1830

수　신 : 장관(봉기) 경기원, 재무부, 농림수산부, 상공부, 특허청)

발　신 : 주　제네바　대사

제　목 : UR 협상 구조 재조정 및 의장 선정 문제 협의

연: GVW-0571

대: WGV-0451

본직은 5.10 오후 RECUPERO 총회의장(브라질대사)의 요청으로 UR 협상 구조재조정 및 의장 선정 문제에 관해 협의한바 아래 보고함.

1. 협상 구조 재조정 문제

가. 많은 나라들이 대체로 브랏셀 체제를 그대로 유지하는 것이 좋겠다는 의견을 피력하고 있다함.

나. TRIP 와 TRIMS 는 성격상 상이하다는 이유로 . 분리하자는 일부 주장이있기는 하나 대체로 합치게 될 것으로 전망된다함.

2. 협상 그룹의장 선정문제

가. 협상 그룹의장 선정문제에 관해서는 일부 인사들에 의해 지극히 비공식적인 차원에서 거론되고 있으며, 그룹별로는 아래와 같음.

- 섬유와 농산물 그룹의장에 관해서는 문제의 중요성을 감안, 던켈 사무총장이 의장직을 직접 맡도록 하는것이 좋겠다는 의견이 있으나 아직 초보적인단계에 지나지 않음.

0 섬유: 호주의 LINDSRY DUTHIE 대사가 의장직을 맡기 어렵다는 점을 밝혔다함.

0 농산물 : AART DE ZEUW(화란)

0 시장접근: PAUL LEONG KHEE SUNG(말레이지아)

0 규범제정: 카나다외무성의 DENIS 다자 협상 담당 차관보

(WEEKS 카나다 대사는 본부 귀임 예정)

0 분쟁해결, 갓트기능, 최종의정서

- LACARTE-MARO 우루과이 대사(LINDEN 사무총장 보좌관이 SECRETARU 로 보좌)

통상국 상공부	차관 특허청	1차보	2차보	청와대	안기부	경기원	재무부	농수부

PAGE 1　　　　　　　　　　　　　　　　　　91.04.12　08:47

외신 2과　통제관 FE

O TRIPS 및 TRIMS

- 분리할 경우 TRIPS 분야는 스웨덴의 ANELL 대사 TRIMS 분야는 일본의 KOBAYASHI 대사가 거론되고 있는바, 선.개도국 균형문제와 관련 이의가 제기되고 있다함.

나. 동 대사는 협상 그룹의장 선정 문제 협의에 있어 미국 대사 EC 대사등이 현재 당지에 체류하고 있지 않기 때문에 협의를 하지 못하고 있는 상태인바, 진전이 있는대로 다시 접촉, 한국의 견해를 타진토록 할 예정이라함. 끝

(대사 박수길-국장)

예고 91.6.30 까지

발 신 전 보

	분류번호	보존기간

번   호 : WGV-0451   910411 1513 FL종별 : _____

수   신 : 주   제네바   대사. 총영사

발   신 : 장   관 (통 기)

제   목 : UR / 협상그룹 의장 선정 문제

대 : GVW-0571

대호 1. 나항 UR 협상의 8개 협상그룹 의장 선정 문제의 진전 <del>현황을 파악하는 대로</del> ^{장업/사항 있으면}
보고바람.   끝.   (통상국장 대리 최 혁)

			보 안	
			통 제	

앙고재	91년 4월 11일	통기과	기안자성명		과장	심의관	국장		차관	장관		외신과통제
			로인르		초일	대결	전결			대리		

0075

외 무 부

종 별 :

번 호 : GVW-0734   일 시 : 91 0422 1930

수 신 : 장 관(통기, 경기원, 재무부, 농림수산부, 상공부, 특허청)사본:박수길 대사

발 신 : 주 제네바 대사대리

제 목 : UR 협상

　　1. 4.19(금) 파키스탄 주최 평화그룹 대사급 월레오찬 협의가 개최되었으며 던켈 갓트사무총장이 참석하여 향후 UR 협상 추진에 관해 아래요지 발언함.

　　가. 협상시한 설정 문제

　　명년 미국 대통령 선거와 EC 통합 준비 절차등 제반 사정에 비추어 금년말까지는 UR 이 타결되어야 하지만 협상 진전에 대한 확실한 전망없어 시한설정에는 아직도 부정적인 견해를 가지고 있으며 좀 더 협상을 진행해 본 다음결정할 문제로 생각함.

　　나. 협상 구조 문제 및 향후 협상 절차

　　RICUPERO 대사 주도에 의한 협상 구조 재조정 및의장 선정문제가 아직 끝을 맺지 못하고 연기되고 있으나 내주중 종결이 되면, 곧이어 그주간 (4.22주간)에 TNC를 소집하여 이를 승인토록 할 예정임. 그렇게되면 지금과 달리 각협상 그룹별 의장이 협상을 전담하게 되므로 협상을 가속화 시킬것으로 생각하며, 협상참가국들은 이에 대비가 필요할 것임.

　　협상의 년내 타결을 위하여는 6-7월 2개월간 뚜렷한 협상 윤곽이 마련되어야 하며, 이를 위해 제네바에서의 협상과 병행 각 수도간에 협의가 불가결함. 자신도 가까운 시일내 주요국 수도를 방문하여 협의를 가질 예정임.

　　2. 상기 던켈총장 발언과 관련 금 4.22. 오전박공사는 ARIF HUSSEIN 사무총장 특별 보좌관을 면담 추가 탐문한바, 던켈 총장은 4월말에 우선 브랏셀과 워싱턴을 방문, 협의를 가질 예정이라하였음. 끝

　　(대사대리 박영우-국장)

주미대사, 주EC대사 사별 송부요망

통상국	2차보	구주국(AA)	경기원	재무부	농수부	상공부	특허청

PAGE 1

91.04.23   09:39 WG

외신 1과 통제관

0076

외 무 부

종   별 :

번   호 : GVW-0732   일   시 : 91 0422 1830

수   신 : 장 관(통기) 사본: 박수길대사

발   신 : 주 제네바 대사대리

제   목 : UR 협상 구조 재조정 및 의장 선임문제

    연: GVW-0665

    대: WGV-0451

    1. 금 4.22. 박공사가 당지 브라질 대표부 AMARAL공사로 부터 탐문한바에 의하면 RICUPERO총회의장 (브라질대사)은 당초 지난 주말까지로 계획한 표제협의가 아직 끝을 맺지 못하고 금주중에도 협의를 계속할 예정이라함.

    2. 동인에 의하면 협의지연 이유는 RICUPERO의장이 서비스 협상그룹 (GNS) 은 GNG 와 별개이기 때문에 자기의 MANDATE 밖의사항이므로 서비스 협상그룹 아래 소위원회 구성등 서비스 협상 그룹 구조 문제는 JARAMILLO 서비스협상그룹 의장 (콜롬비아 대사)이 협의를 주도하도록 요청함에 따라 협의가 늦어지고 있으나 금주중으로는 끝내도록 노력하고 있다 하였으니 참고바람.끝

    (대사대리 박영우-국장)

통상국   구주국 (미4)

외 무 부

종 별 :

번 호 : GVW-0761   일 시 : 91 0424 2030

수 신 : 장 관(봉기) 사본 박수길대사

발 신 : 주 제네바 대사대리

제 목 : TNC 수석대표 회의소집

연: GVW-732,734

1. 갓트사무국은 TNC 수석대표급 회의를 4.25.개최, UR 의 협상구조 재조정을 논의한다고 당관에 통보하여 왔음

2. 또한 동 회의에 앞서 동건관련 TNC 비공식회의, GNG 및 GNS 회의를 각각 개최 예정임을 아울러 통보하여 왔음.끝

(대사대리 박영우-국장)

통상국   2차보   구주국 (외사)

       91.04.25   09:25 WG

외신 1과 통제관

0078

2 (전鬱copy)

외 무 부

종 별 :

번 호 : GVW-0775 　　　　　　　　　　 일 시 : 91 0425 1830

수 신 : 장 관(통기), 경기원, 재무부, 농림수산부, 상공부, 조달청)사본:박수길대사

발 신 : 주 제네바 대사대리

제 목 : TNC 공식 회의

연: GVW-0761

1. 연호 4.25. TNC 공식회의가 개최되어 UR협상의 협상구조를 7개그룹으로 재조정하고, 각협상그룹의 의장을 선임하였는바, 아래 보고함.

협상그룹, 의장(순임)

0시장접근 (관세, 비관세조치, 천연자원산품 열대산품), GERMAIN DENIS (카나다)

0 섬유, AUTHUR DUNKEL 사무총장

0 농산물, 상동

0규범규정 (보조금.상계관세, 반덤핑세이프가드, 선적전 검사, 원산지규정, 기술장벽 수입허가절차, 관세평가, 정부조달, 갓트조문)및 GRIMS. GEORGEMACIEL (전 주제네바 브라질대사)

0 TRIPS, LARS ANELL (스웨덴대사)

0 제도분야 (분쟁해결, 최종의정서, 갓트기능강화), JULIO LARCARTE-MURO (우루과이 대사)

0 서비스, FELIPE JARAMILLO (콜롬비아 대사, 현 GNS의장)

한편 규범 제정 분야에는 RUDOLF RAMSAUER 스위스대표 부공사가, 그리고 서비스협상 그룹에는 DAVIDHAWES 호주대사가 각각 의장을 보좌토록 선임되었음.

2. DUNKEL 사무총장은 이에앞서 열린 TNC비공식 회의에서 지난 2.26 TNC 회의이후 분야별 비공식 협의를 실시하여 본바, 제한된 기간내에 광범위한 분야를 다루어야 되는 상황에서 협상을 촉진하기위해 협상그룹의 재조정 및 이에따른 각 그룹의 의장선정을 위한 협의진행결과를 설명하고, 이어서 협상구조 및 의장선임 협의임무를 위임받았던 RICUPERO총회의장과 JARAMILLO GNS 의장이 GNG 산하 6개 협상그룹과 GNS 등 7개 협상 그룹 구성과 그룹의장 명단을 발표하고 새로운 협상구조에 따라 앞으로는

통상국　2차보　구주국(내사)경기원　재무부　농수부　상공부　조달청

PAGE 1　　　　　　　　　　　　　　　 91.04.26　10:00 WG

외신 1과 통제관

0079

종전처럼 한정된 국가만의 참가가 아닌모든 회원국이 참가하는 협상이 될것임을
밝혔음.

3. 이에서 DUNKEL 사무총장은 공식 TNC 회의를 주재하여 상기 결정들을 TAKE NOTE
하고 사무국이 각 협상그룹별 의장 및 주요협상 참여국과 협의하에 조만간 그룹회의
일정 및 제 1차 회의 의제를 결정할 것이라고 하면서 협상참가국에게 성과 위주의
(RESULT-ORIENTED) 협상을 진행하여 여름 휴가 전인 7월말까지는 실질적인 진전을
이루어 정치적 타결을 유도할 수 있도록 최대한의 협력을 요청하고 폐회하였음

4. 금일 공식 TNC 결정에 따라 앞으로의 협상은 2.26 TNC 이후 지금까지 농산물,
서비스, 시장접근, 섬유등 한정된 협상분야별로 3-4주 간격을 두고 던켈의장 직접
주재로 주요 협상국 중심으로 이루어 온협상구조에서 탈피하여 각 협상그룹별로
각그룹의장을 중심으로 협상 전회원국이 참가하는 형태의 협상이 진행될 것이며
협상회수도가 속화 될것으로 보여짐.끝
(대사대리 박영우-국장)

長官報告事項

題 目 : UR 協商 構造 再編

4.25 UR/TNC 公式 會議가 開催되어 UR 協商 構造를 7개 그룹으로 再調整하고 各 協商그룹 議長을 選任 하였는바, 그 結果를 아래 報告 드립니다.

1. 協商 構造 再編 및 議長 選任 結果

協商 그룹	管掌 分野	議 長
市場 接近	關稅.非關稅, 天然資源, 熱帶産品	Denis 카나다 協商代表
纖 維	纖 維	Dunkel 事務總長
農産物	農産物	Dunkel 事務總長
規範 制定 및 TRIMs	補助金, 相計關稅, 반덤핑, 세이프가드, 船積前 檢査, 原産地 規定, MTN(技術障壁, 輸入 許可節次, 關稅 評價, 政府調達), 갓트 條文, TRIMs	Maciel 前 브라질 大使
TRIPs	知的財産權	Annel 스웨덴 大使
制度分野	紛爭解決, 最終議定書, 갓트 機能 强化	Lacarte 우루과이 大使
서비스	서비스	Jaramillo 콜롬비아 大使

2. Dunkel 事務總長이 發表한 向後 協商 進行 計劃

  ○ 事務局이 各 協商그룹별 議長 및 主要協商國과 協議, 그룹회의 日程 및
     1次 會議 議題 決定 豫定

  ○ 各 協商그룹별로 그룹 議長 主宰下에 全 會員國이 參加하는 形態의 協商을
     進行하고 協商 回數도 많아질 展望

  ○ 여름 休暇前인 7月末까지 實質的 進展을 이루어 政治的 妥結 推進.   끝.

0082

長 官 報 告 事 項

1991. 4. 27.
通 商 局
通 商 機 構 課(21)

題 目 : UR 協商 構造 再編

4.25 UR/TNC 公式 會議가 開催되어 UR 協商 構造를 7개 그룹으로 再調整하고 各 協商그룹 議長을 選任 하였는바, 그 結果를 아래 報告 드립니다.

1. 協商 構造 再編 및 議長 選任 結果

協商 그룹	管掌 分野	議 長
市 場 接 近	關稅.非關稅, 天然資源, 熱帶産品	Denis 카나다 協商 (代表)
纖 維	纖 維	Dunkel 事務總長
農 産 物	農 産 物	Dunkel 事務總長
規範 制定 및 TRIMs	補助金, 相計關稅, 반덤핑, 세이프가드, 船積前 檢査, 原産地 規定, MTN(技術障壁, 輸入 許可節次, 關稅 評價, 政府調達) 갓트 條文, TRIMs	Maciel 前 브라질 大使
TRIPs	知的財産權	Annel 스웨덴 大使
制度分野	紛爭解決, 最終議定書, 갓트 機能 强化	Lacarte 우루과이 大使
서 비 스	서 비 스	Jaramillo 콜롬비아 大使

0083

2. Dunkel 事務總長이 發表한 向後 協商 進行 計劃

　o 事務局이 各 協商그룹별 議長 및 主要協商國과 協議, 그룹회의 日程 및
　　1次 會議 議題 決定 豫定

　o 各 協商그룹별로 그룹 議長 主宰下에 全 會員國이 參加하는 形態의 協商을
　　進行하고 協商 回數도 많아질 展望

　o 여름 休暇前인 7月末까지 實質的 進展을 이루어 政治的 妥結 推進. 　　끝.

외 무 부

종   별 :

번   호 : GVW-0798   일   시 : 91 0501 1800

수   신 : 장관(통기), 경기원, 농림수산부, 상공부)

발   신 : 주 제네바 대사

제   목 : UR 협상

연: GVW-775

1. 박공사는 금 5.1. 오전 갓트 사무국 PETERWILLIAMS TNC 담당 사무국장을 만나연호 TNC회의 이후 동향에 관해 탐문한바, DUNKEL 사무총장은 BRUSSELL 방문후 현재 미국을 방문중에 있고 5.3 귀임 예정이며 귀임하는 대로 새로 선출된 각 협상 그룹의 장들과 향후 협상일정 및 의제등을 협의할 예정이라 하고 이미 날자가 정해져 있는 협상 일정은 그대로 두고 이에 추가하여 새로운 일정을 마련하게 될 것이라 하였음.

2. 동인은 이어 대부분 나라들이 5월말 미의회의 PAST TRACK AUTHORITY 연장문제가 결말이나기 전에는 협상에 대한 열의가 저조하기 때문에 5월 중에는 협상 진행이부진을 탈피하기 어려울것 같고 6월 부터는 협상이 활발해 질것으로예상된다고 부연하였 음.

3. 한편 당지 주요국 대표들과 접촉한 바에 의하면 정치적 결정을 요하는 본격적인 실질문제협상은 EC 의 공동 농업 정책 개혁 토의가 본격화될 91.9월 이후에나 가능할 것으로 관측하는 견해가 유력함. 끝

(대사 박수길-국장)

―――
통상국   2차보   정와대   경기원   농수부   상공부

PAGE 1   91.05.02   05:45 FO

                                                     외신 1과 통제관

                                                     0085

조, 송

외 무 부

종 별 :

번 호 : ECW-0390　　　　　　　　　　일 시 : 91 0502 1800

수 신 : 장 관(봉기, 경기원, 농림수산부, 상공부) 사본:주제네바 대사-직송필

발 신 : 주 EC 대사대리

제 목 : GATT/UR 협상

　　1. 당지발행 AGENCE EUROPE 지에 의하면 4.30.GROS-ESBIELL UR/TNC 각료회의 의장은 7.28-29기간중 표제협상의 중간평가를 위한 각료회의를 개최할 것을 고려하고 있다고 말함. MERCOSUR (MEMBERS OF THE NEW SOUTH AMERICAN COMMONMARKET-알젠틴, 브라질, 파라과이및 우루과이) 와 EC 의 협력증진을 모색하기 위해 MERCOSUR대표 단의 일원으로 브랏셀을 방문하고 있는 동인은 EC 의 표제협상 대표들과 만난자리에서 위와같이 말하고, 이 각료회의 (7.28-29) 에서는 금년 하반기의 표제협상 추진방향을 토의하게 될것이라고 말함. 한편, 동인은 표제협상이 현재와같은 추세로 진행된다면 92.2. 까지는 합의에 도달할수 있을 것이라고 전망하면서, 그러나 합의결과는 DUNTA DEL ESTE 선언정신에 비추어 긍정적이라 할 (LESS AMBITIOUS) 수는 없을것이나, 보호주의에 로의 복귀를 회피하고 2-3년내에 추가협상 재개 가능성을 남겨둘수있을 정도의 비교적 긍정적 (MODERATELY POSITIVE) 인것이될 것으로 본다고 말함

　　2. 한편 5.2-3 워싱턴을 방문중에 있는 MACSHARRY 위원은 MADIGAN 미 농무, HILLS 미무역대표부 대표와 만나서 GATT 협상, EC 의 식물성 유지류 생산및 무역제도를 GATT 규범에 합치시키는 문제, 미국의 도축장의 위생기준을 EC 기준에 일치시키는 문제등 양측의 현안사항을 협의하고 EC/CAP 개혁방안을 설명할 것이라고 보도함. 끝

　　(대사대리 강신성-국장)

통상국　　2차보　　경기원　　농수부　　상공부

　　　　　　　　　　　　　　　　　　91.05.03　　08:52 WG

외신 1과 통제관

0086

외 무 부

종 별 :

번 호 : ECW-0394　　　　　　　　　일 시 : 91 0503 1700

수 신 : 장관(봉기, 경선, 재무부, 농수부, 상공부, 제네바대사-직필)

발 신 : 주 EC 대사

제 목 : GATT/UR 협상

연: ECW-0391

1. 5.2. DUNKEL 갓트 사무총장은 ANDRIESSEN EC대외담당 집행위원을 만나 표제협상전분야의 추진상황및 대책에 대하여 협의함. 양인은 가급적 조속한 기한내에 표제협상을 종결시키는 데에 의견을 같이하고 가능한한 금년말까지 협상이 종결될 것을희망 함. 그러나 ANDRIESSEN 위원은 조기 각료급회의를 개최하는것은 협상의 실패를초래할 수도 있음을 지적, 동 문제에 대하여는 언급을 회피하고, 현재 제네바에서 진행되고 있는 실무회의를 계속하는 것을 선호하였으며, 미 행정부가 FASTTRACK AUTHORITY 연장승인을 기다리면서 동 협상이 서서히 진행되고 있는 현시점에서 <u>특별한 DEADLINE 을 설정하는 것은 협상실패의 요인이될 것이라는 견해를 피력함</u>

2. 한편 동 위원은 90.12. 브랏셀 각료회의 실패요인이 농산물협상을 다른 협상분야와 분리하여 타결코자 시도한데 있음을 지적하면서 모든분야를 포괄한 협상추진및 타결을 주장하고, 미국등 주요 협상국들이 농산물협상 타결에 초점을 두는 것은표제협상 진전에 유익하지 못할것이라고 말함

3. 5.2-3 워싱톤을 방문중인 MAC SHARRY 위원은 MADIGAN 미 농무, HILLS 대표및농민단체등을 방문, 1) UR 농산물협상, 2) EC OILSEEDS문제, 3) 미 도축장 위생기준, 4) CAP 개혁및, 5) 미.EC 의 농업현황등을 협의할것이라고 발표된 바 있으나 상금당관은 동협의 결과를 입수치 못한바 그 결과 추보함. 끝

(대사 권동만-국장)

통상국	차관	1차보	2차보	경제국	청와대	안기부	재무부	농수부
상공부								

PAGE 1

발 신 전 보

	분류번호	보존기간

번   호 : WGV-0635   910516 1355 FL   종별 :

수   신 : 주   제네바   대사. 총영사

발   신 : 장   관 (통 기)

제   목 : UR 협상 일정

　

대 : GVW-0798

연 : 통기 20644-16621

　

　　본부의 UR 협상 대책 실무소위원회 개최 준비작업에 참고코자 하니 제도분야(분쟁해결,
갓트기능 강화, 최종의정서) 및 규범제정 분야(갓트 조문)의 협상 그룹회의 협상 일정,
주요논점 및 협상 전망에 관하여 ~~필요시 갓트사무국과 접촉~~ 가능한대로 파악 보고바람.

　　　　　　　　　　　　　　　　　끝.　　　　　　　　　　(통상국장 김 삼 훈)

보 안 통 제	ル

앙고재	91년 5월 16일	통기과	기안자명 조일로		과장 ル	심의관 최	국장 전결		차관	장관 ル

외신과통제	

0088

발 신 전 보

	분류번호	보존기간

번 호 : WGV-0636   910516 1356 FL   종별 : 암호통신

수 신 : 주 제네바   대사. 총영사

발 신 : 장 관 (통 기)

제 목 : UR 협상

대 : USW-2335

　　주미 대사의 보고에 의하면 던켈 사무총장은 Hills USTR과의 면담시 UR 협상의
타결을 위해 금년 7월 이전에 각료급(또는 차관급) 회의를 개최, 정치적 해결 방안을
모색하는 것이 필요하다고 언급 하였다는 바, 각료급 TNC 개최 가능성 및 개최 시기등
관련 동향 파악 보고바람.　　　　　　　　　끝.　　　　　(통상국장 김 삼 훈)

보 안 통 제	ル

앙고재	91년 5월 16일	통기과	기안자성명	조면근	과장	심의관	국장 전결	차관 장관	외신과통제

0089

조, 송

외　무　부

관리 번호	91/3/2

종　별 :

번　호 : GVW-0899　　　　　　　　　　　　　일　시 : 91 0517 1200

수　신 : 장관(통기), 경기원, 재무부, 농림수산부, 상공부, 특허청), 사본:주미, 주 EC

발　신 : 주 제네바 대사　　　　　　　　　　　　대사-중계필

제　목 : 갓트사무차장 면담

검 토 필 (91. 6. 30.)

1. 본직은 작 5.16(목) CARLISLE 갓트 사무차장을 오찬에 초청하고 UR 협상전망 및 기타 관심사항에 관해 논의하였는바 동인 발언 요지 아래와 같음(박공사 배석)

　가. UR 협상 전망

　(1) 협상이 장기화하면 열의가 식어지고, 명년에는 미국 대봉령선거 및 93.1. 부터의 EC 단일시장 출범 준비 작업등 이유로 금년말까지는 UR 협상이 꼭 타결되어야 하며, 이를 위하여는 6 월과 7 월에 걸쳐 농산물, 서비스 및 시장접근등 중요분야에서 실질적인 협상진전이 필요함

　(2) 실질협상진전에는 일본이나 한국 또는 인도등 다른나라들의 기여도 필요하지만 무엇보다도 미국, 이씨 양자간에 합의가 조속히 이루어져야 하나 양측의 양보기색이 없기때문에 매우 우려되며, DUNKEL 사무총장이 5.15. 런던의 THE EUROPEAN ATLANTIC GROUP 집회에서 미.EC 간 양측의 노력을 촉구하는 내용의 발언을 하게 된것도(GVW-0893 참조) 이러한 우려에 기인하고 있음.

　나. 농산물 협상 전망

　(1) 농산물 분야의 합의가 절대적이라는 주장에 EC 가 동의하지 않고 미국으로서도 농산물에 전적으로 얽매인 것은 아니지만 알젠틴, 브라질등 CAIRNS 그룹 국가들에게는 가장 중요한 분야이므로 농산물 협상에서 EC 의 양보가 없이는 합의가 불가능한바 프랑스의 미떼랑 대봉령이나 독일 콜 수상이 다같이 최근 국내 정치적으로 입장이 약화되어 있기때문에 문제해결이 더욱 어려운 실정임.

　(2) 일본의 쌀시장 개방문제는 정치적으로 민감한 문제이기 때문에 시장개방에 어려움이 있겠지만 무역 대국인 입장에서 전혀 시장접근을 거부하지는 못할것이며, 쌀에 대한 전면 예외를 인정하는 농산물 협상결과를 미의회가 수락하지 않을 것임

　다. 향후 협상 일정

일반문서로 재분류(1991 . 12 . 31.)

통상국 상공부	장관 특허청	차관	1차보	2차보	청와대	경기원	재무부	농수부

PAGE 1　　　　　　　　　　　　　　　　　　　　　　91.05.17　　22:19

외신 2과 통제관 CE

0090

(1) 4.25 TNC 회의에서 승인된 협상구조에 따라 구체적인 협상일정이 발표되고 협상이 계속되겠지만, 향후 협상이 단순한 기술적인 문제에 대한 토의만 계속해서는 무의미하며, 문제점들에 대한 결정을 이루어 나가는 협상이 되도록하기위하여는 각국 수도 특히 워싱톤과 브랏셀회의에서의 합의가 이루어져야 함.

(2) 자신도 내주에 워싱톤 및 시카고를 방문, 미국외교협의(COUNCIL ON FOREIGN RELATIONS) 주최 연설에서 UR 의 중요성을 강조하고 협상 성공을 위해 자신이 미국인이지만 미국내 일부 다자간 무역체제의 중요성을 경시하는 경향에 대해 솔직한 충고와 아울러 미국의 적극적인 기여를 촉구할 예정임.

라. MATHUR 사무차장 후임 인선

7 월말로 퇴임하는 MATHUR 사무차장 후임은 아직 후보자가 정해지지 않았으며 갓트는 창설 이후 사무총장은 구라파지역에서 맡아왔고 사무차장 2 인중 1 인은 미국이 나머지 1 인은 개도국 인사가 임명되어 온것이 관례이며, MATHUR 차장후임자 인선을 위해 신문에 알리는 방안등 공포방법을 검토중임

2. 동인은 이어 UR 협상이 실패할 경우 당장 세계경제에 위기가 온다고 할수는 없겠지만 다음 4 가지로 그영향을 요약할수 있다고 부연하였음.

가. 세계경제 성장의 둔화

갓트의 분석으로는 세계무역이 1 퍼센트 성장하면 경제성장은 0.7 퍼센트 성장하는 것으로 보고있는바, 세계무역의 둔화는 필연적으로 경제성장의 둔화를 가지고 올것임

나. 빈곤 개도국 및 동구권 국가에 대한 영향

세계경제의 둔화는 빈곤 개도국 및 시장 경제에의 전환을 모색하는 동구권 국가들에게 심각한 타격을 주게 될것임.

다. 분쟁해결에의 악영향

공정한 다자간 분쟁해결제도 미비로 인해 쌍무적인 무역 분쟁해결에 의존함으로써 불공정 분쟁해결 및 나아가 분쟁 당사국간의 정치적 마찰 요인이 크게 증대

라. 무역 블럭화 촉진

국제 경제의 지역주의는 다자 무역체제를 보완하는 경우에는 바람직스러우나 배타적인 블럭화의 우려가 증대될것임.끝

(대사 박수길-국장)

예고:91.12.31. 까지

PAGE 2

0091

외 무 부

종   별 :

번   호 : GVW-0906

일   시 : 91 0517 1830

수   신 : 장관(봉기)

발   신 : 주 제네바 대사

제   목 : UR/ 협상일정

대: WGV-0635

1. 당관 김서기관이 작 5.16(목) 오후 갓트 사무국 HARTRIDGE GNG 및 정책국장, SORENSEN 참사관(TBT 국) 및 LINDEN 보좌관실을 접촉,표제일정에 대하여 알아본바, 현재 DUNKEL사무총장과 각 협상그룹별 의장들간에 협상추진에 대하여 협의하고 있으나새로운 협상 구조에 따른 협상일정 및 의제에 대하여 아래 2항의 협상 분야를 제외하고는 아직 구체적으로 확정된 사항은 없으며, 미 의회에서 FAST-TRACK 연장안이 처리되고 난 다음인 내주말 이후 전체적인 협상그룹별 일정을 결정할 예정이라 하고, 의제도 그때가서 정할 것이라함.

2. 참고로 지금까지 잠정 파악한 분야별 일정 수립상황은 하기와 같음.

가. 시장 접근 분야

- 6.10 주간중 주요국간 비공식 협의를 거친후 협상 그룹회의 개최 검토중

나. 농산물

- 6.10 주간 개최 예정

다. 서비스

- 5.23-24 통신분야 AD HOC 그룹 비공식회의(각국 OFFER CLARIFICATION)

- 5.27-31 GNS 공식회의(NATIONAL SCHEDULE작성방법) 및 GNS 비공식 (각국 OFFERCLARIFICATION)

- 6.3 - GNS 공식 회의(FRAMEWORK 중 기술적토의가 필요한 조문에 대한 논의

라. TRIPS

- 6.26-28 개최(1안) 및 7.15-16 개최 (2안) 양안중 택일하기 위한 협의 진행중

3. 동건 갓트 사무국측과 계속 접촉, 결과 추보하겠음. 끝

(대사 박수길-국장)

통상국   2차보

노.숨.

외 무 부

종   별 :

번   호 : GVW-0937   일   시 : 91 0522 1930

수   신 : 장관(통기), 경기원, 재무부, 농수부, 상공부)사본:주미, EC대사-필

발   신 : 주 제네바 대사

제   목 : UR 협상

검 토 필 (91. 6. 30)

당관 박공사는 금 5.22. 핀랜드 대표부 PEKKA HUHTANIEMI 공사와 오찬을 같이하고 UR 협상 및 기타 공동 관심사항을 논의하였는바 동인 발언요지 아래 보고함.

1. UR 협상 전망

0 년내 협상 타결이 가장 바람직하며 그렇게 되기 위하여는 농산물 협상에서 년말까지 만족스러운 합의가 이루어져야 하나 EC 내부의 의사 결정과정의 복잡성 때문에 공동농업정책(CAP) 개혁이 단시일내 결정이 어렵고 보호주의 경향의 프랑스 신정부 대두와 지방 선거후 서독 콜수상의 국내정치 기반 약화등 요인이 겹쳐 농산물 협상에서 EC 의 기존입장 양보가 더 어렵게 되었으므로 년말전 농산물 협상 타결이 극히 어려울 것으로 보임.

0 미 의회의 신속승인절차(FAST TRACK) 연장은 승인이 되겠지만 명시적 이든, 묵시적이든 간에 의회측의 행정부에 대한 UR 협상의 큰 결과(BIG PACKAGE) 성취 기대가 FAST TRACK 연장의 조건이 될것이 분명한데 년내 타결로는 의회의 기대를 충족시키기 불가능 할것이며, 다소라도 EC 의 추가적인 양보를 얻고자 하면 협상이 내년 봄까지 갈수 밖에 없는 것으로 보여짐

0 미국 및 CAIRNS 그룹이 EC 의 양보를 유도하기 위하여 모든 노력을 기울이고 있으나, 외부적인 압력으로 EC 를 움직이게 하는데는 한계가 있으므로 농산물 협상 결과는 EC 가 양보 가능한 수준을 중심으로 타결이 불가피하며 미국 및 CAIRNS 도 현실을 받아들이지 않을 수 없을 것임.

0 UR 협상이 92 년 봄까지 갈것이라는 견해를 낳게하는 근거로는 지난 주말 밝혀진 갓트사무국 개편에서 퇴직하는 국장급들의 임기를 몇달 더 연장함으로써 년말까지 협상을 지원할 수 있음에도 불구하고 신인으로 교체한 것은 던켈총장 자신도 년내 타결이 어려울 것이라는 판단에 따른 조치로 해석되기 때문임.

통상국	차관	1차보	2차보	청와대	안기부	경기원	재무부	농수부
상공부								

일반문서로 재분류(1991. 12. 31.)

91.05.23   06:06
외신 2과 통제관 CF

0093

2. 농산물 협상

0 던켈 총장은 종전 30 여개국 참석하에 진행하던 협상그룹 토의와 별도로 <u>주요 8</u>
<u>개국</u>(미, EC, 일본, 호주, 카나다, 북구, 뉴질랜드, 알젠틴) 만의 소수국 협의를 병행
수시로 개최하여 농산물 협상그룹 토의사항을 심도있게 다루고 있으며 자신도
북구대표로 참석하고 있으나 각국이 기존입장을 반복하고 특히 EC가 분명한 태도를
보이지 않기 때문에 별로 진전이 없는 실정임.

0 던켈총장이 늦어도 7 월중으로는 새로운 농산물 협상문서(NEW DRAFT FRAMEWORK)
<u>를 제시하고</u> 합의를 얻는다는 복안을 가지고 있으나 그내용이 결국은 작년 DE ZEEUW
의장문서와 대동소이할 것이므로 합의를 얻기가 쉽지 않을 것이며 자칫하면 DE ZEEUW
PAPER 의 재판이 될 우려조차 배제할 수 없음.

0 갓트 11 조 2 항 C 개정문제는 개정을 주장하는 나라들(카나다, 일본, 한국,
북구, 오지리등)이 있고 이를 폐지하자는 주장이(미국 및 CAIRNS 그룹)있으며, EC 는
소극적인 입장이나 내심으로는 현행 규정을 그대로 유지하자는 입장인바, <u>결국 현행</u>
<u>규정을 그대로 두는 방향으로 결정이 될 가능성이 큰 것으로 보임.</u>

0 북구국가들 중에는 스웨덴이 농산물 시장 개방에 적극적인 반면 농업 경쟁력이
약한 놀웨이와 핀랜드는 소극적인 편이며, 따라서 핀랜드는 협상초기에 NTC 를
강조하였으나 <u>보조금 삭감과 관세화로 나가는 대세에 역행하기가 어렵고</u> 또 최근
핀랜드 국내 소비자들의 각성도 있어서 협상의 큰 흐름에 맞추어 국내 농업정책을
조정하는 쪽으로 나가고 있지만 EC 수준의 자유화도 쉬운 과제가 아님

3. EC 와의 광역 구주 경제권(EEA) 협상

0 주요 쟁점사항은 EFTA 국가수역(아이슬랜드, 놀웨이)에의 <u>EC 국가의 입어권</u>
<u>허용문제,</u> 스위스의 <u>인력이동 자유화 유예기간 인정요구와 유럽재판소 재판관구성</u>
비율등이 있는바, 합의에 이를경우 6 월말경 오지리 "잘쯔블그" 지역 대표간에
합의문서 서명이 있을 것이며, 합의를 예상하지만 만일 <u>실패할 경우는 EFTA 국가들이</u>
<u>개별적으로 EC 가입을 추진하게 될것임.</u>(스웨덴, 오지리는 이미 가입 신청을 해
놓았으며, 핀랜드는 긍정적으로 검토중임)

0 양지역간에는 이미 공산품에 대한 무관심을 포함 자유무역 관계에 있는바, 이번
협상이 성공할 경우 경제적인 면에서 양지역은 상품 및 서비스의 자유로운 이동을
포함하여 사실상 구주공동체 가입과 다름없는 단일시장이 될것임.끝

(대사 박수길-국장)

예고:91.12.31. 까지

0095

관리	
번호	91-367

외 무 부

사본 : 안기부택님 (ZPB. ZMC. 홍.경 경제교육 등)

일 시 : 91 0523 1930

종   별 :

번   호 : GVW-0948

수   신 : 장관(봉기)

발   신 : 주 제네바 대사

제   목 : UR 협상

일반문서로 재분류(1991. 12. 31.)

검 토 필 (1991. 6. 30.)

대: WGV-0635

연: GVW-0969

1. 당관 오참사관은 금 5.23(목) LINDEN 갓트사무총장 특별보좌관을 오찬에초청, 향후 UR 협상등에 곤하여 논의한바, 동인의 발언요지 아래 보고함. (김서기관 동석)

가. 협상 전망

0 협상 종결 전망에 대하여 금년말 내지 내년초에 협상이 종결될 것이라는 견해와 93 년 이후까지 협상이 계속 될것이라는 견해가 있는바, 만일 금년말이나내년초에 협상이 종결될 경우, 소위 SMALL PACKAGE 가 될 가능성이 크담고 봄(SMALL PAC 선 AGE 가 어느분야를 포함하는 것인지의 문제에 관해서는 이론의 여지가 있음) 그렇지않고 BIG PACKAGE 도출을 시도할 경우, EC 의 농업분야 개혁을포함한 기타 써비스, 지적소유권, 부자, 분쟁해결등의 미결문제와 관련 93 년까지 협상이 계속될 가능성이 있다는 것이 갓트 사무국내의 일반적인 견해임.

0 자기의 견해로는 SMALL-PACKAGE 에 의한 협상종결 가능성은 그리 크지 않다고 보며, 이번 갓트 사무국 개편도 UR 협상이 조기에 완결될수 있는 사인이 아니라는 점을 일부 감안한 점도 있다함.

나. 향후 협상일정

0 금주말(5.25(토)이 유력) DUNKEL 사무총장이 각 협상 그룹별 의장들과 전체회의를 개최하여 향후 협상일정을 논의할 예정이며, 이 회의를 통하여 향후 협상일정이 정해질 것임.

0 현재 각 협상그룹의장들의 대체적인 견해는 협상의 관건이 되고있는 농산물협상 분야에서 가시적인 진전이 없는한 여름휴가전 1-2 회 정도 협상그룹별 회의소집을 고려하고 있는것으로 보임

통상국	장관	차관	2차보

O 그러나 DUNKEL 사무총장은 상기회의시 미의회의 FAST-TRACK 승인 이후 제네바에서 협상이 되더라도 회의가 계속 진행되고 있다는 인상을 준다는 차원에서회의 일정을 조정키를 희망하고 있는 것으로 보임.

O 따라서 6,7 월중에는 회의는 개최되지만 하기휴가전 실질적인 협상의 가능성은 적으며, 기술적인 사안에 대한 협상을 하게될 것으로 봄.

다. 제도 분야 협상전망(동 보좌관은 제도분야 협상을 담당)

O 상기회의 결과 협상 일정이 정해질 것이나 현재로서는 동 협상그룹 LACARTE 의장은 하기 휴가전 6 월 내지 7 월중에 한차례 회의 개최를 구상하고 있음.

O 제도분야중 갓트 기능은 사안의 비중에 비추어 현재로서는 협상의 중점이주어지지 않을 것이며, 최종의정서는 동 분야의 성격상 마지막 단계에 가서 거론될 것임.

O 분쟁해결 분야에서도 정치적 결단을 요하는 핵심 쟁점인 미 301 조 포기문제와 패널보고서 및 상소보고서의 자동채택, 보복의 자동승인 문제의 상호 연계건을 제외한 기술적인 사항의 협상을 우선 진행할 것임

라. 갓트 사무국 기구 개편 관련사항

O MATHUR 사무차장 후임 선정과 관련, 라틴 아메리카 그룹이 추천하는 JARAMILLO 콜롬비아 대사와 현 HUSSAIN 사무총장 보좌관의 승진 기용문제에 있어 합의를 보지 못하여 DUNKEL 총장이 회원국과 사전 협의할 필요가 없는 사무차장보 직을 신설, HUSSAIN 보좌관을 기용하고 사무차장직을 공석으로 남겨둠으로써 차후 동인이 사무차장이 되는데 유리한 결과를 가져오게 한데 대해 라틴 그룹등 국가들이 불만을 갖게 되었음

2. 향후 협상 일정에 대한 상기회의 결과를 파악, 추보하겠음. 끝

(대사 박수길-국장)

예고:91.12.31. 까지

외 무 부

관리
번호

종 별 :

번 호 : JAW-3368   일 시 : 91 0531 1649

수 신 : 장관(통기),통이,경일,아일)

발 신 : 주 일 대사(경제)

제 목 : OECD 각료이사회

대:WJA-2469

1. 당지 5.31. 일자 일본경제신문은 6.4-5. 파리 개최 표제회의 공동성명의UR
관련사항은 아래의 4 항목이 될 것이며, UR 교섭진전을 위해 가맹 각국이 1-2 개월
이내에 농업 보호 삭감을 위한 정치 결단을 요구하는 내용이 포함될 것이라고 보도함.

0 가맹각국이 UR 교섭의 년내 성공적 타결을 위해 노력

0 이를 위해 수개월 이내에 교섭을 실질적으로 진전시키는 것이 불가결함.

0 교섭 진전의 장애제거를 위해 각국에 대한 조기의 정치적 결단이 요구됨.

0 교섭은 모든 분야에서 조속히 진전시킬 필요가 있음.

2. 상기관련 주제국 외무성 국제기관 2 과에 확인한바, 상기 4 개 항목 보도는
사실이며, 그 경위는 아래와 같으나, 상기 "1-2 개월 이내에 농업 보호 삭감을 위한
정치 결단"이라는 보도는, 상기 4 개항목의 수개월 이내 와 "조기의 정치적
결단"이라는 표현을 언론이 약간 과장하여 보도한 것으로 보인다 하였음.

0 UR 교섭의 년내 타결은 당초 EC 가 주장하고 일본도 이에 찬성한 것이나,미국은
년내 타결이라는 기한에 쫓겨 미국이 만족할 수 없는 타결이 될 것을 우려, 년내타결을
위해서는 수개월 이내에 실질적 진전이 있어야 하며 이를 위해서는 각국의 결단이
요청된다고 한 것임.

0 EC 측으로서는 미국이 요구하는 농업문제 뿐만 아니라 써비스 및 MARKET ACCESS
등도 포함되어야 한다고 주장한바, 교섭은 모든 분야에서 조속히 진전시킬 필요가
있다고 한 것임.끝.

(공사 이한춘-국장)

예고:원본접수처:91.6.30. 까지

사본접수처:91.6.30. 파기

일반문서로 재분류(1981 . 12. 31.)

검 토 필 (1991.6 30.)

통상국 안기부	장관	차관	1차보	2차보	아주국	경제국	통상국	청와대

PAGE 1   91.05.31   18:29

외신 2과 통제관 BA

0098

관리 번호	'91~ 383

외 무 부

종 별 :

번 호 : JAW-3361 일 시 : 91 0531 1415

수 신 : 장관(통이,북일,경일,아동) 사본:경기원,상공부

발 신 : 주 일 대사(경제)

제 목 : 일 외무성 경제국인사 면담

한. 일 생사류회담에 참석중인 최혁 통상국심의관은 5.30. 오후 주재국 외무성 경제국 SUTO 차장 및 NANAO 총무참사관을 면담, 최근 국제경제 현안에 관한일측 입장을 청취하였는바, 특기사항 아래 보고함.

1. 서방 경제 정상회담

가. NANAO 총무참사관은 동 회담의 주요 의제 및 준비 상황에 대해 아직 아무것도 정해진것은 없으나, 고르바쵸프 초청문제, 거시 경제 조정문제, UR 협상 타결 문제, 중동지역의 평화 및 경제부흥 문제들이 주요 이슈가 될것이라고 언급함.

나. 동인은 고르바쵸프 초청문제는 서구제국은 적극적인데 반해, 일본은 지난 일.쏘 정상회담 경험에 비추어 쏘련 경제개혁 유도에 별 도움이 되지 않을것으로 보기 때문에 조심스러운 입장이며, 미국은 쏘련과의 군축회담등과 관련하여현재 실익을 검토중에 있어 입장 정립을 못하고 있다함.

다. 거시 경제 정책조정 문제는 주로 미-독간 인플레 억제와 경기회복 필요성을 둘러싼 이자율 논쟁이 될것이며 일본은 중간적 입장이라함.

라. UR 문제는 작년 휴스턴 정상회담에서 작년말까지로 시한을 정했다 실패한 경험에 비추어, 타결 시한을 명시치 않고 조기타결을 다짐하는 내용이 될것이나, 단순한 선언만으로는 미흡하므로 농산물 협상에 대한 언급이 있을것으로 본다고 전망함.(그러나 그 내용은 기본적으로 미.EC 에 달려있다면서 일본의 역할은 낮게 평가함).

2. 지역주의

가. NANAO 참사관은 경제국에서 지역주의에 대한 연구가 한창 진행중이라고하면서 EC 통합과 북미 자유무역지대라는 현실에 입각, 다자간 무역체제 창달에 최우선을 두되, 그 하부에 각지역별 경제대국을 중심으로하는 지역별 경제그룹이 각각 지역경제

통상국 상공부	차관	2차보	아주국	미주국	경제국	청와대	경기원	상공부

발전을 주도토록하는 방향으로 검토되고 있다고 언급함.

　나. 상기 지역협력 그룹과 관련, 동인은 현재 일.카나다간 WISEMEN'S GROUP을 구성, 농산물과 전자제품의 ○시장개방을 제외한 자유무역지대 설치 방안을CASE-STUDY 로서 집중 연구중이라함.(추진방침이 정해졌거나 여타국의 참여를 배제하는것은 아니라하나, 상기에 비추어 일본은 자국이 참여하는 자유무역 협정체결을 신중히 검토하고 있는것으로 보임).

　다. 동인은 동아시아에서의 일본의 역할에 대해서는 직접적인 언급을 회피하면서, 지역 경제그룹 형성에는 군사. 안보에 대한 고려도 함께 이루어져야 할것이라며 미국의 역할을 시사함.

　3. UR/ 농산물 협상

　가. SUTO 차장은 미.EC 가 연내 타결을 주장하나 입장변화가 전혀없어 금후농산물 협상을 어떻게 풀어갈지에 대해서는 아무 해답이 없다고 언급함.

　나. 동인은 일본의 쌀시장 개방문제에 대해서는 최소 시장접근 개념을 봉한일부개방을 검토중이나, 동 방침을 조기 발표하면서 미국이 이를 기정사실화하고 런던 경제 정상회담등에서 더 요구해올 것이기 때문에 그 시기 선택에 고심하고 있으며, 미국이 최소 시장접근은 어디까지나 관세화의 틀안에서 이루어져야 한다고 주장하고 있어 미국과의 입장차이도 여전하다고 언급하였음. 끝

　(공사이한춘-국장)

　예고:원본-91.9.30. 까지

　사본-91.9.30. 파기

외 무 부

종   별 :

번   호 : GVW-1018   일   시 : 91 0531 1930

수   신 : 장 관(통기, 경기원, 재무부, 상공부)

발   신 : 주 제네바 대사

제   목 : UR/ 갓트 사무국 직원과의 의견 교환

　　　당관 박공사는 금일 (5.31)을 기하여 정년퇴직하는 갓트 사무국 SCHRODDER 관세국장 및 후임 CAMPEAS 국장과 신설 갓트 RULE 국의 WOZNOWSKI 신임국장 (현 관세국 자문)을 오찬에 초대하여 SCHRODDER 국장의 노고를 치하하고 아국과의 각별한 관계를 유지한데 대한 사의를 표시하는 한편 동인들로 부터 앞으로의 UR전망등에 대한 그들의 견해를 청취하였는바 아래 보고함. (엄재무관 동석)

　　　가. 금일 오전 10시 DUNKEL 사무총장이 각 신임협상 그룹 의장과 그린룸 회의를 가졌는바, 논의된 사항은 주로 향후 협상 일정에 관한것이었음.

　　　나. 갓트 RULE 협상은 6.10 주간에 개최토록 결정되었으며, 동 협상 그룹이 각종 다기한 협상을 포함하고 있으므로 금번 회의에서 본격적 토의가 이루어지기는 어려울 것으로 보임.

　　　다. 현재로서는 이씨가 농산물 협상 분야에 새로운 제안을 제시할 가능성은 희박한 것으로 보이며, 미국등이 이씨의 입장을 수용하여 소규모 협상 PACKAGE 를 수락하기도 어려운 형편으로 생각됨. 따라서 금년말까지 UR 을 종결토록 하기에는 많은 어려움이 있을 것임. 한편 다음 7월에 개최될 G7 정상회담에서 UR 의 진전을 위한 돌파구가 마련될 것인가에 대하여는 많은사람들이 회의적인 시각을 가지고 있음. 끝

통상국   2차보   경기원   재무부   상공부

PAGE 1

관리
번호 : P/- 385

원 본

외 무 부

종 별 :

번 호 : GVW-1007

일 시 : 91 0531 1230

수 신 : 장관(통기),경기원,재무부,농림수산부,상공부)(사본:주미,주EC대사(중계 필))

발 신 : 주 제네바 대사

제 목 : UR 전망 평가(평화그룹 오찬 협의)

1. 작 5.30(목) 본직 주최로 관저에서 평화그룹 대사급 오찬 협의를 개최하였는바, 동 협의에서는 미의회 신속처리 절차 기한 연장 및 EC 농업장관 회의에서의 농업보조금 상한선 결정등의 사태 발전에 따른 UR 협상 전망을 주제로 의견교환을 하였는바, 요지 아래 보고함.(ANELL GATT 이사회 의장, LACARTE 제도 분야 협상 그룹 의장 JARAMILLO 써비스 협상 그룹 의장등 참석)

가. 년내 UR 협상 타결 전망

(1) 대다수 참석자들은 농산물 분야에서 7 월중 상당한 진전을 보고 9 월까지 대체적인 합의가 없으면 년내 타결이 어려울 것인바 브랏셀 회의 이후 아직도미-EC 간 입장 차이의 계속과 양측 협상대표들의 냉담한 관계가 큰 장애가 되고 있다는데 인식을 같이함.

(2) ANELL 의장(스웨덴대사)은 EC 도 기일내 협상 타결을 위해서 노력을 하고 있으나 미-EC 간에 협상 보조가 맞지 않는것도 하나의 장애 요인이라고 전제하고 미 행정부가 의회의 반응에 좌우되어 미-멕시코 자유무역 협정에 역점을 두는등(카나다도 같은 의견) 미국 입장의 일관성을 유지하지 못하고 있는 점에도 어려움이 있다고 지적하고, 내주의 OECD 각료회의의 주요 의제가 UR 이고 또 동회의가 협상 촉진의 중요한 계기가 되고 있음에도 불구하고 공동 COMMUNIQUE 초안의 UR 관계 언급내용이 빈약한데 자기는 크게 실망했다고 언급함.

그는 또한 DUNKEL 총장이 준비하고 있다는 농산물 관계문서(DE ZEEUW PAPER와 유사하다함.)의 제출후 협상의 돌파구 마련을 위한 각료회의 개최 가능성에대해서도 자기가 파악한바에 의하면 현재로서는 그러한 계획은 없는 것으로 알고 있다고 말함.

(3) LACARTE 의장(우루과이대사)은 금번 OECD 각료회의에서 미국은 EC 와의대결을 피하면서 CONSENSUS 도출에 노력할 것이나 큰 성과를 기대하기 어렵다고 말하고

통상국 상공부	장관	차관	2차보	청와대	안기부	경기원	재무부	농수부

PAGE 1

인반문서로 재분류(1991 . 12. 31.)

91.06.01 06:31
외신 2과 통제관 CE

0102

농산물에서 EC 의 양보를 전망할수 있기 전에는 7 월까지 협상의 실질적인 진전을 기대하기 어려우며, 그러한 경우 년말 또는 내년초 까지의 타결전망이 불투명해짐으로써 UR 협상은 2,3 년 연장되는 곤혹스러운 결과도 초래될수 있다고 언명함.

(4) 호주, 뉴질랜드 대사는 5.24 EC 농업 장관들에 의한 농산물 가격 상한선 결정 합의가 EC 의 공동 농업정책(CAP) 개혁 논의를 촉진할 것이고 UR 협상에금정적인 기여를 할 것으로 평가하였고, 일부 다른 국가 대사들은 복잡한 EC 내부 정책 결정 절차상의 시간 소요, EC 회원국들간의 이해 관계의 차이등을 이유로 EC 입장 진전에의 기여 가능성에 다소 의문을 표시하였으나 대다수의견은 보조금 지출에 대한 상한선 결정은 UR 협상에 기여할 것이라는 견해를 표함.

(5) 한편 DUNKEL 총장이 협상 촉진을 위하여 7 월중 제출할 것으로 알려진 농산물 협상 합의 초안(DRAFT FRAMEWORK AGREEMENT PAPER)의 내용에 대해서는, 완전한 합의안의 도출은 어려울 것이므로 그것 보다는 농산물 협상 타결에 필요한 요소들을 열거하는 일종의 OPTION PAPER 성격의 문서가 될 것이라고 함.(뉴질랜드 대사등)

나. 평화그룹의 UR 타결 기여를 위한 공동입장 천명 조치

0 아측은 평화그룹의 구성 성분과 과거의 기여로 보아 적당한 시기에 UR 협상 촉진을 위한 평화그룹의 공동입장 표명문제를 숙고할 필요가 있다고 재언하였던바, LACARTE 의장, 뉴질랜드 대사등이 이에 공감을 표시하고 그 시기는 UR 의 진전을 보아가면서 대체로 9 월경으로 정함이 좋겠다는 것이 지배적인 견해였음.

다. 4 극(QUAD GROUP) 협의 내용

0 카나다 대표는 5.20 주간에 일본 HAKONE 에서 개최된 4 극 국가(미, EC, 일본, 카나다) 고위 관리 회담에서는 주로 서비스 및 분쟁해결 절차 분야등이 토의되었으나 농산물 문제는 토의되지 않았다고 말하고 일본은 외무성과 봉상성 대표만 참석하고 농무성 대표는 참석하지 않았다고 함.

0 참석자들은 대부분 년내 협상 타결에 긍정적인 전망과 의욕을 보였으나 미-EC 간에는 서비스 등 분야에서도 아직 입장차이가 컸으며, 특히 미의회가 만족할수 있는 수준에 대한 분명한 판단을 내리기 어려운점이 불안 요인이라고 평가하였음.

2. 다른 한편 본직은 표제 협의에 앞서 북한의 UN 가입 결정 사실을 언급, 참석 우방국들의 지원에 사의를 표하는 한편, UR 협상에 대한 아국의 입장, 특히농산물 협상 관련한 아국의 전진적인 자세와 아울러 국내 농업의 어려운 여건을 설명하고

PAGE 2

0103

이해를 촉구하였음. 이에 대해 참석자들은 북한의 UN 가입 결정이 남북한 관계에 긍정적인 영향을 미칠 것이라고 평가하고 한국 농업의 어려움에 대해 이해를 표하였음. 끝

(대사 박수길-장관)

예고:91.12.31. 까지

외 무 부

종　별 :

번　호 : GVW-1022　　　　　　　　일　시 : 91 0603 1500

수　신 : 장관(통기,경기원,재무부,농림수산부,상공부,특허청)

발　신 : 주제네바대사

제　목 : UR 협상 일정

　　　연: GVW-1018

　　1. 연호 UR 협상일정과 관련 당관이 6.3.갓트 사무국으로 부터 입수한바에 따르면, DUNKEL사무총장과 분야별 협상그룹의장이 마련한 하기분야별 협상일정안을 논의하기 위해 6.7(금) TNC회의를 소집할 예정이라함.

　　2. 현재 잠정결정된 분야별 협상일정은 다음과같음.

　　ㅇ 규범제정 및 TRIMS: 6.10-12

　　ㅇ 농산물: 6.10 주간에서 17주간 사이

　　ㅇ 시장접근: 6.13-14

　　ㅇ 서비스: 6.24-28ㅇ TRIPS: 6.27-28

　　ㅇ 섬유: 6.24 주간에서 7.1주간 사이

　　ㅇ 제도분야: 일정협의중

　　ㅇ 시장접근: 7.15 주간

　　ㅇ 서비스: 7.15-19

　　ㅇ 규범 제정 및 TRIMS: 7.22-26

　　3. 상기 분야별 협상이후 7.29 주간에 TNC회의를 소집하여 상기 분야별 그룹의협상결과를 논의할 것이라함.끝

　　　(대사 박수길-국장)

통상국　2차보　외정실　정와대　안기부　경기원　재무부　농수부　상공부
특허청

　　　　　　　　　　　　　　91.06.04　01:23 BU

　　　　　　　　　　　　　　　　　　외신 1과 통제관

0105

원 본

외 무 부

종 별 :

번 호 : GVW-1068   일 시 : 91 0607 1940

수 신 : 장 관(통기) 경기원,재무부,농림수산부,특허청)

발 신 : 주 제네바 대사

제 목 : TNC 회의

연: GVW-1022

1. TNC 회의가 6.7 DUNKEL 사무총장 주재로 개최되어 연호 DUNKEL 사무총장과 분야별 협상그룹 의장이 마련한 91.6-7월간 분야별 UR협상 잠정일정을 아래와 같이확정하였음. (본직, 김인호대조실장,오참사관,신서기관 참석)

규범제정 및 TRIMS: 6.10-12, 7.22-26

농산물: 6.10 주간 및 6.17 주간 일부

시장접근: 6.13-14, 7.15주간

서비스: 6.24-28, 7.15-19 또는 7.22-26

TRIPS: 6.27-28

섬유: 6.24 주간 또는 7.1주간

제도분야: 미정

2. 아울러 상기회의에서는 분야별 협상이후 7.29주간에서 TNC 회의를 개최하여 6,7월간 협상결과를 평가하고 금년 후반기의 협상 전략을 검토하기로 결정하였음.

3. 상기 협상 일정중 구체적인 날짜가 미확정된 섬유 및 서비스 협상그룹 일정은 추후 DUNKEL사무총장과 JARAMILLO 서비스 그룹의장기 각각주요국과 협의하여 양그룹 협상의 구체적인 날짜를 결정하기로 함.

4. DUNKEL 사무총장은 협상 일정안을 발표하면서 상기 협상 일정은 3가지 이상의 회의가 동시에 열리지 않도록 조정한 것이라 하면서 필요한 경우 상기 협상 일정외에 그룹의장이 추가회의를 소집할수 있다고 함.

5. 회의 서두에서 사무총장은 연내에 균형있는 UR 협상 PACKAGE 을 마련할 수 있도록 협상참가국들의 총력을 기울여 협상을 가속화하여 최종 노력을 경주할 것을 요청하고, 이와관련 금년 6-7월 분야별 협상이 협상 참가국들의 협상 의지를 시험할

통상국   2차보   경기원   재무부   농수부   특허청

PAGE 1   91.06.08   08:58 WG

외신 1과 통제관

0106

수 있는 계기가 될것이라고함.끝

(대사 박수길-국장)

외 무 부

종 별 :

번 호 : ECW-0518   일 시 : 91 0620 1730

수 신 : 장 관(봉기, 경기원, 재무부, 농수산부, 상공부)사본:주미, 제네바-직송필

발 신 : 주 EC 대사

제 목 : GATT/UR 협상

1. 6.19. MAC SHARRY EC 농업담당 집행위원은 COPA 대표들과의 간담회에서 금년말까지 표제협상이 종결될수 있을것이라는 낙관적인 견해를 갖고 있다고 말하고, 그러나 UR 농산물협상에서 90.10. EC 가 제안한 보조금 30프로 감축에 대한 입장은 변한바 없다고 강조함

2. 6.19. EC 와 미국의 경제단체 (UNICE, USCHAMBER OF COMMERCE 등) 들은 공동성명을 통해 표제협상의 조속한 종료를 위해 협상을 촉진할것을 요구함. 동 성명에서 동 협상의 성공적 종료를 위해 필요한것은 협상전략이 아니라, 동협상 추진부진이 세계경제를 불안정하게 하고 부자와 고용확대 기회를 상실케 만들고 있다는 사실을 주시해야 할 것이라고 말하고, 농산물등 특정분야에 대한 협상보다는 15개분야 전반에걸쳐, 협상을 마무리 할수 있는 계기를 만들어나가야 한다고 말하고, 아래사항에 대한 GATT 규범정립을 요구함

　O LDC 및 신흥공업국들의 취급에 대한 GATT규범 정립

　O 지적소유권, 써비스 시장개방과 보호문제

　O 시장접근, 국내보조, 수출보조 감축을 포괄하는 농산물교역 자유화 방안

　O TRIMS 분야에 대한 다자간 규범

　O 분쟁해결, 반덤핑, 보조금 및 SAFEGUARDS 의명확한 규범정립으로 GATT 체제의신뢰구축방안. 끝

　(대사 권동만-국장)

통상국　　2차보　　경기원　　재무부　　농수부　　상공부

도   정학법적 (브라씨)

관리 번호	91/432

원 본

외 무 부

종   별 :

번   호 : GVW-1155

수   신 : 장관(봉기)

발   신 : 주 제네바 대사

제   목 : UR 협상 전망

일   시 : 91 0621 0900

검 토 필 (1991. 6. 30.)

1. 본직은 6.19(수) TRAN 주 제네바 EC 대사와 오찬, UR 농산물 협상을 위요한 EC, 미국과의 관계, UR 전망등에 관하여 환담한바 동인의 발언요지는 아래와 같음.

가. EC 와 미국은 최근 비공식적으로 세개의 CHANNEL, 즉 정치적(POLITICAL), 고위관리(SENIOR OFFICIALS), 전문가(EXPERTS) 차원에서 농산물 문제를 심도있게 토의하고 있으며(제네바 공식 협의와는 별도로) 양자간의 타합을 위한 최대의 노력을 기울이고 있음.

나. 미국은 AIRBUS 문제를 SUBSIDY COMMITTEE 에 제기하고 있으나 이는 EC 로부터 농산물에 대한 양보를 받기위한 수단(BARGAINING CHIP) 으로서의 성격이강하며 과거 GATT 분쟁에서 EC 는 미관세법 337 조 관련 분쟁에서, 미국은 OILSEED 관련 분쟁에서 각각 승리한바 있으므로 AIRBUS 문제를 미국이 BARGAININGCHIP 으로 이용하는 것은 과거의 균형을 깨뜨린다는 면에서도 EC 를 자극하고 있음.

다. 그럼에도 불구하고 미국과 EC 는 각각 농업에 대한 불균형적 보조로 인하여 다같이 재정적으로 큰 난관에 부닥히고 있으므로 타협의 필요성을 절감하고EC 는 미국이 제일 관심을 갖고 있는 수출보조를 크게 줄이고 시장접근을 허용하면서 국내보조면에서는 농민에 대한 직접 지원으로 전환하는 선에서 양보하고 미국은 DEFICIENCY PAYMENT 를 줄이면서 TARIFFICATION 을 전제로 한 WAIVER 를 사실상 포기하는 선에서(WAIVER 자체 포기는 행정부로서는 준비가 되어 있으나 LOBBIST 의 영향력으로 의회 승인이 어려울 것 이라함) 타협점을 모색하고 있는바 자기로서는 PACKAGE 자체는 적어질 가능성은 있으나 타협 가능성은 충분히 있으며 그 시기는 10-11 월로 본다고 지적함.

라. 그는 아국으로서도 농산물 타결에 대한 충분한 대비를 함이 좋을 것이라고 말하고 한국의 농산물에 대한 민감성은 알고 있으나 어떤분야에서도 시장 자체의 완전

통상국 장관 차관 2차보

일반문서로 재분류(1981 . 12. 31.)

폐쇄는 어려울 것이라고 전망하면서 <u>일본의 농산물 문제에 대한 입장을</u> 면밀히
관찰하여야 할것이라고 지적함.

마. 일부 개도국이 여러가지 명분으로 <u>일부 품목에 대한 시장개방</u>
<u>불가능을</u>주장하고 있으나 그러한 예외 인정이 일반적으로 받아들여 지기는 어려울
것이라고 전망하고 설령 일부 개도국에게 다소의 예외가 인정된다 하더라도 한국이
그러한 예외를 주장한다는 것은 한국의 국제적 위치와 지위에 볼때 선진국들이 전혀
납득치 못할 것이라고 지적함.

2. TRAN 대사는 이장관 당지 재직시에도 장관님과 오찬회등등 특히 긴밀한 관계를
유지해 왔다고 말하고 한국과는 UR 관련 모든 내용에 대하여 숨김없이 알려주겠다고
했음을 참고로 첨언함. 끝

(대사 박수길-장관)

예고:91.12.31.

UR 협상 주요분야별 현황
----

1. 농산물 협상

가. 협상현황

- 브렛셀 각료회의 실패이후 협상 실무자급에서 수로 기술적 사항을 협의
   중임

- 금년말 타결을 목표로하여 각국이 정치적 결정을 내리는데 용이하도록
   Dunkel 총장이 선택 대안(Option Paper) 을 마련

   0 7월중 선택대안에 대한 협의를 진행, 가급적 7월말까지
       협상골격(Framework) 초안 마련 계획

나. 주요쟁점

- 미·이씨간 협상접근 방법, 삭감폭, 삭감기간, 기준년도 등에 대한
   기본적인 견해차

   0 미국: 국내보조, 시장개방, 수출보조에 대하여 각각 구체적인
       삭감약속을 함(향후 10년간 75 - 90% 삭감)

   0 이씨: 국내보조, 시장개방, 수출보조를 포괄하여 전체적으로
       삭감(86년을 기준으로 96년까지 30% 삭감)

5-1

- 미·일간 쌀시장 개방에 대한 견해차 : 일본은 Minimum Market access를 고려하는 듯한 인상을 주고 있으나 미국은 Tarrification 을 통한 완전개방을 요구

- 아국은 기본적으로 미국의 접근방법을 지지하되 농업의 특수성, 아국농업의 구조적 취약성을 이유로 쌀등 기초 식량에 대한 특별한 취급과 삭감폭 완화 및 삭감 기간 연장을 주장

다. 한·미간 쟁점사항

- 미측 입장 : 모든품목의 예외없는 관세화(현행 수입제한 조치를 철폐하고 그대신 고율의 관세를 부과)

- 아국입장 : 관세화 원칙을 수용하지만 식량안보를 위한 기초 식량은 관세화 또는 최저시장개방의 대상에서 제외

다. 전망

- 7월말까지 협상골격 초안이 마련되면 년내타결이 가능시됨

    0 미·이씨간 다각적인 타협을 시도하고 있는바, 미국이 협상목표를 낮추고, 이씨가 공동농업정책을 마련하면 협상이 급속히 전개될 전망

2. 서비스

가. 협상현황

- 3개 협상과제(서비스 일반협정, 분야별 부속서, 국가별시장개방 계획)중 시장개방 계획 작성에 관한 기술적인 협의가 진행중임

- 서비스 분야별 MFN 적용여부가 최대 정치적 쟁점이 되고 있음. 특히

5-2

0112

항공,해운,기본통신 분야에서 MFN 적용을 배제하려는 미국의 입장이
최대 장애요소가 되고 있음

ㅇ 또한 선진국들은 금융분야에 서비스 일반 협정보다 강화된
   시장개방 의무를 규정하려고 하는 반면, 개도국들은 서비스공급과
   관련된 노동력의 광범위한 이동을 요구하고 있음

- 동 정치적 쟁점들은 UR 전체협상(특히 농산물)진전과 맞물려 '91하반기
  에나 정치적 타결 기대 가능함.

ㅇ 미국의 항공,해운 기본통신분야에 MFN 배제입장은 UR 협상타결을
   위해서는 결국 철회가 불가피 하나 농산물 협상에서의
   EC 의 양보와 연계관계에 있음

나. 미국의 관심사항

- 금융분야에 대한 아측의 협조 기대

  ㅇ 선.개도국간 대치상태에 있기 때문에 아국 및 동남아 국가의
     향배가 관건이 되고 있음

다. 아국입장

- 특정서비스 분야에 시장개방의무가 강화되어서는 안되며 분야간
  균형을 이루어야 한다는 입장임.

0113

3. 시장접근 (Market Access)

가. 협상현황

- 미국과 이씨간의 심각한 입장 차이 및 농산물협상과의 연계등 으로
  협상의 진전이 부진함

  0 미국은 Request/Offer 에 의한 협상진행 및 특정 분야별
    주요교역국의 무관세화 주장 : 자국산업의 관심이익 반영

  0 이씨는 공식인하(소위 Formula approach)에 의한 각보합의 사항
    (평균 관세율의 1/3 인하) 이행 및 미국 섬유제품등의 고관세 인하
    주장(관세 조화) : 이씨 회원국간 이해의 불균형 및 갈등이 야기될
    협상결과 우려

- 금년말 협상 종결을 위하여는 10월 이전에 미국, 이씨간의
  의견접근이 이루어져야 하며 양국간 협의가 활발히 진행되고 있으나
  현재로서는 전망이 불투명함

나. 미국 관심사항

- 미국이 분야별 무세화를 제안하고 있는 9개 분야 거의 대부분에
  아국의 전면적 또는 부분적 참여 요청

- 아측이 90.12 브랏셀 각료회의에서 긍정적 검토를 언급한바 있으므로
  조속히 분야별 아국 입장제시 요망

- 아국은 현재 미국 주도하의 대부분의 분야 협상에 참석중

다. 아국입장

국내 산업의 경쟁력등을 감안할때 분야별 무관세 제안의 전면적
참여는 곤란하나 협상과정에 참여하여 <u>분야별 무관세 협상에 참여한
국가들의 이익이 균형적으로 도모될수 있는 협상결과 도출에 노력</u>

5-4

0114

4. 섬유 협상

가. 협상현황

- UR 협상이 연기됨에 따라 금년 7월 말로 끝나게 되어 있는 MFA IV
처리문제가 현안 과제임

  0 연장기간

     · 대부분의 국가가 92, 말까지의 17개월 연장선호(단 미국은
       공식적으로는 29개월 주장)

  0 연장조건

     · 수출개도국(ITCB 국가들)은 새로운 규제조치의 금지(인도,
       파키스탄), 쿼타량 삭감 조치의 금지(한국, 홍콩), 품목별
       규제의 총량규제, 지역별 규제볼 폐지등 3가지 조건을 제시

     · 미국, EC 등 모든 수입국들은 상기 조건에 강력 반대

- MFA 연장문제 7월말에 임박하여 타결될 전망이며 3가지 조건은 법적
  기속력 없는 정치적 선언정도의 타결이 예상됨

나. 미국 관심사항

- 3가지 조건 철회시 연장기간 문제에는 신축성이 있음을 암시하고 있음

다. UR/섬유협상과의 관계 및 아국입장

- 섬유협상은 MFA 처리문제가 해결될때 까지는 본격적인 협상은 곤란

- 섬유협상애 있어서는 현 의장초안이 협상의 좋은 기초가 될수
  있으며 신축적 자세로 임함

- 섬유협상의 이익은 가능한 모든 수출국애 고루 분배되어야 함.   끝.

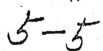

외 무 부

증 별 :

번 호 : ECW-0528   일 시 : 91 0625 1900

수 신 : 장 관(봉기, 경기원, 재무부, 농림수산부, 상공부)

발 신 : 주 EC 대사   사본:주제네바대사-직송필

제 목 : 갓트/UR 협상

6.24. 당관 강신성공사와 이관용농무관은 NICHOLS 미국대표부 농무담당 공사를 방문, 표제협상 추진동향등을 협의한바, 요지 하기보고함

1. DUNKEL 의 UR 농산물협상 OPTION PAPER 제시이후 협상추진 전망

0 동인은 6.24. 제시될 예정인 DUNKEL-PAPER 는 농산물협상중 미합의된 기술적및 정치적인 문제들을 포괄하는 내용이 될것으로 전망함

0 동 PAPER 제시후 DUNKEL 총장은 워싱본과 브랏셀을 방문하는 한편, 제네바에서 주요협상국들과 비공식협의를 계속할 것이며 7.22. 주간에 개최될 예정인FRAMEWORK 설정을 위한 주요국 모임이후 고위급협의를 개최할 것으로 안다하고 그러나 하계휴가 기간 이전에 정치적 타협점 모색을위한 계기가 마련되는 것은 어려울 것이라고 전망함

2. EC/CAP 개혁과 UR 협상

0 EC/CAP 개혁안은 조만간 제시될 것이나 동 개혁안의 내용이 CEREALS 분야개입가격을 50% 감축, SET-ASIDE 와 DEFICIENCY PAYMENTS 의 연결등 EC 회원국간에 쉽게 합의하기 어려운 내용이 포함될 것이므로 금년중에 동 개혁작업이 마무리되리라고는 보지않음. 특히 불란서의 경우는 CAP 개혁이나 UR 협상에서 강경한 입장을 대변하고 있음

0 EC 는 7.15. 이전까지 대두의 보조금및 시장개방 관련한 갓트 패널결과의이행계획을 제시해야 되므로 CAP 개혁안을 7.15. 이전까지는 내놓을수 밖에 없음

3. 런던 G-7 회의

0 7 월중순 개최되는 동 회의에서는 UR 협상문제가 거론될 것이나 주요안건으로 깊이있게 토의되기는 어려울 것임. 동 회의이전에 EC 는 CAP 개혁에대한 구체적인 입장의 정립이 어려우며, EC 특히 불란서인 DELORS 위원장은 G-7 회의에서 UR

롱상국 상공부	차관	1차보	2차보	분석관	정와대	경기원	재무부	농수부

PAGE 1   91.06.26   08:49

외신 2과   통제관 BS

0116

협상문제가 다루어 지는것을 희망하지 않을것으로 봄

   0 미국은 92 정치일정등을 감안하면 UR 협상을 조속히 종결시켜야 하나 협상상대국들의 입장이 미 정립된 상황하에서 G-7 회의에서 UR 협상 종결을위해 PUSH 하기는 어려우므로 G-7 회의에서는 91 OECD 각료회의 또는 90 휴스톤 G-7 회의 성명서에 언급된 수준에 머무를것으로 전망함

   0 쌀의 최소시장 접근 허용관련한 일본의 입장을 G-7 회의시 언급할 가능성은 있음

   4. 기타

   0 미국도 낙화생, 낙농제품 분야는 국내적으로 어려운 입장이나, 이에대한 양허방안을 강구하고 있음

   0 금년들어 EC 가 동의한 UR 농산물 협상에서 국내보조, 수출보조 및 시장접근 분야를 분리하여 양허공약 한다는 입장은 이사회에서 합의된바 없으므로 공식 MANDATE 여부는 불부명함. 끝

   (대사 권동만-국장)

PAGE 2

0117

관리번호 91-448

外　務　部

종　별 :

번　호 : USW-3280　　　　　　　　　　　일　시 : 91 0627 1958

수　신 : 장 관(경일,국기,봉어,미북,동구일)

발　신 : 주 미 대사

제　목 : G7 정상회담

대:WUS-2537, WUS-1978

연:USW-2341

대호, 금일 (6.27) 당관 장기호 참사관은 국무부 경제담당 부차관(DEPUTY UNDERSECRETARY)인 MR. VAUVER 를 면담, 7 월 중순 런던개최 예정인 G-7 정상회담의 의제와 이에 대한 미측 입장 및 아국 관계 사항에 대해 문의하였는바, 동인의 답변 요지 하기 보고함(장원삼 서기관 배석)

1. 아측 관련 사항

O 동인은 제일 먼저 아측 관련사항에 언급, G7 정상회담시 한국 문제 토의가 있을것이며, 동 회담에서 미국은 연호 한국의 입장을 확고하게 지지할것이라 고 하였음.

O 이와 관련 , G7 정상회담 종료시 발표될 정치 선언문에 남. 북한의 UN 가입 지지 및 북한의 핵안전 협정 체결 촉구 내용과 한국의 통일 노력을 지지한다는 내용을 포함시키도록 추진중에 있으며 이중 특히 북한의 핵안전 협정 체결 촉구는 이미 GU 회원국간 사전 협의를 통해 합의된 사항 이라고 하였음.

2. G-7 예상 의제

O 동인은 동 정상회담에서 대소 경협 문제가 주요 의제가 될것이며 그외 UR협상 타결 문제, 거시경제 측면에서의 정책 협조, 외채 탕감문제, 동구권 지원문제가 주요 의제로 논의되고 기타 환경문제, 마약 문제에 대한 간단한 협의가있을 것임을 시사 하였음.

O (장참사관의 이자율, 달러화 가치 안정문제에 대해 지난 6.23. , 개최 G7재무장관 회담에서 회원국간 합의가 이루어 졌느냐는 문의에 대하여)동인은 이자율 인하와 같은 특정 부문에 대한 합의가 이루어 지지는 않았지만, 정책 추진 방안이 다소

경제국 분석관	장관 정와대	차관 안기부	1차보	2차보	미주국	구주국	국기국	통상국

PAGE 1

91.06.28　　13:29

외신 2과 통제관 BS

0118

다르더라도 전세계의 경제성장을 위해 각국이 노력한다는 점에서 회원국간 의견합치가 있었다고 언급.

3. 주요 의제별 미측 입장

가. 대소 경제 원조

0 동인은 고르바쵸프 대통령이 런던을 방문, G7 정상회담 종료직후 소련의 새로운 경제개혁안을 G7 정상들에게 설명, 경제원을 요청할것으로 예상한다고 하고, 대소 경제 원조와 관련 미국의 입장은 개별 국가별 대규모 대소 재정 원조 보다는 다자간 기구를 통한 기술원조(TECHNICAL ASSISTANCE)중심으로 대소 경협이 이루어 져야 한다는 것이며 독일 일부 회원국의 대소 재정 원조 지지 의사에도 불구 이러한 미국의 입장은 확고하다고 언급

0 특히 재정지원의 경우 소련의 외채 부담만 가증시킬 뿐 소련의 경제 난국 해결에 도움이 안되므로 소련내 자원개발 및 유통구조 개선등 각 필요 분야에서의 기술원조가 최선책임을 부연 설명

0(장참사관의 대소 MFN 지위 부여 가능성에 대해)동인은 동 문제에 대해서는 아직 내부적으로 논의 중이며 미측 입장이 정립되지 않았다고 하면서 JACKSON- VANIK 법안에 의거 소련의 새이민법 실시 결과등 인권 개선 상황을 고려하여 결정될것임을 언급.

나. UR 타결 문제

0 동인은 UR 관련 G7 정상의 UR 조속 타결을 지지하는 정치적 선언이 있을것이며 미국은 G7 정상회담을 통해 UR 협상에 진전이 있기를 기대 한다고 언급.

0 UR 타결은 최근 <u>EC 의 공동 농업정책(CAP) 의 개혁의사 표명등으로 다소 전망이 밝아졌다고 할수있으나</u>, 아직 EC 내부적으로 의견 조정이 이루어 지지 않았으며 미측의 시각으로는 EC 가 92 구주 통합 및 동구권 문제에 우선 순위를 두고 UR 타결에 적극적으로 임하고 있지 않다는 인상을 갖고 있다고 언급.

0 UR 의 성공적인 타결은 농업, 서비스, 시장접근등 분야에서의 일괄 타결에 의해 가능하며 미측의 주된 관심 분야는 농산물 분야로서 동분야에서의 만족할만한 합의가 이루어 지지 않는한 UR 협상 타결이 어려울것임을 언급.

0 동인은 향후 농산물 분야에서의 합의가 이루어 지는 경우 그로부터 4-5 개월 내에 UR 협상이 타결될수 있을것으로 전망하고 미국으로서는 UR 협상 타결이 실패로 끝날 경우 지역주의 경제정책으로 나갈수 밖에 없을것임을 시사..

PAGE 2

O 한편, 동인은 일본도 내부적으로 3 퍼센트 내지 7 퍼센트 에서 쌀 시장 부분 개방 문제를 거론하는등 UR 타결을 위한 새로운 돌파구 필요성을 인식하고 있다고 언급하고 일본의 쌀 시장 부분 개방은 최종안으로서는 만족스러운 것은 아니나 <u>최<del>종</del>초</u> 협상안(OPEINING POSITION)으로는 받아들일수 있는 안임을 지적하고 UR타결에 한국도 협조하여 줄것을 요청함.

다. 거시 경제 측면에서의 정책 협조

O 동 G7 회담에서는 인플레이션 없는 세계경제속의 지속적 성장을 위한 각국 간 정책 협조의 지속. 강화 방안이 논의될 예정.

라. 개도국 외채 문제

O 또한 개도국의 외채 상환 기간 유예, 특히 최빈국의 외채 탕감(DEBTFORGIVENESS) 문제에 대한 구체적인 논의가 있을것으로 예상.

마. 동구권 지원문제

O 동인은 동구권의 경제난은 단순히 차관 제공만으로는 극복될수 없으며 동지역의 지속적인 성장을 위해서는 동구권 산품에 대한 수출시장이 확보 되어야하며 이런 관점에서 동구권 산품(특히 농산물)의 잠재적인 수출시장인 EC 내부의 각종 장벽이 수출 장애요인이 되어서는 안됨을 강조하고 동구권 산품의 새로운 형태의 시장 접근 필요성 을 언급.끝.

(대사 현홍주- 국장)

예고:91.7.31. 까지

PAGE 3

외 무 부

종 별 :

번 호 : GVW-1359　　　　　　　　　　일 시 : 91 0719 1220

수 신 : 장관(통기, 경기원, 재무부, 농림수산부, 상공부, 특허청)

발 신 : 주제네바대사

제 목 : G-7 정상회담 코뮤니케에 대한 던켈 갓트사무총장 논평

　　연: GVW-1344

　　연호 런던 G-7 정상회담 후 발표된 공동성명과 관련 던켈 갓트 사무총장은 7개국 정상들이 UR 의 성공적 타결을 위해 개인적으로 직접 관여키로 한점을 특히 환영한다는 취지의 별첨 STATEMENT 를 발표한바 참고 바람.

　　첨부: STATEMENT(GVW(F)-0266). 끝

　　(대사 박수길-국장)

통상국　　2차보　　경제국　　재무부　　농수부　　상공부　　특허청, 우즉국, 외정실, 정타애,

GVW(下)-0266 10718 1220

,, GUW-135P 첨부,,   17 July 1991

London G7 Summit Communiqué

Press statement by Arthur Dunkel, Director-General of GATT

FOR IMMEDIATE RELEASE

I very much welcome the re-affirmed personal commitment of the G7 leaders
to conclude the Uruguay Round successfully and comprehensively.   Their
willingness to intervene with each other if necessary is especially
important.   For the moment, the vital need is for this commitment at the
top level to be translated into forthcoming and flexible negotiating
positions in Geneva.

If we have such a change of attitude on some of the key issues then we can
make progress quickly and an agreement by the end of the year will, indeed,
be possible. We are within sight of success - much has already been done.
The economic future of the Uruguay Round participants as well as of a
number of other major economies in the world remains closely linked to the
successful and early conclusion of negotiations.

0122

외 무 부

종 별 :

번 호 : GVW-1363 　　　　　　　　　　일 시 : 91 0719 1800

수 신 : 장관(통기)

발 신 : 주 제네바 대사

제 목 : UR/TNC 회의 개최 통보

　　연: GVW-1068

　　갓트 사무국은 TNC 회의가 91.7.30 개최예정임을 통보하여 왔는바, 이를 별첨 FAX송부함.

　　첨부: 상기 FAX(GATT/AIR/3217).

　　(GVW(F)-267)

　　(대사 박수길-국장)

통상국　　2차보　　구주국　　외정실　　청와대

PAGE 1　　　　　　　　　　　　　　　　　91.07.20　　08:08 WI
　　　　　　　　　　　　　　　　　　　　외신 1과 통제관

GATT/AIR/3217   17 JULY 1991

SUBJECT: URUGUAY ROUND: TRADE NEGOTIATIONS COMMITTEE

1.   THE TRADE NEGOTIATIONS COMMITTEE WILL MEET ON TUESDAY, 30 JULY 1991,
BEGINNING AT 10 A.M. IN THE CENTRE WILLIAM RAPPARD, GENEVA.

2.   THE PROVISIONAL AGENDA IS AS FOLLOWS:

    I.   SURVEILLANCE BODY: REPORT

    II. GROUP OF NEGOTIATIONS ON GOODS: REPORT

    III. GROUP OF NEGOTIATIONS ON SERVICES: REPORT

    IV. OVERALL REVIEW OF PROGRESS IN THE NEGOTIATIONS

    V.   OTHER BUSINESS, INCLUDING ARRANGEMENTS FOR FUTURE MEETINGS.

3.   GOVERNMENTS PARTICIPATING IN THE MULTILATERAL TRADE NEGOTIATIONS AND
INTERNATIONAL ORGANIZATIONS WHICH HAVE PREVIOUSLY ATTENDED PROCEEDINGS OF
THIS COMMITTEE, WISHING TO BE REPRESENTED AT THIS MEETING ARE REQUESTED TO
INFORM ME OF THE NAMES OF THEIR REPRESENTATIVES AS SOON AS POSSIBLE.

                                        A. DUNKEL

91-1078

1-1

0124

외 무 부

종   별 :

번   호 : GVW-1443   일   시 : 91 0729 2030

수   신 : 장관(봉기,경기원,재무부,농림수산부,상공부,특허청) (사본:주미,주이

발   신 : 주 제네바 대사   씨대사(중계필))

제   목 : 비공식 GREEN ROOM 회의 결과

연: GVW-1442

1. 명 7.30(화) TNC 회의에 대비 금 7.29(월) 던켈 TNC 의장은 비공식 그린룸 회의를 소집한바, 동인의 발언요지는 다음과 같음.

가. 명일 회의는 6-7 월간 이룩된 각 위원회의 협상결과를 평가하고, 9 월부터의 회의 전략을 토의하는데 그 목적이 있음.

따라서 동 회의에서는 실무중심의(BUSINESSLIKE) 분위기를 유지하여 실질문제와 앞으로의 회의 전략문제만을 간략하게 논의하는 것이 바람직하며, 명일 회의에 대결적인 요소를 도입, 정치회의로 전락시키는 것은 극히 바람직하지 않음.

나. 따라서 명일 회의에서는 TNC 의장의 보고와 함께 GNG, GNS 및 SB 의장의 보고 및 각 NG 별 의장의 보고도 그간의 협의를 반영하는 보고가 될것이며, 던켈의장 자신도 앞으로의 전략 부분을 포함하여 그간에 이룩한 작업에 대한 평가를 내용으로 하는 간단한 보고를 할것임.

동 보고에는 앞을 TNC 회의를 정기적으로 개최하는 것이 아니고 필요에 따라 개최할 수 있도록 하는 (KEEP TNC ON CALL) 전략을 취함으로서 만약 한 분야에서의 부진한 진적이 다른 분야에 영향을 미칠 경우에는 즉각 TNC 를 소집, 동 부진한 분야 회의를 추진해 나감으로서 각 NG 의 진척에 균형을 이룩할 것임.

다. 각 NG 간의 균형된 진전을 확보하기 위한 전략 (INSTRUMENT OF GLOBAL PROGRESS)으로서 현재 각 그룹의 차기 회의 일정을 보면 GNS 는 연말까지 계획되어 있으나 다른 NG 는 일차적인 일정만이 성안되어 있는바, 이는 NG 별 진척이상호 연관성이 있기 때문에 신축성 있는 회의 일정을 짜기 위한 조치임.

라. 9 월 회기부터는 브랏셀 각료회의 실패를 뒤풀이 하지 않기 위하여 기술적인 토의와 함께 정치적인 사항도 동시에 토의해 나갈 예정인바, 이는 정치적인 문제를

통상국	장관	차관	2차보	경기원	재무부	농수부	상공부	특허청

각료들에게 미룸으로써 문제의 해결을 함께 뒤로 미루던 브랏셀 각료회의의 실패를 되풀이 않기 위해서임.

2. TNC 의장의 이러한 방침에 대하여 브라질은 개도국의장의 자격으로 명일TNC 회의에서는 건설적인 입장에서 연호 내용의 성명(STATEMENT)을 할것이라고함.

3. 또한 유고 대표도 유고가 9.2(월)-5(목) 간 비동맹회의를 ACCRA 에서 개최된다고 밝히고 동회의에서도 UR 교섭에 대한 평가가 주 의제가 될것임에 비추어 명일 TNC 회의를 정치화(DRAMATIZE)하지 말아야 하며, 또한 정치적으로 대결적인 발언은 없는것이 좋을것이라고 지적함.

4. 따라서 명일 TNC 회의에서는 TNC 의장 보고를 들은후 개도국 의장의 발언과 이씨등 몇나라의 발언이 있을 것으로 예상되나, 이들의 발언은 대결적(POLEMICAL)인 내용이 아닌 건설적이며, 실무적인 내용일 것으로 양해됨. 끝

(대사 박수길-장관대리)

예고 91.12.31. 까지

PAGE 2

0126

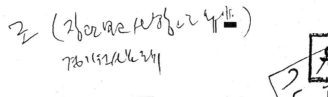

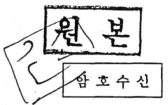

외 무 부

종 별 :

번 호 : GVW-1446
일 시 : 91 0730 2000

수 신 : 장관(통기,경기,재무,농수,상공,특허청) 사본:주미,주이씨-중계필

발 신 : 주 제네바 대사

제 목 : UR/TNC 회의

연: GVW-1442, 1443

1. 표제회의는 7.30 DUNKEL 사무총장 주재로 개최되어, 지난 6-7 월간의 UR협상 진전사항과 9 월 이후의 협상 전략과 관련한 DUNKEL 사무총장의 발언을 청취하고, RICUPERO 개도국 비공식 그룹의장이 UR 협상과 관련 연호 내용의 개도국 입장을 밝히는 발언을 한후 종료되었는바, 주요 내용 아래 보고함.

(본직, 신서기관 참석)

가. UR 협상 진전사항 검토

- 금일 배포된 GNS, GNG, 감시기구의장 보고서는 6-7 월간 UR 협상 진전사항 평가의 기초로서 별도 부연 설명이 필요치 않음.

O 현 상황 진단

- UR 협상 타결을 위한 정치적인 CONSENSUS 는 확고하며, UR 타결의 절박성(SENSE OF URGENCY)에도 공감대가 확인됨.

- 개도국을 포함 많은 협상 참여 국가들은 자발적으로 UR 협상의 주요 목표를 달성시키기 위한 자발적인 조치를 취하였음.

- 협상이 세부화 될수록 기술적인 문제와 정치적 문제는 상호 밀접히 연계되어 협상 타결 단계별로 양문제를 종합적으로 다루어야 함이 인식됨. 이미 경험하였듯이 마지막 단계에서 해결을 기대하는 것은 자기 패배적임.

- UR 협상의 성공적인 타결에 필요한 모든 요소(ELEMENTS)을 갖추고 있음.

O 협상 분야별 현황

- 농산물, 섬유, 시장접근, 서비스 분야에서는 앞으로 합의해야 할 현안 문제가 많지만 브랏셀 회의 전후의 작업을 통해 진정한 협상단계로 옮길수 있음.

- 규범제정, TRIPS 분야에서는 기존 협상문안을 기초로 최종 정치적인 TRADE -

통상국	장관	차관	1차보	2차보	경제국	정와대	안기부	재무부
농수부	상공부	특허청						

PAGE 1

OFFS 가 가능하다고 보여짐.

- TRIMS, 반덤핑 분야는 합의된 협상문안이 없지만 중요한 정치적인 결정이이루어지면 곧 합의가 될수 있음.

- 분쟁해결과 제도분야는 실질적인 협정에서의 권리와 의무가 보다 명료해 졌을때 본격적인 논의를 개시함.

0 진전사항 평가

- UR 협상은 9 월이후 결정적인 단계를 맞이 할 것이며 따라서 협상 참여자들은 합의를 위한 응분의 책임을 다해야 할것임. 긴요한 것은 상호 신뢰를 바탕으로 "NOTHING IS FINAL BEFORE EVERYTHING IS DONE" 라는 명제하에 협상을 성공시키겠다는 정치적 결의임.

(2). UR 협상 하반기 전략(작업 계획)

- 금후 TNC 회의 일정은 별도로 정하지 않고 필요에 따라 수시 소집할 것임.

- 9 월 이후 협상을 가속화 하여, 10,11 월에는 DEAL-MAKING STAGE 가 되도록 협상 노력을 경주함.

- 9 월 이후의 분야별 협상그룹 회의 일정은 의장 책임하에 비공식, 양자, 복수협의를 통해 구체적인 결과를 이루도록 작성됨.

- 한반기 전략 목표는 "균형되고 실질적이며, 공평한 협상 PACKAGE" 를 이룩하기 위한 것임.

나. 다른 한편 EC 는 7.29 자 EC 각료이사회 UR 협상 관련 결정내용을 문서로 금일 TNC 회의에서 배포하였는데, 동 내용 요지는 91 년 말까지 UR 협상을 타결하기 위하여 최고위층에서 이루어진 정치적 합의에 따라 협상 과정을 가속화 하기 위한 모든 노력을 경주할 것임을 다짐함.

다. DUNKEL 사무총장은 주요국가와 협의결과 7.31 은퇴 예정인 MATHUR 사무차장이 은퇴후에도 감시기구 의장직을 계속 수행하기로 되었다고 발표함.

라. 상기 DUNKEL 사무총장 발언문 및 하반기 회의 일정표는 별첨 팩스 송부하며, GNS, GNG, 감시기구 의장 보고서는 금파편 송부 예정임.

--이하 2 항 부터 GVW-1447 로 계속됨.

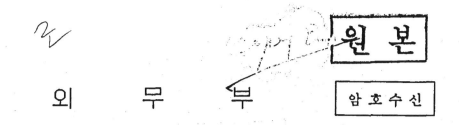

외 무 부

암호수신

종   별 :

번   호 : GVW-1447   일   시 : 91 0730 2000

수   신 : 장관(봉기,경기,재무,농수,상공,특허청) 사본:주미,주이씨-중계필

발   신 : 주 제네바 대사

제   목 : UR/TNC 회의

이하 GVW-1446 의 계속임.

2. 금일 TNC 회의에서의 DUNKEL 총장의 발언에 대한 당관의 1 차적인 평가는 아래와 같음.

가. 던켈 총장은 G-7 정상회담에서의 년내 UR 타결 결의 및 지난 1-2 주간의 농산물 및 서비스 분야의 협상에 상당한 진전이 있었다는 사실에 입각하여 UR타결을 위한 분위기가 호전 되었다는 낙관적 견해를 표명한바, 그의 긍정적인 평가에 어느정도 동의할수 있는 사태의 진전이 있었다고도 볼수 있음.

나. 동 총장은 정치적 결정을 뒤로 미루지 않고 기술적인 토의와 병행하여 정치적 절충을 함께 시도함으로써 브랏셀회의의 전철을 되풀이 하지 않겠다는 기본협상 자세를 분명히 밝힘으로서 정치적 결정을 위한 년내 특별 각료회의 개최 가능성은 회박해 진것으로 보임.

다. 의장의 STATEMENT 에 대해 개도국 구룹이 개별적인 발언을 자제하고 가속화된 작업 일정을 수용, 침묵을 지킨것은 년말까지 UR 협상을 종결시켜야 한다는 당위성앞에 아무도 이의를 제기할수 없는 분위기 때문이었던 것으로 해석됨.

라. TNC 회의를 정기적으로 개최하기 보다는 각 협상 분야 진척을 평준화하기 위해 필요에 따라 수시로 개최키로 한 것은 각 협상 분야의 상호 연관성을 고려한 전략으로 특히 농산물 협상의 교착 상태가 발생할 경우에는 즉시 TNC 등을 소집, 정치적 해결을 시도할려는 시로운 전략으로 평가됨.

마. 금일 회의에서 개도국 의장이 G-7 선언을 긍정적으로 평가함과 동시에 개도국의 협상결의를 재천명함으로서 9 월 부터 협상에 임하는 진지한 자세를 선,후진국 모두 재삼 확인하는 계기가 됨.

바. 이상의 평가에도 불구하고 상금도 많은 불확실 요인들로 인하여 년말까지의

통상국   장관   차관 차관 2차보   경제국   청와대   안기부   재무부   농수부
상공부   특허청

타결 전망을 예산하기 어려운 실정임을 참고로 부언함. 끝
    첨부: 상기 발언문 및 회의 일정. (GVW(F)-282)
      (대사 박수길-차관)

SCTD

DRAFT

30.7.91

Gvwih)- 0282 1073018∞0
전문.

TRADE NEGOTIATIONS COMMITTEE

Tuesday, 30 July 1991 - 10 a.m.

Introductory remarks by Mr. A. Dunkel

This is the fourth time the TNC meets at official level since
Dr. Hector Gros Espiell reached the conclusion on 7 December 1990 at the
Brussels Ministerial meeting that "participants needed more time to
reconsider their positions in some key areas of the negotiations".

During the eight months which have elapsed since the Brussels meeting
we have achieved the following steps:

On 26 February 1991, the TNC decided to restart the negotiations in
all areas in which differences remained outstanding. It also adopted a
work agenda in each of the negotiating areas.

On 25 April the TNC adopted the new negotiating structure under the
GNG and the Chairman of the GNS informed the TNC of the organizational
decisions his Group had taken.

On 7 June the TNC adopted a programme of work for the months of June
and July. At that meeting we all agreed to reconvene in July, to review
progress and devise a negotiating strategy for the second half of 1991.

A-1

TNC10/note-2

0131

- 2 -

To review progress; to devise a negotiating strategy for the second half of 1991: This is our real agenda of today.

Let me therefore address these two points:

First review:

May I in this respect draw your attention to the three written reports which have been made available to you this morning.

- The report by Ambassador Felipe Jaramillo, assisted by Ambassador David Hawes on the negotiating Group on Services (document MTN.GNS/W/130)

- My report as Chairman of the Group of Negotiations on Goods (document MTN.GNG/W/28) which in fact brings to your attention the reports of the six negotiating groups on:

  - Market Access by Mr. Germain Denis
  - Rule-Making by Ambassador G. Maciel
  - Institutions by Ambassador J. Lacarté
  - Trade Related Aspects of Intellectual Property Rights by Ambassador L. Anell
  - Textiles and Clothing and Agriculture which are both under my Chairmanship

8-2   TNC10/note-2

0132

- 3 -

- The report by Mr. Mathur on the Surveillance Body (document MTN.SB/W/12)

I propose that these reports serve as a basis for today's review. Since they speak for themselves, they don't need any further introduction. The time for procedural and general presentations is in any case over. What we now need is to address the specifics and to set the scene for a genuine negotiating phase.

What are in this respect our assets?

First, the political consensus behind the Round remains intact and a sense of urgency is evident, along with a clearly stated intention not to compromise the quality of results.

Second, notwithstanding the Brussels setback, we have seen an impressive number of participating governments moving on an autonomous basis, towards meeting the key objectives of the Round. It is worth mentioning that many of these Governments are situated in the developing world and in Central and Eastern Europe.

Third, the deeper the negotiating groups have gone into specifics, the more it is recognized that technical and political questions are sides of the same coin and therefore have to be tackled more and more in an integrated way at every stage of the concluding phase of the Round. It would be self defeating, as experience has shown, to expect that last minute solutions will emerge through magic or good luck.

8—3

TNC10/note-2

0133

- 4 -

<u>Fourth</u>, more specifically, it appears that we have at hand all the elements necessary to finally carry the Round to a successful conclusion.

In such areas as agriculture, textiles and clothing, market access and services the combination of the work done before and after Brussels puts participants in a position to move with determination in the phase of negotiations proper. This is not to underestimate the tremendous amount of substantive work that still needs to be done.

In the areas where detailed stock-taking and review exercises took place on the basis of already available texts the general sense appears to be that matters are ripe for the final political trade-offs since most, if not all of the preparatory work has already been done. This is true of many of the rule-making areas and also in, TRIPs.

Even in areas where a common negotiating text is not yet available - TRIMs and anti-dumping for example - I sense a confidence that once the essential political decisions are taken, as identified in the commentary of MTN.TNC/W/35/Rev.1, agreements will fall into place fairly quickly.

On the balance-of-payments question, I feel that the decision whether or not to negotiate in this area will be easier to take once the general contours of the Uruguay Round package become clearer.

TNC10/note-2

0134

- 5 -

Dispute settlement and questions related to the institutional arrangements have been kept on hold. This is because there was a feeling that further progress implied more clarity in respect of the rights and obligations emerging from the substantive agreements. Since such clarity will have to be achieved very soon, these subjects of fundamental importance must now be brought to the forefront of the process.

This matter-of-fact review of the state of play makes it crystal clear that the Uruguay Round is poised to enter the decisive phase immediately after the summer recess.

Notwithstanding the multilateral character of the negotiating process, each and every participant will have to assume full responsibility in the effort to build consensus at every step of the Geneva negotiating process.

What will be essential, therefore, is a political resolve, based on mutual trust, to allow agreements to be made on the basis that "nothing is final before everything is done". In other words, the time has come to negotiate boldly using the linkages in a positive manner.

Coming now to the strategy, I would like to propose that the TNC assumes fully from now on its role of keeping the negotiating process constantly under review and supervision, having particularly in mind the requirements of transparency. To this end, it should remain -- not only theoretically, but in practical terms -- on call for formal or informal meetings and consultations. This is why I don't propose a specific date for our next meeting.

0135

- 6 -

In other words, I reserve the right to bring, at any time, to the attention of the TNC any matter which threatens progress as a whole.

The work from September onwards will need to be accelerated substantially if we are to succeed. Also an enormous negotiating effort will have to be made particularly in October and November. This should be the "deal-making stage" of the Round.

You have in this room an indicative and incomplete calendar of meetings for the negotiating groups starting from September onwards. These are formal meetings and in this sense only a tip of the iceberg. What I expect is intensive informal, bilateral and plurilateral negotiating sessions ending in concrete results leading up to formal meetings of the groups to take note of these results and move the negotiations further along. Each chairman will be using his powers to achieve break-throughs in ways he finds most appropriate and productive, keeping fully in view, of course, the requirements of transparency and the man-power, and other constraints of delegations.

In concrete terms this will mean constant updatings and revisions of the basic texts in MTN.TNC/W/35/Rev.1 to incorporate ongoing progress in negotiations.

Under such circumstances, the participating Governments, and of course the Secretariat, will have to ensure that all available resources are fully engaged in and committed to the negotiating process.

8—8   TNC10/note-2 0136

- 7 -

　　　To conclude, the objectives of this strategy should be clear to all of us -- a balanced, substantial and generally-acceptable package of results... This is essential if we are to put in place a multilateral trading system truly global in membership and in scope.

　　　The Uruguay Round is too important for the world economy, and for each and every economy to risk failure or a drawn-out delay.

MULTILATERAL TRADE NEGOTIATIONS
NEGOTIATING GROUPS
FIRST INDICATIVE SCHEDULE OF MEETINGS

DATES	NEGOTIATING GROUPS
WEEK OF 16 SEPTEMBER	AGRICULTURE
WEEK OF 16 SEPTEMBER	TRIPS
17 SEPTEMBER	GNS (MARITIME TRANSPORT)
19 SEPTEMBER	GNS (TELECOM)
20 SEPTEMBER	GNS (FINANCIAL SERVICES)
WEEK OF 23 SEPTEMBER	GNS
26 SEPTEMBER	INSTITUTIONS
27 SEPTEMBER	MARKET ACCESS
WEEK OF 30 SEPTEMBER	RULE-MAKING AND TRIMS
ON OR ABOUT 30 SEPTEMBER	TEXTILES AND CLOTHING
OCTOBER	SURVEILLANCE BODY
21 OCTOBER - 1 NOVEMBER	GNS
18 - 26 NOVEMBER AND 9 DECEMBER	GNS
ON CALL	TNC

0138

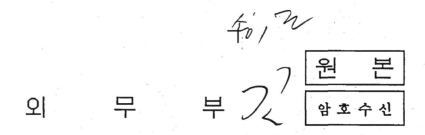

외 무 부

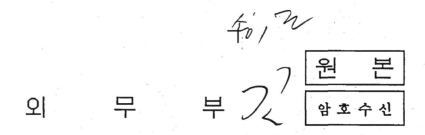
원 본
암호수신

종 별 :

번 호 : ECW-0611

일 시 : 91 0801 1630

수 신 : 장관(통기,정보,재무부,농림수산부,상공부) 사본:주미,주제네바대사

발 신 : 주 EC 대사   (중계필)

제 목 : GATT/UR협상(자료응신제91-106호)

연 : ECW-0608

1. 7,31. 당관 이관용 농무관은 G EC 집행위 대외관계총국 농업과장을 오찬에 초청하여 표제관련 협의한 바, 요지 하기 보고함.

O 7.30 개최한 미-EC 각료회담에서 G-7 회담결과, 즉 UR 협상을 금년내 종결시키는 방안을 협의하고, 또한 D 갓트사무총장이 갓트/TNC 회의에 제출예정이던 내용에 대해 토의할 예정이었으나, 동 가 TNC 회의에 제출되지 않았기 때문에 결과적으로 구체적인 합의 또는 발표할만한 내용이 없었음.

O EC 는 UR 협상 추진방향에 대한 새로운 입장을 구상중이나, 현재로서는 연호 및 갓트/TNC 회의에 제출한 S 내용정도 이외에 특별한 사항은 없음. 그러나 EC 나 미국도 UR 협상의 추진 방법이나 방향에 관한 한 독자적으로 어떤 대안을 제시하지는 않을 것이며, 동 협상은 D 총장이 어떤 방향을 제시하면, 이에 대해 미-EC 가 협의하여 의견을 모아가는 방법이 될 것이라고 부언함.

O EC/CAP 개혁 관련하여 늦어도 금년말까지는 개혁 기본골격에 대하여는 회원국간 합의가 가능하다고 보며, 따라서 동 기본 골격에 대해 어느정도 회원국간 C 가 이루어질 것으로 전망되는 시점에서 EC 는 UR 협상, 특히 농산물, 써비스, 시장접근 및 갓트규범분야에서 적극적인 입장을 취할 것이므로 EC 협상 대표들은 10 월 이후 바쁜 일정을 맞이할 것이라고말함.

O 동인은 쌀문제에 대한 아국과 일본의 입장에 대해 문의한 바, 이농무관은 아국의 쌀등 NTC 인정 요구품목에 대하여는 일본과 근본적으로 상황이 상이하며, 아국의 경우 NTC 요구품목은 8 백만 농민 거의가 일부라도 생산에 관여하고 있을 뿐 아니라, 쌀은 아국농민의 농업소득의 절반을 차지하고있어 아국농민의 소득보전등 생계와 직결되고, 현재 아국의 정치적, 사회적인 C 는 NTC 품목은 최소 시장접근 뿐 아니라, T 등 UR

통상국	차관	1차보	2차보	외정실	분석관	청와대	안기부	재무부
농수부	상공부	중계						

PAGE 1

91.08.02   07:38
외신 2과   통제관 DO

0139

농산물 협상에서 거론되고 있는 모든 사항에 부응할 수 없으나, 일본의 경우는 아국과 비교하여 전체 소득수준과 교역규모도 비교할 수 없을 뿐 아니라, 일본은 이미 쌀의 최소시장접근 허용문제는 국민적 합의 단계에 있는 것으로 본다고 답변하고, 이러한 차이에 대한 이해를 요청함.

2. 한편, 8,1 일자 F T 에 의하면 항가리를 방문중인 Ⅱ 미국통상대표부 대표는 UR 협상이 금년내에 종료되기는 어려울 것이라고 말함.

동인은 아직도 농업보조감축문제는 동 협상의 이며, 비록 농산물 협상에 어떤 진전이 있더라도 여타 14 개 분야의 합의 도출에는 4-6 개월이 소요 될 것이므로 금년말까지는 협상을 종료시키는 것이 불가능하다고 할 수는 없으나, 어려울 것이라고 말하고, 따라서 중요한 것은 앞으로 토의를 빨리 종료시키는 것이라고 말함. 끝.

(대사 권동만-국장)

PAGE 2

0140

외교문서 비밀해제: 우루과이라운드2 3

우루과이라운드 협상 동향 및 무역협상위원회 회의 1

초판인쇄 2024년 03월 15일
초판발행 2024년 03월 15일

지은이 한국학술정보(주)
펴낸이 채종준
펴낸곳 한국학술정보(주)
주 소 경기도 파주시 회동길 230(문발동)
전 화 031-908-3181(대표)
팩 스 031-908-3189
홈페이지 http://ebook.kstudy.com
E-mail 출판사업부 publish@kstudy.com
등 록 제일산-115호(2000. 6. 19)

ISBN   979-11-7217-105-6 94340
       979-11-7217-102-5 94340 (set)